ACTA ORIENTALIA BELGICA

PUBLIÉS PAR LA SOCIÉTÉ BELGE D'ÉTUDES ORIENTALES

UITGEGEVEN DOOR HET BELGISCH GENOOTSCHAP VOOR OOSTERSE STUDIËN

II

L'ENFANT DANS LES CIVILISATIONS ORIENTALES

HET KIND IN DE OOSTERSE BESCHAVINGEN

L'ENFANT DANS LES CIVILISATIONS ORIENTALES

HET KIND IN DE OOSTERSE BESCHAVINGEN

onder de leiding van sous la direction de

A. THÉODORIDÈS
P. NASTER
J. RIES

ÉDITIONS PEETERS
P.B. 41
B 3000 LEUVEN

1980

ISBN 2-8017-0124-6

Dépôt légal 1979/0602/20

TABLE DES MATIÈRES

INTRODUCTION

En 1921, sur l'initiative de Mgr P. LADEUZE, Recteur de l'Université de Louvain, les orientalistes du pays se sont réunis aux «Musées du Cinquantenaire» (Musées Royaux d'Art et d'Histoire) avec la ferme intention de constituer un groupement favorable à l'épanouissement de leurs spécialités, essentiellement sous l'angle de la philologie et de l'archéologie. C'est ainsi qu'est née la «Société Belge d'Études Orientales» qui a eu, au point de départ, Étienne DE LA VALLÉE POUSSIN pour Président; comme Vice-Président : Jean CAPART, et Maurice STRACMANS comme Secrétaire-Trésorier.

Grâce à ces promoteurs et à tous ceux qui d'emblée ont adhéré au mouvement, notre Orientalisme a connu une décisive impulsion. Les réunions se tenaient une fois par mois, de préférence en fin d'après-midi, et permettaient aux membres d'entendre deux communications relevant généralement de la même discipline.

Mais avec le temps, la Société s'est assoupie! ...

Il se trouve que de son côté, le Professeur Armand ABEL, qui avait fondé le «Centre pour l'Étude des Problèmes du Monde Musulman Contemporain», a tenu à en assurer, avec la compétence et le dynamisme extraordinaires qu'on lui a connus, une forme de relève : il a organisé chaque année, depuis 1962, une «journée» consacrée à l'Orientalisme. Ce genre de contact et d'activité connut un succès marquant, au point que le programme s'en est étendu progressivement sur deux, trois et quatre journées consécutves. La nouveauté consistait à donner, une fois l'an, aux savants et aux amis de l'Orientalisme, l'occasion de se retrouver, de faire part de l'état de leurs travaux, et de dîner ensemble lors du «raout» auquel les conviait le Professeur Armand ABEL. Ce caractère annuel et concentré de l'Orientalisme avait particulièrement plu. Mais s'il importait de le maintenir, il ne fallait pas pour autant laisser s'endormir définitivement la Société Belge d'Études Orientales, dont la propre mission est d'offrir une figure permanente et représentative de l'Orientalisme du pays, ne fût-ce que pour ses rapports avec l'étranger.

C'est dans ce sens qu'a œuvré Jacques PIRENNE; animé par une prodigieuse faculté de synthèse, il désirait embrasser la totalité du savoir et entendre de vastes exposés synoptiques. Il s'est entouré d'un Comité de Direction qui devait incarner tout l'Orientalisme de chez nous. Y ont siégé (avec Mr Ar. Théodoridès comme Secrétaire-Trésorier), Mgr Joseph Coppens, Mgr Étienne Lamotte; les Professeurs Paul Naster, Louis vanden Berghe, Baudouin van de Walle, et aussi Ludo Rocher, bientôt remplacé par Maurice Leroy; Armand Abel y figurait bien entendu, en sa qualité de Directeur du «Centre Musulman» et d'organisateur des «Journées des Orientalistes Belges». Celles-ci furent alors placées sous l'égide de la Société Belge d'Études Orientales.

Il avait été décidé, pour le reste, qu'on abandonnerait le système des conférences mensuelles; une seule réunion demeurait prévue, celle de l'Assemblée Générale. On approuvait, d'autre part, la participation active de notre groupe à la «Section Orientale» de la «Société pour le Progrès des Études Philologiques et Historiques» (séance de communications, le samedi matin, en novembre et en mai).

Pour raison de santé, Jacques Pirenne a dû, malheureusement, renoncer bientôt à la présidence, qui fut assumée par le Directeur du «Centre», Armand Abel. Celui-ci a accepté qu'il fût, lors des «Journées des Orientalistes Belges» de mai 1973, rendu hommage à la mémoire du Professeur Pirenne. Nous ne nous doutions pas à ce moment, que nous aurions le douloureux devoir de faire, un an après, la même chose en souvenir d'Armand Abel lui-même.

Comme chaque fois, en ces pénibles circonstances, la première matinée des «Journées» avait été réservée à l'évocation de la personnalité de nos maîtres disparus et de leur œuvre, l'idée est née de mettre à l'ordre du jour un grand sujet d'actualité. Il en fut ainsi pour l'«Orientalisme» en tant que tel; il ne s'agissait pas de le définir, mais de souligner l'importance qu'il peut prendre à notre époque. La notion de «thème» a surgi de la sorte comme centre d'intérêt en vue de faire examiner des sujets sous des lumières différentes, à des époques différentes, dans des régions différentes. Les thèmes ne sont absolument pas rendus obligatoires: il est loisible aux professeurs et chercheurs d'exposer des matières spécialement travaillées par eux, ou de faire connaître, par exemple, les résultats de leurs fouilles.

Il est d'autre part apparu, conformément aux aspirations générales des membres, plus indiqué que l'organisation des «Journées des Orientalistes Belges» revienne à la Société Belge d'Études Orientales. Dès l'instant qu'il avait été admis, comme ce l'avait été, qu'il lui appartenait de superviser l'ensemble de l'activité orientaliste du pays, les «Journées des Orientalistes Belges» ne devaient plus être le produit d'un «Centre», ce qui revient à dire d'une spécialité, ni non plus d'une Université, ce qui revient à dire d'un lieu, mais d'un organisme qui embrassât l'ensemble des disciplines et qui, réunissant en son Comité de Direction des délégués des Universités et des Centres de recherches, constituât vraiment une entité collégialement agissante.

Faisant un pas de plus, on a tout naturellement atteint le stade auquel on avait déjà abouti antérieurement, à savoir celui d'une publication. Le Professeur Armand ABEL avait réservé le n° 10 du périodique «Correspondance d'Orient» (édité par son «Centre pour l'Étude des Problèmes du Monde Musulman Contemporain»), aux *Acta Orientalia Belgica* qui ont paru en 1966.

Il s'agissait en cela aussi de poursuivre l'exemple, en s'attachant à publier de préférence de véritables monographies à plusieurs facettes sur des matières déterminées. Le premier volume (qui constituera le n° II des *Acta Orientalia Belgica*) rassemble les communications centrées sur l'«Enfant dans les pays orientaux anciens et modernes». C'est la notion de chronologie qui a commandé la disposition des articles dans ce recueil.

Un autre suivra aussitôt après, pour illustrer le thème du «Travail et des travailleurs», et celui de «la Science dans le monde oriental». Quant aux exposés faits sur des sujets particuliers, ils seront réunis à part en portant le titre de «Miscellanea».

Nous adressons de vibrants remercîments à tous les amis qui collaborent à la réussite de notre publication, au Professeur Julien RIES, qui la prend en mains avec énergie et clairvoyance, aux collègues qui nous remettent la substance de leurs travaux et recherches, et à la Maison d'édition PEETERS qui se voue à l'entreprise avec une encourageante bienveillance.

Toutes ces considérations font que notre Orientalisme ne peut pas ne pas connaître un lumineux essor.

Aristide THÉODORIDÈS

PRÉSENTATION GÉNÉRALE DU THÈME DE L'ENFANT

par le Professeur PAUL NASTER

Dames en Heren,

Namens het bestuur heet ik U allen welkom op deze openingszitting van de XVIe Dagen van de Belgische Oriëntalisten. Het is troostend en aanmoedigend in deze dagen waarin men er in het land overal op uit is aan de universiteiten de oriëntalistiek te kortwieken, omdat er in die colleges niet noodzakelijk tientallen of honderdtallen toehoorders zijn, dat we hier weerom talrijk bij elkaar zijn. Troostend en aanmoedigend ook dat weerom een veertigtal aan Belgische instellingen verbonden of afzonderlijk werkende oriëntalisten bereid gevonden werden hier het woord te nemen om iets van hun kennis en plannen te willen mededelen tot groot profijt van de onmiddellijke vakgenoten in de specialiteit, maar ook van de beoefenaars van andere takken van de oriëntalistiek, soms ook tot groot eigen voordeel indien een oordeelkundige kritiek hen op het spoor kan brengen van aanvullende gedachten.

Hun bereidwillige medewerking en Uw aanwezigheid maken het onze zeer aktieve en dynamische voorzitter mogelijk deze dagen, die in het begin toch slechts één dag telden, voor de zestiende maal op peil te houden en er weerom vier dagen aan te besteden zoals het was uitgegroeid nog voor de stichter van die dagen, wijlen Armand Abel, ons verliet.

Aan het voorgestelde en niet verplichte thema beantwoordden de helft van de mededelingen, te oordelen naar de titels, want het blijft altijd mogelijk, zoals we het telkens merken, dat ook terloops andere referaten bij het thema even aanknopen.

Hoe het ook weze, wat ook behandeld worde, we zullen er ons zeker aan verrijken. We hopen en wensen dat, ongeacht de taal waarin de mededeling is gesteld, alle sprekers hun inspanningen met sukses zullen bekroond zien. We hopen en wensen ook dat, niettegenstaande het minder gunstig ogenblik voor de studerende jeugd, toch meerdere studenten de werkzaamheden zullen volgen.

Het bestuur is ook alle dank verschuldigd aan de Heer Hoofdconservator van deze Musea die ons de gastvrijheid biedt in deze lokalen en aan collega Prof. Dr. Herman De Meulenaere, die ons naar hier loodste.

Mesdames et Messieurs, Chers Confrères,

Il m'incombe d'introduire devant vous le thème qui a été choisi par notre président et le Comité de la Société belge d'études orientales comme fil conducteur principal au cours de ces assises.

Un an avant les plus hautes instances internationales, les orientalistes belges consacrent leurs efforts et leurs pensées à l'enfant, l'enfant sous tous ses aspects.

L'enfant, nous croyons savoir ce que c'est. Nous l'avons été, nous le sommes parfois encore dans nos joies et nos colères, dans nos aspirations et nos ferveurs, dans nos pensées filiales, dans le besoin d'espace et de vastes horizons, d'inconnu et parfois d'aventure.

Cela, le lyrisme que l'on pourrait y mettre à se retrouver soi-même en autrui, transposons-le dans les sociétés de l'Orient, proche ou lointain, actuel, médiéval ou antique.

L'enfant a déjà fait l'objet de plus d'une communication au cours de journées des orientalistes belges antérieures, notamment l'année dernière lorsqu'il s'agissait du travail, mais également auparavant, je pense p.ex. à telle communication sur l'éthique des enfants des pays islamiques nord-africains.

L'enfant peut nous intéresser dès que, encore dans le sein de sa mère, il fait l'objet de mesures protectrices et de dispositions législatives comme dans le code de Hammourapi. Quelle est sa place dans la famille, dans le ménage? Quelles sont les obligations des nourrices? Quelles sont les dispositions prises à son égard dans les droits de succession? Les filles comptent-elles au même titre que les fils? Que fait la famille, la société, le législateur en vue de leur mariage, de leur installation en ménage?

Né prince, princesse ... ou esclave, ou appartenant à l'un des échelons sociaux intermédiaires, il connaîtra une enfance et une existence conditionnées tout différemment, à moins que sa condition servile ne soit la conséquence d'une déportation, de l'endettement des parents, d'une déchéance sociale ou morale.

On peut examiner de quelle manière et sous quelles conditions juridiques se fait l'apprentissage d'un métier. Ou de manière plus large, de quels régimes scolaires l'enfant peut profiter, quels sont les niveaux d'enseignement auxquels il peut accéder. Y a-t-il différenciation selon le niveau social ou l'état de fortune des parents? L'enseignement émane-t-il avant tout des institutions religieuses ou laïques? du palais, comme à Mari ou à Isin en Mésopotamie selon ce que l'archéologie nous enseigne en nous faisant connaître les locaux de classe du IIe millénaire avant notre ère? Quel est le matériel didactique dont dispose le maître? Ne fait-on rien pour les enfants qui présentent un défaut physique ou mental?

L'enfant se trouve-t-il attiré par ou poussé vers des connaissances et des occupations d'ordre religieux? Quel peut être sa place dans l'exercice du culte? En quelles étapes de sa vie sera-t-il lui-même l'objet de rituels et de cérémonies religieuses p.ex. naissance, circoncision, fiançailles, mariage? Peut-il être consacré à la divinité et tenu au célibat et à l'abstinence? Ou plutôt, bien avant tout cela déjà, a-t-il pu être sacrifié à la divinité et offert en holocauste comme dans la civilisation punique?

Nous le voyons victime des guerres, déporté avec le peuple auquel il appartient ou parfois, plus pacifiquement, émigrant vers un autre pays avec sa famille, son clan, son groupe ethnique. L'un et l'autre peut se trouver illustré sur des reliefs ou des peintures d'Assyrie ou d'Égypte. Comme déporté, otage ou caution, il apprendra à connaître une autre civilisation, une autre langue : restera-t-il fidèle à son propre peuple et à sa culture propre ou sera-ce le contraire?

Le nom qu'il porte, d'où vient-il? De quelle piété ou de quelle force magique est-il chargé?

Le linguiste peut s'intéresser à ce nom, mais aussi à la manière propre dont s'est exprimé ou s'exprime encore l'enfant oriental. A-t-il un langage à lui?

Le jeu est le royaume de l'enfant, mais pas exclusivement pourtant. De quels jeux joue-t-il? Beaucoup de civilisations nous ont laissé des jouets, poupées rudimentaires ou jeux de société «sophistiqués». Mais pouvait-il vraiment toucher à ce jeu, faisant penser au jeu d'échecs ou de dames, dont joue si gravement avec son épouse plus d'un maître de tombe sous la 5e dynastie en Égypte, il y a 4.500 ans? Sans doute y a-t-il également le jeu avec des animaux favoris : chiens, singes, oiseaux (chez les Hittites) et sans doute bien d'autres. Et s'il joue à la guerre, à quel âge la passion du jeu se mue-t-elle en désir d'aller authentiquement se battre?

Jeu encore ou dure école est le domaine de la musique. En général, dans les arts d'Égypte, de l'Asie Antérieure, d'Iran (et peut-être au delà) ce sont des adultes que l'on voit jouer d'un instrument, seuls ou dans un orchestre. Mais comment se fait l'apprentissage du musicien? Y a-t-il des instruments adaptés à la taille de l'enfant? L'exercice de la danse également peut lui convenir et nous connaissons en Égypte des chœurs de danse, ou corps de ballet si on veut, composés de jeunes filles.

Moins gai évidemment est le métier de pleureuse publique pour les funérailles, mais les preuves sont là que des jeunes se mêlent à leurs mères ou à leurs aînées expérimentées en la matière.

Et la poésie : à partir de quel âge tel génie précoce a-t-il carressé les Muses?

L'enfant est fragile et vulnérable. La médecine qu'a-t-elle pu pour lui? dès avant sa naissance, au moment de sa venue au monde, pendant sa prime jeunesse et plus tard, quand sans doute il doit, comme nos enfants, affronter telle puis telle maladie, particulière ou non à son jeune âge? L'Orient a connu des médecines célèbres : l'égyptienne, l'arabe, la chinoise. Ont-elles fait preuve d'une sollicitude particulière pour l'enfant?

Telles sont une suite de questions. On pourrait en ajouter mille autres. Si les rares exemples évoqués sont sans doute un peu trop «occidentaux», bien que orientaux pour nous, chacun peut les transposer dans le domaine propre de ses études préférées. Mais vraiment, chacun de vous s'en rendra compte : il y a de quoi remplir sa vie à faire des recherches sur le thème et quelques-unes de ses applications. Grâce à vous, déjà une vingtaine d'applications vous seront exposées au cours de ces quatre journées.

Et si vous le permettez, conformément au désir de notre président, j'enchaînerai déjà moi-même en vous transportant dans l'empire de Darius, de Xerxès et d'Artaxerxès Ier. Une documentation découverte à Persépolis met à notre disposition des renseignements de nature plutôt rare au sujet de primes accordées aux jeunes mères, ouvrières qui viennent de mettre au monde un enfant, et d'autres relatifs aux salaires payés aux jeunes ouvriers, garçons et filles, de nationalité parfois étrangère à la Perse proprement dite et exerçant des métiers divers, main non pas toujours identifiables. (V. p. 19-27).

LA CONDITION DE L'ENFANT EN MÉSOPOTAMIE AUTOUR DE L'AN 2000 av. J.-C.

par HENRI LIMET

Délibérément, nous laisserons de côté, dans cet exposé, les problèmes relatifs à la situation juridique des enfants; elle a été, en effet, souvent étudiée, ce qui ne signifie pas que tout ait été dit de façon définitive sur le sujet[1]. Mon propos se rattache davantage à l'histoire des sociétés et des mentalités.

Les Sumériens distinguaient l'enfance: u_4.tur.ra «les jours où l'on était petit», l'âge adulte, nam.šul.la, mot correspondant à l'accadien *meṭlutum*, et la vieillesse, nam.ab.ba, le moment où l'on était le père de famille respecté, le «vieux»[2]. Sur un autre plan, dans les documents administratifs, on précisait si c'était nécessaire: dumu.gaba «le nourrisson», littér.: «l'enfant au sein»; par des documents du second millénaire, on sait que l'allaitement durait trois ans, parfois seulement deux[3]; ensuite: dumu.nitá «le garçon» et dumu.mí «la fille»; plus tard, l'enfant, dumu, devenait simplement une gemé ou un guruš, soit «une femme» ou «un homme» avec

[1] Les historiens du droit se sont beaucoup préoccupés des questions d'héritage et d'adoption et, par là-même, se sont intéressés aux enfants. Il y a quelques années, la Société Jean Bodin a consacré ses conférences à «L'enfant»; M. GONELLE (Recueil 39 [1975], p. 63-77) a traité du *Droit à l'éducation, de l'époque de la 3e dynastie d'Ur à celle de la dynastie de Hammurabi* et signale sa thèse (non publiée) sur *la condition juridique de l'enfant en droit suméro-akkadien*, soutenue en 1970; J. KLÍMA a écrit quelques pages (Recueil 35 [1975], p. 119-130) sur le *Statut de l'enfant d'après les documents cunéiformes de Mari*. Ces deux études restent très générales. Il n'en est pas de même de celle de F. R. KRAUS, *Erbrechtliche Terminologie im alten Mesopotamien*, dans *Essays on Oriental Laws of Succession* (= Studia et Documenta ad iura antiqui pertinentia, vol. IX, Leiden, 1969), p. 18-57; l'examen approfondi d'un terme comme ibila/ì.bí.lá montre comment un sujet peut être renouvelé.

[2] Cf. Å. SJÖBERG, *ZA* 64 (1975), p. 140 et sv., *Examenstext* A, 4: u_4.tur.ra.zu.ta nam.šul.la.a.zu.[šè] «depuis ton enfance jusqu'à ton âge adulte», ce que l'accadien traduit par: *ultu ūm ṣeḫērika adi meṭlūtika*. Le terme šul correspond au latin *iuuenis* désignant l'homme fait, de l'adolescence à la quarantaine. A la l. 33, nous trouvons les deux termes: nam.šul.la et nam.a[b.ba...] qui figurent également dans S. N. KRAMER, *Two Elegies...*, 171; u_4.tur.ra.zu, également dans *JCS* 24 (1972), p. 126, 11 (= acc. *ina ṣeḫērika*).

[3] Cf. *HG* III, nos 32 et 33; E. SZLECHTER, *Tablettes*, no 1 (MAH 15951); *ana ittišu* 3, III, 48 (= *MSL* I, p. 45).

une connotation générale de «travailleur manuel sans qualification définie» (encore que l'on mentionne parfois l'occupation, gemé. uš. bar, par exemple, «ouvrière tisseuse»); enfin, le vieux travailleur, homme ou femme, est qualifié de šu. gi_4, il continue à recevoir une allocation de nourriture et de vêtement. L'orphelin est un ama.nu. tuku «celui qui n'a pas de mère»[4].

Le vocabulaire utilisé avant la 3e dynastie d'Ur est légèrement différent; les enfants en bas âge s'appellent šà. du_{10}, littér. : «doux cœur», on précise s'il y a lieu : nitá et mí; ce terme va tomber en désuétude et ne s'appliquera plus qu'aux petits des animaux[5]. Quant à dumu, suivi ou non de nitá ou de mí, il est employé concurremment avec šà. du_{10}, mais implique la relation familiale «fils» ou «fille»[6]. L'orphelin est appelé nu. síg, le terme s'appliquant aux garçons, nitá, comme aux filles, mí, contrairement à l'usage accadien, bab. ancien, où nu. síg correspond à *ekūtu* «la fille rejetée, destituée»[7].

Sur le plan familial, le vocabulaire est intéressant à étudier pour notre propos. Par dumu. uš, à lire probablement ibila, et par i. bi. la écrit syllabiquement, il faut entendre la ou les personnes qui héritent ou peuvent hériter du père; en principe, il s'agit de fils, mais éventuellement aussi d'une fille ou d'un frère du défunt[8]. Il semble que les Sumériens n'aient pas accordé au fils aîné un avantage, ce que confirme l'absence de toute référence au šeš. gal «le frère aîné». A ce propos, il convient d'observer combien le tableau de la famille, tel qu'il se dégage de la série *ana itti-šu* ou des listes lexicographiques, reflète une situation non pas sumérienne mais propre aux premiers siècles du second millénaire[9]. Exclu de la famille régulière est le batard,

[4] On constatera, au passage, que la redistribution des revenus pratiquée à l'époque d'Ur III s'étendait même aux personnes qui ne «produisaient» pas encore ou ne «produisaient» plus, grâce à une sorte de sécurité sociale.

[5] Voir par ex. J. BAUER, *Altsumer. Wirtschaftstexte*, n° 46 (= Fö. 103); *Doc. présarg.*, n° 113 (= *Or.* 9/13, 27); *Or.* 34-35, n° 16. Voir aussi *MSL* 8/1, 56; pour LANDSBERGER, il s'agit d'enfants de moins d'un an, fille ou garçon.

[6] Dans *Or.* 43-44, n° 12.

[7] Cf. *CAD* et *AHw*, s.v.; A. FALKENSTEIN, *Gerichtsurkunden* III, p. 150 et I, p. 119, n. 2.

[8] Voir l'article de KRAUS, cité à la note 1, en particulier p. 39 et sv.

[9] A l'époque d'Ur III, le terme šeš.gal désigne une sorte de moniteur pour jeunes travailleurs, voir *UET* 3, 1455; 1720; *ITT* 4, 7293 (= Mater. per il Vocab. Neosumer. VI/1, 284); dans certains textes littéraires, le moniteur pour jeunes scribes. En revanche, le fils aîné joue un rôle important dans le droit successoral à l'époque paléo-babylonienne. Les listes *proto*-Lú (*MSL* 12, p. 45), 345-6-7, connaissent le frère (šeš), le frère aîné (šeš.gal) et le frère cadet (šeš.bàn.da); de même, lignes 349-351, trois types de sœurs. Cette distinction n'avait aucune importance à l'époque d'Ur III, cf. A. FALKENSTEIN, *Gerichtsurkunden*, I, p. 113.

šà.a.bar.ra; ce terme très rare figure dans une liste d'injures telles que dumu.ur.gi$_7$.ra «fils de chien» et lú.dab$_5$.ba «homme dépendant, soumis au travail obligatoire»[10].

Un problème qu'il faut renoncer à résoudre, même s'il est capital, est celui du nombre d'enfants par famille, et, par conséquence, celui de son incidence sur la considération due à l'enfant. On ne peut rien conclure de constatations dispersées. Signalons néanmoins une famille comprenant cinq fils qui se partagent les prébendes du père[11]; nous connaissons aussi par les sceaux le cas de Ur.nigìn.gar kuš$_x$ (écuyer) dont plusieurs fils étaient dub.sar : A.kal.la, Ìr (ou Ìr.mu), Da.da.ga, Ka.^{d}Šará et Lugal.kù.zu[12]; le cas du géomètre du cadastre (sa$_{12}$.su$_5$ ou sag.sug$_5$) Lú.^{d}Šará dont plusieurs fils apparaissent dans les documents : Lú.^{d}Si$_4$.an.ka, É.gal.e.si, I$_7$.pa.è[13]. Les documents juridiques attestent cependant des familles plus réduites : ils citent généralement deux frères, un frère et une sœur, rarement davantage. La fin de l'épopée *Gilgameš, Enkidu et les enfers* doit à ce sujet retenir notre attention. Enkidu, tombé malencontreusement aux Enfers, finit par en resortir; à peine est-il sauvé que Gilgameš, *ex abrupto*, l'assaille de questions :

«As-tu vu l'homme qui a *un* enfant?
— Je l'ai vu.
— Que faisait-il?
— Il pleurait amèrement...».

L'interrogatoire se poursuit selon ce schéma; Gilgameš apprend ainsi que les pères de deux et de trois enfants ne paraissent pas heureux : seul celui qui a quatre enfants «est comme celui qui a attelé quatre ânes, son cœur est joyeux»; ceux qui ont cinq, six, et sept enfants sont l'un «comme un agriculteur, son cœur est content» et le dernier «il est assis dans la demeure des dieux, sur un trône, et il écoute de la musique». En outre on plaint la fille restée vierge, le célibataire et d'autres malheureux tel le jeune héros tombé sur le champ de bataille[14].

[10] Voir le texte nº 1, édité par Å. Sjöberg, dans *JCS* 24 (1972), p. 107, l. 37; commentaire sur le terme šà.a.bar.ra, p. 112-113.

[11] A. Falkenstein, *Gerichtsurkunden*, nº 12.

[12] Voir l'article de N. Schneider sur les *dubsar*, dans *Or.* n.s. 15 (1946), p. 64 et sv.; les sceaux des fils d'Ur-nigingar sont repris sous les nºs 53, 71, 76 (Ìr.mu est un hypocoristique de Ìr), 84, 130 et 263.

[13] Voir *ibid.*, les sceaux nºs 99 et 190; compléter par Shin T. Kang, *Sumerian Econ. Texts from the Umma Archive*, p. 348, sceaux 18 et 25. Pour l'interprétation des inscriptions gravées sur les sceaux, voir ma remarque à la note 23, ci-dessous.

[14] Cf. A. Shaffer, *Sumerian Sources of Tablet XII of the Epic of Gilgameš*, p. 88, l. 255 et sv.

Ce texte repris dans la grande épopée accadienne de Gilgameš est certes rédigé en sumérien, mais rien n'indique qu'il exprime une pensée sumérienne. La série de sept est déjà en soi suspecte en ce qu'elle sent le procédé littéraire. La version de ce passage, consignée par les scribes d'Ur, est différente et ne contient apparemment pas ces lignes; elle pourrait peut-être correspondre davantage aux conceptions sumériennes[15].

Quoi qu'il en soit, il semble bien qu'après la période d'Agadé, une poussée démographique se soit manifestée au temps de la 3e dynastie d'Ur comme le montrent la toponymie et les prospections archéologiques de surface[16].

* * *

Si nous nous référons à certains textes littéraires, l'enfant sumérien était choyé et heureux. Le roi Šulgi se rappelle avec plaisir ses jeunes années: é.gal.gá nì.húl.húl.la u_4 mi.ni.ib.zal.zal.e «dans mon palais c'est dans la plus grande joie que se passait chaque jour». Il remarque lui-même qu'il était «très joyeux et très gentil», mais qu'en contrepartie, les femmes ne lui laissaient guère de liberté[17].

Dans un texte qui décrit la vie d'un écolier, nous voyons ses père et mère à sa dévotion; à son retour de l'école, il exige son repas, se fait laver les pieds; quand il déclare vouloir aller se coucher, il recommande qu'on le réveille tôt; le lendemain, il reçoit les deux miches de son déjeuner et quitte sa mère pour se rendre à l'école où il paraît travailler dur[18]. L'enfant doit respecter ses parents et leur obéir dans une atmosphère de crainte; sur ce point la société était peu permissive bien que, de temps à autre, un jeune homme se révoltât contre l'autorité paternelle et, surtout, préférât l'oisiveté au travail; toutefois, traîner dans les rues et s'amuser avec de mauvais compagnons de loisir est présenté comme l'exception[19]. L'attitude habituelle des fils est d'aider

[15] La version d'Ur, pour la fin de ce texte, est donnée *ibid.*, p. 96.

[16] Voir *La toponymie antique* (Actes du Colloque de Strasbourg, juin 1975), p. 92 et la n. 40.

[17] Šulgi, *Hymne* B (= G. Castellino, *Studi Semitici* 42), respectivement les lignes 190, 186 et 189. Le texte dit: munus.e, qui est au singulier; dans ce cas, on comprendrait «la mère»; toutefois, j'ai préféré y voir un collectif «les femmes», l'ensemble des suivantes qui, avec la mère, s'occupaient de l'enfant.

[18] S.N. Kramer, *Schooldays*, p. 5, l. 13 à 17 et 20 à 23.

[19] *Hymne à Enlil*, 33-34 (éd. D.D. Reisman): inim ab.ba.šè gizzal aka.dè ní šu.a gi_4.gi_4.dam, dumu ama.ni.ir du_9.na ní.te.gá.da nam.ab.ba sù.dè

le père de famille et de prendre sa part de peines à l'atelier ou aux champs, en sus de la fréquentation sérieuse de l'é.dub.ba[20].

Les parents se montrent, du moins à un certain niveau social, à la fois doux et exigeants. La société sumérienne n'éprouve d'ailleurs aucune tendresse pour les marginaux, les errants, les révoltés : c'est dans ce cadre qu'il convient de replacer le comportement assez dur et les sentiments sans complaisance à l'égard des enfants. On notera aussi, dans la mentalité, un conservatisme certain. Le père estime normal que son fils lui succède dans le métier[21]. Un document d'Ur III récemment publié est significatif à ce sujet : U]r.nigìn.gar engar ba-ug$_x$ (BAD), Ur.(giš)gigir dumu.ni ki.na ba.a.gar «Urnigingar le cultivateur est mort, Ur-gigir, son fils, est mis à sa place»[22]. On repère çà et là dans les archives administratives le cas où le père et le fils exercent l'un et l'autre le même métier et l'étude des sceaux-cylindres, quoiqu'elle soit pleine d'embûches, confirme que les grands personnages avaient souvent des fils instruits, promis aux plus hautes fonctions[23]. L'enfant, dès sa naissance, avait sa destinée

«celui qui écoute la parole de (son) père se fait du bien à lui-même, celui qui témoigne une crainte respectueuse à sa mère atteint un âge avancé». Voir les passages parallèles cités par Reisman, dans son commentaire, p. 75. «Le fils mal éduqué» reçoit les reproches de son père dans le texte bien connu, édité par Å. SJÖBERG, dans *JCS* 25 (1973), p. 105 et sv.; voir en particulier, les lignes 47, 122.

[20] Voir le texte «Le père et son fils mal éduqué» (cf. n. 19) le passage à partir de la l. 77; en particulier les l. 88 et 95.

[21] Voir la parole attribuée à Enlil dans ce même texte, lignes 115-116.

[22] J.A. BRINKMAN, dans *Kramer Anniversary Volume* (= *AOAT* 25), p. 54, W 2/12.

[23] De *ITT* 2, 3538 (= A. FALKENSTEIN, *Gerichtsurkunden*, n° 131), il découle que le père et le fils sont nagar «charpentiers» (trad. convent.). Voir aussi le cas des šabra, qui sont les directeurs administratifs des temples, étudié par J.P. GRÉGOIRE, *Arch. admin. sumér.*, p. 130-131. L'interprétation de l'inscription gravée sur les sceaux-cylindres est délicate, sauf dans les cas simples : NP 1, fils de NP 2, ou : NP 1, scribe, fils de NP 2, ou NP 1, profession, fils de NP 2. Toutefois, pour ce qui nous intéresse, le schéma suivant offre quelque obscurité :

NP 1 scribe fils de NP 2 profession	ou :	NP 1 fils de NP 2 profession

Dans l'article cité à la n. 12 ci-dessus, N. SCHNEIDER a considéré systématiquement que la profession indiquée était celle du père; or, l'examen du document sur lequel le sceau a été roulé, montre qu'il s'agit souvent de la profession du fils, le terme dub.sar «scribe» étant un titre et non une fonction. Par ex., dans *UET* 3, 1604, le sceau porte : Inim.(d) Šará, dumu Ba.a.a, lú.túg et, dans le document, Inim. (d) Šará est signalé comme lú.túg; cf. pour un autre personnage, *UET* 3, 1254. On ne peut tirer argument d'une inscription de ce type que si le nom de profession est suivi du suffixe du «génitif», car dans ce cas, on est sûr que le NP 2 et le nom de

toute tracée si l'on en juge par une incantation dont une version remonte également à l'époque d'Ur III : «si c'est un fils, qu'il saisisse (ou : qu'on lui mette dans la main) une masse d'armes et une hache; si c'est une fille, qu'elle saisisse un fuseau et un...» (soit un peigne très ouvragé soit une spatule à fard)[24].

* * *

Ces observations valent pour les couches supérieures de la société que les lettrés connaissent bien puisqu'ils en font partie; les documents juridiques n'étaient d'autre part rédigés que pour les gens riches qui avaient des biens à acheter, à vendre, à laisser en héritage, ou dont le mariage et le divorce impliquaient des affaires d'argent. Toutefois, pour la période de la 3e dynastie d'Ur et contrairement à ce qui se passe pour d'autres époques historiques ou pour d'autres lieux, nous sommes quasi mieux renseignés sur la condition des pauvres gens que sur celle des classes élevées de la population. Cette observation tient au grand nombre de pièces administratives qui recensaient avec soin les travailleurs, ceux-ci, en effet, recevaient des allocations d'orge, d'huile et de vêtements. On peut en tirer plusieurs remarques, mais la documentation disparate, fragmentaire n'autorise pas l'établissement de statistiques probantes qui réclament des chiffres précis, fournissant pour une même région des données continues sur plusieurs années.

On constate que les enfants, garçons et filles, sont mis au travail dès leur jeune âge; du moins font-ils partie de la masse des gens qui,

métier forment un syntagme; par ex. : Gù.dé.a, dub.sar, dumu La.ni, ša$_x$.dub.ba.ka (REISNER, *Telloh*, 44), «G., le scribe, fils de L. l'archiviste». Significative est aussi l'inscription de Da.da, ensí Nibru(ki) dumu Ur.ša$_6$ ensí Nibru(ki), «Dada, le gouverneur, fils de Urša le gouverneur de Nippur», où il apparaît bien que le père et le fils furent gouverneurs de Nippur l'un et l'autre (*UET* 3, 51; nous avons transcrit le sceau tel qu'il a été copié par Legrain, toutefois d'après un autre sceau de Dada, [copie de POHL, *TuM* 351], le nom du père devrait se lire Ur.(d) AN.NIDABA).

[24] Incantation prévue pour faciliter et accompagner les accouchements, voir J. VAN DIJK, dans *Or.* n.s. 44 (1975), p. 57. Le texte dit: nitá hé.a (giš)tukul (urudu)[ha.zi] á nam.ur.sag.gá.[ka.ni] šu hé.em.ma.ab.[dab$_5$] «si c'est un garçon, qu'il tienne en main une masse d'armes et une [hache], (qui est) sa force d'héroïcité»; munus hé.a (giš)bala (giš)kirid šu.na hu.mu.un.[gál] «si c'est une fille, qu'il y ait dans sa main un fuseau et un peigne orné». Les restitutions sont possibles grâce aux versions plus récentes de ce texte. Au sujet du terme kirid, que VAN DIJK traduit par «quenouille(?)», cf. *CAD* K, s.v. *kirissu* et A. SALONEN, *Hausgeräte* I, p. 115; il s'agit d'un peigne très orné, avec des pierres précieuses, ou plaqué or, caractéristique de la parure féminine; SALONEN y voit une spatule à fard.

sous la contrainte ou sous la pression économique, constituent une réserve inépuisable de main d'œuvre. On ne peut les qualifier d'esclaves, mais on ne doit pas les ranger parmi les artisans dont le nom est suivi de l'indication d'un métier; ils sont probablement libres juridiquement tout en étant dépendants de l'État et des administrations des temples[25].

Ce système fonctionnait déjà à l'époque présargonique, comme le montrent de nombreux textes. Dans les récapitulations, à la fin des documents, nous lisons par exemple :

	17 hommes	à 48 *sila*	29 femmes	à 36 *sila*
	39 hommes	à 36 *sila*	37 femmes	à 24 *sila*
	2 hommes	à 24 *sila*	79 femmes	à 18 *sila*
et	25 garçons	à 12 *sila* et	33 filles	à 12 *sila*[26],
ou :	17 hommes	à 48	28 femmes	à 36
	81 hommes	à 36	79 femmes	à 24
	... hommes	à 24	93 femmes	à 18
	5(?) hommes	à 18		
	21 garçons	à 12	29 filles	à 12
	12 orphelins	à 12	4 orphelines	à 12[27].

On observera que les nombres d'hommes et de femmes ne sont pas sensiblement égaux, il est donc peu probable que les enfants mentionnés en même temps que ces adultes, soient nés de couples mariés. Ce sont en réalité des enfants qui accompagnent leur mère, comme le montrent d'autres textes dans lesquels, après le nom d'une ouvrière, figure la simple indication d'un garçon ou d'une fille, sans que le nom propre soit inscrit[28]. Au temps d'Ur III, dans beaucoup de listes du même genre, les fonctionnaires ont noté que tel jeune bénéficiaire de ration est l'enfant de la personne nommée à la case précédente. Le

[25] Les documents ne sont pas rares, qui nous montrent les enfants au travail avec les adultes. A Ur, *UET* 3, 1047 : 41 enfants; 1049 : 30 enfants qui perçoivent chacun 1 *sila* et demi d'huile et 43 qui n'en perçoivent qu'un. A Lagaš, *ITT* 4, 7341 : 15 hommes, 2 femmes et 2 enfants; 7378 : 84 femmes et 18 enfants; 7447 : 26 enfants, probablement des filles; 7481 : 32 femmes et 12 enfants, puis 38 femmes et 13 enfants; 7561 : 9 femmes et 14 enfants, puis 7 femmes et 10 enfants. Dans les totaux de *ITT* 4, 7305, IV, on ne compte pas moins de 120 enfants à côté de 23 femmes et de 503 hommes. Ces textes sont transcrits dans *Materiali per il Vocab. Neosumer.* VI/1, n°s 326, 359, 426, 456, 532 et 296.

A Nippur, voir *BE* 3, 40 : il est prévu 1 *gur* et 120 *sila* d'orge comme «nourriture des femmes et des enfants» (šà.gal gemé.dumu).

[26] *Or.* 34-35, n° 18.

[27] *Ibid.*, n° 16.

[28] Voir *Or.*, n° 12, 13 et 14: dumu.nitá ou dumu.mí, non suivi d'un NP, désigne l'enfant de la femme citée à la ligne précédente. On note parfois deux enfants

cas se présente souvent pour les gemé.uš.bar, les ouvrières d'ateliers textiles. Parmi celles d'Ur, on cite une fois 24 enfants touchant 1 1/2 *sila* d'orge et 22 qui n'en touchent qu'un; en outre, on signale 3 fillettes orphelines, des nourrissons, et une jeune mère est à l'atelier avec sa fille encore au sein[29]. L'enfant accompagne aussi sa mère lorsqu'elle est offerte par un notable au temple d'un dieu, il s'agit là d'esclaves[30]. Esclaves aussi, cette mère et sa fille que leur dame a vendues ensemble[31]; une minute de procès expose le cas de deux sœurs, chacune avec son/ses enfant(s), qui ont été données en cadeau[32].

Sauf exception, la filiation des enfants cités dans ces catégories de textes est rapportée à la mère[33]; même dans tel document qui donne essentiellement une liste d'ouvriers, on relève pour plusieurs d'entre eux qu'ils sont déclarés *dumu* NP, l'anthroponyme étant sans doute possible féminin[34]. Au surplus, alors que les femmes d'un certain rang sont toujours désignées comme «*dam* NP», leur nom personnel n'étant même pas nécessaire, les *gemé* ne sont jamais dites «épouse d'Untel»[35]. La conclusion qui paraît s'imposer est que ces nombreuses mères sont célibataires et que les enfants sont illégitimes; encore faut-il s'entendre sur ces termes. Ces femmes étaient probablement «mariées» *de facto* et non *de jure*, au sens de la loi sumérienne qui ne valait que pour les familles aisées[36].

Les enfants, dès qu'ils parvenaient à un certain âge, étaient effectivement mis au travail; on s'en aperçoit du fait qu'ils sont regroupés avec les adultes sous une rubrique commune : ils s'occupent du tissage, du hâlage de bateaux, ils sont gu.za.lá, chanteurs, jardiniers[37]. Leur

[29] *UET* 3, 1040. Voir aussi les n°s 1033, 1415 et 1438, II.

[30] Voir les documents où figure la mention a.ru.a «offert(e)» et qui ont été signalés par I. J. Gelb, dans son article *The Arua Institution*, *RA* 66 (1972), p. 1 et sv. Signalons comme exemple : 30 femmes à ration complète, 3 à demi-ration et 6 enfants «divers» sont dits gémé a.ru.a dans *RT* 17 (1895), p. 28.

[31] *ITT* 3, 6593 + 6615 (= A. Falkenstein, *Gerichtsurkunden*, n° 86).

[32] *ITT* 2, 928 (= A. Falkenstein, *ibid.*, n° 87).

[33] Quelques exceptions : *ITT* 4, 7290, II, 17 : un engar et son fils; 7307, I, 9 et 7330, II, 6 : père et fils; et surtout 7334, rev. I, 7-8; Reisner, *Telloh*, 154.

[34] *ITT* 4, 7317, aux lignes 6-7; 10-11; 14-15.

[35] Au temps de Naram-Sin, la mention «épouse de...» est mieux attestée, cf. par ex. A. Westenholz, *Early Cun. Texts in Jena*, n° 34. Rem. que dans Reisner, *Telloh*, 162, IX, 26-27, une certaine Gemé.(d)Na.rú.a est dite dam Šeš.kal.la «épouse de Š.»; il s'agit toutefois d'un groupe de dumu.gi$_7$ et non d'ouvrières ordinaires (sur le terme dumu.gi$_7$, voir A. Falkenstein, *Gerichtsurkunden*, III, p. 103, s.v.).

[36] I. J. Gelb a déjà vu le problème, mais n'y apporte pas de solution, *RA* 66 (1972), p. 2 et *Gesellschaftsklassen...* (= CR 18eRAI, Munich, 1972), p. 88.

[37] Reisner, *Telloh*, 146, II et VI; 154, VIII.

allocation est réduite à 20, 15 ou 10 *sila* d'orge, alors que les plus grosses rations sont de 60 : le salaire varie probablement selon l'âge[38]. Un texte range expressément les *dumu* parmi les ouvriers *loués*[39].

Il ressort de ces observations diverses que, pour beaucoup de gens vivant au 3e millénaire, le mariage restait une structure assez lâche, la cohésion de la famille ne reposait pas sur des bases solides. L'idée d'éduquer les enfants leur échappait, aussi préféraient-ils les mettre au travail avec eux : du reste, les contraintes économiques et l'absence de mobilité sociale ne leur laissaient pas d'autre choix. Comme le faisait observer mon collègue Ph. Marçais, à propos des petits Maghrébins, l'enfance était courte et les responsabilités retombaient très tôt sur les épaules des petits Sumériens.

C'est dans ce cadre de vie, et compte tenu de la mentalité du temps, qu'il faut parler de l'aspect le plus misérabiliste de la condition enfantine : la mortalité infantile, les abandons et les ventes d'enfants.

a) La mortalité infantile élevée se constate dans un groupe comprenant des femmes et des enfants emmenés comme «butin» (nam.ra.ak) : 94 femmes reçoivent 40 *sila* d'orge, 1 en reçoit 30, 22 reçoivent 25 et 4 seulement 20; cinq enfants sont notés comme «présents», or peu avant ce total général, on mentionne les noms de 12 enfants décédés à qui, pourtant, on avait alloué la ration normale[40]. La malnutrition n'est donc pas en cause, mais plutôt la vie précaire qu'ont dû mener ces réfugiées. D'autres documents de même type ne révèlent pas des situations aussi lamentables; néanmoins, on relève, à Lagaš, comme à Ur, des listes d'enfants morts.

Dans *ITT* 4, 7110 : 14 enfants sont indiqués comme morts, en particulier les deux fils d'un certain A.kal.la et les trois d'un cultivateur nommé Ur.ša$_6$.ga. A Ur, quatre comptes (*UET* 3, 968-986-994 et 1037) authentifiés par le sceau du même fonctionnaire, notent les rations accordées pour des enfants morts chez des tailleurs et des hâleurs de bateaux. D'autre part, il n'est pas rare que, dans les inventaires de personnels, des noms d'enfants soient suivis ou précédés de la mention ug$_x$ ou ba-ug$_x$ «décédé»[41]. La récapitulation d'un

[38] REISNER, *Telloh*, 162, X.

[39] PINCHES, *Amherst Tablets*, 84.

[40] *TCL* 5, 6039.

[41] Ch. VIROLLEAUD, *Tablettes écon. de Lagash*, 7, IV, 12-16; 241, V, 5; REISNER, *Telloh*, 154, I, 6; IV, 14 et 16, 21, 24; V, 7; 157.

document d'Ur nous informe que, à côté de 155 ouvrières, 46 enfants sont en vie et 17 sont morts[42].

De fait, les maladies qui menaçaient en ces temps-là les bébés devaient être fréquentes, diverses et graves; le *Traité akkadien de diagnostics* énumère longuement les indispositions auxquelles étaient sujets les jeunes enfants; ils souffraient de fièvre, d'insomnie, d'inflammation des entrailles, de frissons, de toux, de vomissements, la plupart de ces désagréments ne présageant pas une heureuse issue; à quoi s'ajoutaient les assauts des sorcières, des sortilèges, la main du dieu ou celle de Sîn ou celle d'Ištar, toutes attaques encore plus mystérieuses, mais non moins dangereuses[43].

Dans les deux versions de l'épopée citée plus haut (mais ici sans verset correspondant dans le Gilgameš accadien), il est fait mention des enfants morts-nés: nigìn.gar.tur.tur.mu ní.ḫa nu.zu; l'expression ní.ba nu.zu est significative, si nigìn.gar l'est moins (acc. *kūbu*, cf. *CAD*) «ceux qui n'ont pas connu d'existence»[44].

Les deux versions citent également gidim.lú.níg sì.ke.[nu].tuku «l'esprit (= fantôme) de ceux dont personne ne s'est occupé»: l'allusion est claire aux bébés abandonnés dès leur naissance[45].

b) Les abandons d'enfants sont effectivement attestés; il est difficile, en l'absence de chiffres précis, de savoir si c'était une plaie de l'époque ou si le fait restait exceptionnel. Toujours est-il que l'anthroponyme Pú.ta.pà.da et son abrégé Pú.ta sont très répandus à l'époque d'Ur III: ils signifient «trouvé à la fontaine» et ceux qui sont ainsi nommés sont, en réalité, des enfants abandonnés près d'un puits et recueillis par des gens charitables; le nom propre Sil.ta.pà.da est attesté également «trouvé dans la rue»[46]. La signification de ces

[42] *UET* 3, 1040, rev. IV. Voir aussi un pisan.dub.ba, étiquette d'un panier contenant maintes tablettes de ce type, rédigées au cours de 12 mois (POHL, *TuM*, 316); la l. 5: di_4.di_4.la dumu ba.ug_x iti 12.kam.

[43] R. LABAT, *Traité akkadien de diagnostics et pronostics médicaux*, Paris-Leiden, 1951, p. 217 et sv. pour les maladies des bébés. Dans le ch. 35 sont accumulés les signes qui laisseraient prévoir le sexe de l'enfant à naître et le ch. 36 est consacré à l'avenir probable de l'enfant et, surtout, aux malaises de la femme enceinte. Signalons que les tablettes qui nous ont conservé ce traité sont tardives, mais que leur contenu remonte probablement à l'époque cassite, voire à celle de la 1re dyn. de Babylone; il y a donc un décalage de plusieurs siècles entre ce traité et l'an 2000, mais la médecine n'était pas plus avancée au temps des Sumériens qu'au temps des Babyloniens et les circonstances de climat et d'hygiène étaient sans aucun doute identiques.

[44] Ouvrage cité à la n. 14, ci-dessus, p. 95, 300.

[45] *Ibid.*, p. 93, 293; la traduction accadienne rend l'interprétation certaine.

[46] H. LIMET, *Anthroponymie sumérienne*, p. 290.

anthroponymes est assurée par la série *ana ittišu*, tabl. 3, III, 32-33, qui a colligé d'autres catégories d'enfants malheureux : outre celui qui n'a pas de père et de mère, il y a celui qui ne connaît pas son père et sa mère, mais aussi celui que l'on a fait tomber du bec des corbeaux ou arraché de la gueule des chiens, ce qui évoque de façon assez sinistre l'abandon des bébés sur des fumiers ou dans des endroits écartés. Deux autres types d'enfants sont rangés dans la même catégorie, mais sous une forme symbolique que nous ne comprenons pas : toucher le pied[47]. L'abandon d'enfants ainsi attesté à la fin du 3e et au début du 2e millénaire, l'est déjà au temps d'Urukagina : une petite esclave qui a été «trouvée au puits» (ou qui s'appelle «Trouvée au puits») a été recueillie par une servante de Ningirsu; celle-ci l'a remise contre un cadeau pour elle-même et pour la fillette, à l'épouse du *sanga* de Ningirsu[48]. Cette pratique est, avec la mortalité infantile élevée, une forme de régulation des naissances pour éviter la surpopulation. Ceci dit en passant, il est fort probable que la période prolongée de l'allaitement, deux et même trois ans, produisait également un résultat analogue, non intentionnel mais effectif : la lactation réduit en effet la fécondité de la plupart des femmes et nous n'avons aucune raison de supposer que la femme sumérienne avait une conformation physiologique différente de celle de la femme occidentale.

c) Ce dernier cas nous amène à parler des ventes d'enfants, sujet qui heurte notre sensibilité et qu'on a, probablement pour cette raison, tenté d'expliquer : le motif invoqué par divers auteurs est l'insécurité économique, en d'autres termes : la nécessité résultant de la pauvreté à laquelle certains parents étaient réduits par les circonstances. Il est cependant difficile de concevoir une dureté des temps qui s'étende sur plusieurs siècles[49]. A la fin de l'époque d'Agadé, quelques textes juridiques attestent des ventes d'enfants par leur mère, assistée parfois d'un homme qui n'est pas présenté comme l'époux[50]. Dans la série de procès dont Falkenstein a rassemblé les minutes dans les *Gerichtsurkunden*, on trouve trace d'une douzaine de ventes d'enfants par leur père et autant par leur mère : il s'agit de 14 filles et 7 garçons, vendus en bas âge si l'on en juge par le prix. Les procès sont souvent intentés

[47] *MSL* I, p. 44. Les deux expressions de caractère symbolique sont «devant témoins, il a reçu son pied» et «ils ont scellé la mesure de son pied avec le sceau des témoins». S'agit-il d'une forme d'adoption?

[48] *RTC* 16; le début ainsi rédigé : 1 sag.mí pú.ta.pà.da.am$_6$, supporte les deux traductions, mais cette divergence n'infirme pas notre propos.

[49] Voir déjà A. FALKENSTEIN, *Gerichtsurkunden*, I, p. 85-86. Cf. la n. 51 ci-dessous.

[50] J. KRECHER, dans *ZA* 63 (1974), nos 14 à 19.

parce que le père (ou la mère) conteste plus tard la transaction : regret ou remords tardifs, volonté de récupérer un travailleur qui rapporterait salaire alors qu'on avait abandonné un gosse à élever? Connues aussi à l'époque paléo-assyrienne, les ventes d'enfants continuent au temps de la 1er dynastie de Babylone ; toutefois, le CH au § 117 ne les admet que sous la contrainte d'une obligation (au sens juridique) et que pour un temps limité. Néanmoins, beaucoup plus tard, au 7e siècle, à Nippur, on en retrouve, justifiées par la disette due à un siège[51]. L'explication est supportée par un passage du Code Théodosien : *Notum est proxime obscaenissimam famem per totam Italiam desaevisse conatosque homines filios et parentes vendere ut discrimen instantis mortis effugerent*[52]. Falkenstein avait pensé que la cohésion de la famille sumérienne était moins solide que celle de la famille sémitique (encore que Joseph eût été vendu par ses frères). Cette suggestion est à retenir, mais il faut la nuancer. Pendant la 3e dynastie d'Ur, certainement aussi avant et peut-être après, une grande masse de gens vivait dans une précarité de chaque jour, même si la redistribution des revenus, en vêtements et en biens alimentaires, évitait les famines. Des unions de fait qui se contractaient, naissaient des enfants qui, victimes de l'instabilité de ces « mariages », des conditions de vie, d'un moment de difficulté passagère, étaient vendus, exposés ; au mieux, ils étaient mis au travail, et, au pire, ils mouraient.

* * *

La société sumérienne nous présente ainsi l'envers de son décor : la condition enfantine n'y apparaît pas très brillante, probablement parce que les conditions de vie pour la majorité de la population restaient dures et précaires[53]. Le système social en était en partie responsable, les contraintes de lieu et de climat n'y sont pas étrangères non plus. Il y a cinquante ans à peine, Weulersse, dans son remarquable

[51] A. L. OPPENHEIM, *Ancient Mesopotamia*, p. 283, qui renvoie à son article « *Siege Documents* » *from Nippur*, dans *Iraq* 17 (1955), p. 69 sv. ; on verra la longue présentation de ces documents qui concernent les ventes d'enfants dont la justification est *i-na dá.na.tí ú-ba-lí-sú-nu* « il les a fait vivre dans un moment difficile ». Il s'agit d'archives familiales datant du 7e siècle av. J.-C. Cet article m'a été aimablement signalé par mon collègue J.-R. Kupper que je remercie.

[52] Ed. MOMMSEN-MEYER, II, p. 139 (Valentinien II) : « il est connu qu'une famine quasi immonde a sévi à travers toute l'Italie et que des gens furent obligés de vendre fils et parents pour échapper au péril d'une mort proche ».

[53] D'où le grand nombre de textes qui mentionnent des esclaves en fuite.

ouvrage sur les *Paysans de Syrie et du Proche-Orient*, décrivait encore la vie du fellah et l'évolution démographique en des termes qui correspondent aux nôtres[54].

Nous avons tenu à montrer une fois de plus, s'il en était encore besoin, combien les documents économiques, datés et précis, sont de nature à nous renseigner sur la mentalité d'un peuple, probablement mieux que des textes littéraires, que l'on doit souvent soupçonner de ne pas refléter les vues du temps ou de n'exprimer que les idées des lettrés, ou plus simplement d'avoir été remaniés au cours des copies successives. Grâce à des documents intéressants, mais fastidieux à consulter, nous espérons avoir pu révéler les réactions de la population sumérienne devant l'enfance et, surtout, un aspect peu connu de sa mentalité et de sa façon de vivre.

[54] P. 247. «La mortalité ... demeure extrêmement élevée», dit WEULERSSE, «elle est caractérisée par une effroyable hécatombe d'enfants»; les causes en sont : la mortalité infantile en dessous d'un an, le manque d'hygiène, l'ignorance des paysannes, les redoutables chaleurs de l'été, la précocité des mariages.

GEBOORTEPREMIES EN TEWERKSTELLING VAN JONGEREN TE PERSEPOLIS
(van Darius I tot Artaxerxes I)

door Prof. PAUL NASTER

De regelmatige opgravingen door het Oriental Institute van Chicago uitgevoerd te Persepolis tussen 1934 en 1938 hebben op twee plaatsen tabletten met economische inhoud opgeleverd : aan de vestingwerken en in de thesaurie. Een groot deel ervan is gepubliceerd door :

Rich. T. HALLOCK, *Persepolis Fortification Tablets*, 1969 (Oriental Institute Publications, 92) : 2087 teksten op meerdere duizendtallen, geciteerd als PF ;

G. C. CAMERON, *Persepolis Treasury Tablets*, 1948 (OIP, 65) : bij de 100 op ong. 200, geciteerd als PT.

Beide reeksen zijn gesteld in het Elamitisch. De eerste loopt van het 13e tot het 28e jaar van Darius : 509-494 v.C. ; de tweede van het 30e jaar van Darius tot het 5e (of 6e) jaar van Artaxerxes I : 492-458. Alhoewel van economische aard in beide gevallen, zijn deze dokumenten van de Persepolitaanse staatsboekhouding niet precies met soortgelijke inhoud, noch op dezelfde wijze opgevat. De oudste reeks vertoont meer verscheidenheid, de recentere bevat soms nauwkeuriger gegevens, zonder dat we ons hierover illusies hoeven te maken.

Deze recentere reeks (voor zover gepubliceerd) omvat slechts staten van betaling voor werken en diensten en drukt de aan de werklieden uit te betalen waarden uit in gewicht zilver [1], al geschiedt de uitbetaling van de lonen zelf volledig of grotendeels in schapen, 1 schaap ter waarde van 3 sheqel zilver d.i. ong. 25 g, of minder gebruikelijk in wijn (1 kruik wijn voor 1 sheqel : 8,5 g), of soms gemengd.

De oudere reeks drukt de betaling uit in graan, meel, vruchten, wijn, bier. Maar er zijn buiten de staten van uitbetalingen aan werkvolk ook nog dokumenten betreffende betaling van belastingen in vee, slachting van dieren, aanleggen van voorraden graan als zaad of voeder voor dieren, gebruik van landbouwprodukten voor offers e.a.

[1] Zie hierover P. NASTER, *Were the labourers of Persepolis paid by means of coined money?*, in *Ancient Society*, 1, 1970, p. 129-134.

A. De teksten waarin sprake is van geboortepremies, wat zeer actueel en recent is in onze eigen maatschappij, komen slechts voor in de oudere dokumentatie, t.w. van de Fortification tablets, n^rs 1200 tot 1237 en 1943, 1944, 2048, dus 41 tabletten [2]. De jonge moeders die ervan genieten worden alle gerangschikt in de kategorie van het werkvolk. Het is dus een sociale maatregel met een zeer modern tintje. De premie neemt de vorm aan van een hoeveelheid wijn (in 14 teksten, betreffende 135 + x vrouwen), of bier (7 t., 151 + max. 7 moeders), of graan (17 t., 128 moeders). Dit zijn in totaal 414 + x vrouwen, met enkele die er zouden aan toe te voegen zijn en in deze teksten niet zijn opgenomen [3] : 449. Van deze kinderen zijn er 247 jongens, d.i. 55%. Welke ook de voedingswaar weze waarin de betaling is geschied, ontvangen de moeders van jongens het dubbel van deze van meisjes. Er waren meer mannelijke boorlingen dan vrouwelijke en blijkbaar is er geen sprake van tweelingen of drielingen. Wel wordt in één tekst (FT 1224) expliciet vermeld dat het om Ionische (ya-u-na-ip) vrouwen gaat : 9 moeders van een zoon, 14 van een dochter.

De moeder van een zoon ontvangt 2 BAR = 20 QA = ong. 19 liter graan (ŠE), wat ook het maandloon kan zijn van een vrouw, voor de meeste vrouwen (en ook voor de mannen) ligt het maandloon echter gewoonlijk hoger : 3, 4, 5 BAR.

De toelage in wijn is 1 marriš voor moeders van jongens, d.i. ong. 9,5 l, en 1/2 marriš voor de moeders van meisjes, ong. 4 3/4 l; 3 marriš wordt vermeld als het maandloon van een man of van een vrouw, b.v. PF 1041-1043, terwijl 1 marriš bier anderzijds het maandloon kan zijn (PF 1040).

B. In de twee reeksen teksten, PF en PT, wordt er melding gemaakt van lonen uitbetaald aan jongens en meisjes. Soms is het mogelijk na te gaan van welk land de jonge arbeiders afkomstig zijn, zelden welk werk ze uitvoeren. Dikwijls echter is het onmogelijk over het ene of over het andere aspect enige inlichting te vinden.

Zelden worden hetzij jongens, hetzij meisjes afzonderlijk als werknemer opgegeven. Gewoonlijk komen ze voor naast volwassenen, mannen of vrouwen, mannen en vrouwen. Namen van jongeren treffen we niet aan. Soms zijn ze talrijker dan de volwassenen, soms niet. Zoals de volwassenen ontvangen ze niet alle hetzelfde loon; dit is trouwens het geval voor de vier kategorieën : mannen, jongens, vrouwen,

[2] Over dit punt zijn we hier kort omdat het essentiele goed werd in het licht gesteld door HALLOCK, *o.c.*, p. 37-38.

[3] *Ibidem*, p. 37.

meisjes (gewoonlijk in deze orde), zo b.v. in eenzelfde afrekening kunnen vier groepen van mannen voorkomen met lonen van 4, 3, 2 1/2, 2 shql of 2 2/3, 2 2/9, 1 5/6, 1 2/3 shql, of zelfs vijf groepen (PT 12, lonen tussen 3 en 1 shql), zeker wel volgens hun bevoegdheid of rang, terwijl voor jongens en meisjes, ook meermaals tot in vier of vijf groepen ingedeeld, naast de graad van kennis van het beroep, daarbij nog de factor van hun leeftijd zal hebben gespeeld.

Om deze jongeren aan te duiden komt slechts één term voor : puẖu, met het determinatief van de man ervoor voor de jongens, dat van de vrouw voor de meisjes. Maar elke zinspeling op hun leeftijd of grootte ontbreekt.

De lonen worden in de teksten meestal in maandloon uitgedrukt, soms in half maandloon, uitzonderlijk in loon voor een reeks van b.v. 10 of 15 dagen.

We beschouwen achtereenvolgens de Fortification tablets, dan de teksten van de thesaurie.

1. Op de meer dan tweeduizend PF teksten konden er ong. 320 aangestipt worden waarin jonge werknemers staan behandeld.

a) Jongens alleen komen voor in 7 gevallen (PF 871, 1803, 1804, 1809, 1954, 1957, 1987), waarvan tweemaal als „Thrakische jongens" (1954, 1987), uitdrukking die driemaal voorkomt en waarvan men niet ziet waaraan ze precies beantwoordt (ze is misschien niet lauter geografisch te interpreteren). In één tekst (PF 871) worden jongens, alleen, vermeld als scribae copiisten van teksten, in twee kategorieën, waarvan het eerder hoge maandloon resp. 4 1/2 en 3 ŠE.BAR is (42,5 en 28,5 l graan). In de andere gevallen kan hun beroep of functie niet omschreven worden.

b) Meisjes alleen komen niet voor.

c) Jongens en meisjes alleen, eenmaal (PF 856). Ze zijn wel gespecifieerd als da-pu-ra-ip, wat beantwoordt aan een nog niet goed bepaald concept.

d) Jongens en mannen komen 119 maal samen voor. In de meeste teksten gaat het om reisvergoeding of -proviand (onder de n^{rs} PF 1285-1579, 2049-2057)[4]. Inderdaad zien we — op één uitzondering na : PF 1402 : 3 mannen, 3 vrouwen, geen jongens — dat slechts mannelijke werknemers betrokken zijn bij zendingen van de ene stad naar de andere, van het ene gewest naar het andere. De afstanden zijn soms groot : b.v. van Arachosia of Areia in O.-Iran naar Susa

[4] *Ibidem*, p. 40-45.

(PF 1351, 1439), of „naar de koning" (PF 1438, zonder vermelding van jongens; 1474) dit dan in zijn residentie van Susa (zoals het er wel eens bij staat: PF 1486, zonder jongens) of deze van Persepolis, of van Susa naar Arachosia (PF 1385, misschien 1510, maar vertrekplaats niet uitgedrukt), of zelfs van Susa naar India (PF 1383, 1397), of omgekeerd (PF 1425, 1552), van Kerman in Z. Perzië naar Susa (PF 1289, 1377, 1399) of omgekeerd (PF 1332, 1348, 1398), van Kandahar in Afghanistan naar Susa (PF 1358) of omgekeerd (PF 1440), van Sardes naar Persepolis (PF 1404), terwijl de weg Susa-Persepolis en Persepolis-Susa natuurlijk het meest werd afgelegd (PF 1286, 1347, 1350, 1352, 1364, 1379, 1400, 1403, 1419, 1420, 1427, 1470 en 1345, 1354, 1355, 1375, 1381, 1406, 1411, 1414, 1416, 1417, 1473, 1509). Meestal zijn het boden, gezantschappen met vrij gering aantal mensen, maar dan anders weer met enkele tientallen (PF 1286: 4, man, 25 jongens; 1324: 5 m., 25 j.; 1328: 27 m., 9 j.; 1348: 20 m., 12 j.; 1364: 6 m., 36 j.; 1377: *1 m., 100 j.*; 1397: *181 m., 50 j.*; 1398: *52 m., 51 j.*; 1399: *1 m., 100 j.*; 1404: 23 m., 12 j.; 1405: 20 m., 5 j.; 1427: *60 m., 67 j.*; 1439: 1 m., 26 j.; 1500: 1 m., 25 j.; 1510: 1 m., 42 j.; 2050: 6 m., 41 j.).

Het is wel merkwaardig dat de betaling geschiedt zowel voor mannen en jonge mannen die in Persepolis aankomen als voor die die eruit vertrekken; het is zelfs niet zeker of de weg altijd over Persepolis loopt. De uitbetaling geschiedt meestal in meel: soms 2 QA voor de leider, 1 1/2 voor de mannen, 1 QA voor de jongens, blijkbaar als dagrantsoen.

Hallock, de uitgever van de teksten, heeft betwijfeld [5] of de puḫu in dit geval wel jongens waren en niet „boys" (volwassen) helpers. Een absolute reden tot twijfel bestaat er niet, maar het zullen wel, gezien de zware taak en de medeverantwoordelijkheden, tenminste grote jongelui geweest zijn, allen uit één kategorie qua leeftijd, daar er maar één bezoldiging is voorzien.

Ook in de vreemde b.v. Indische gezantschappen zijn er jongens (PF 1425).

Een ander belangrijk beroep dat in deze groep (mannen en jongens) eenmaal (PF 1810) en bij de laatste groep (g: mannen, jongens, vrouwen en meisjes) tweemaal (PF 1828, 1947) ter sprake komt is dat van de „Babylonische scribae op perkament" (^{m}tup-pi-ip ^{m}Ba-ap-

[5] *Ibidem*, p. 42.

li-ip KUŠ uk-ku-na). De scribae zelf ontvangen 3 BAR graan per maand, de jongens 2. (Het betreft hier zeker scribae die, op lederen rollen, schrijven in het Aramees.)

e) Eenmaal (PF 1019) wordt 1 jongen samen met 3 vrouwen vermeld, eenmaal (1037) 2 jongens en 7 vrouwen, en eenmaal (997) 1 meisje met 4 vrouwen.

f) Zevenmaal (PF 962, 972, 974, 1051, 1069, 1070, 1071) hebben we een betalingsstaat betreffende jongens, één of meer vrouwen en meisjes; tweemaal (909, 910) betreffende een man, een vrouw, een jongen, of (911) 5 man, 5 vrouwen, 4 jongens, en eenmaal (1852) gaat het over een ploeg steenmetselaars bestaande uit 25 mannen, 3 vrouwen en 3 jongens; tweemaal (941, 942), over 2 mannen, 1 vrouw, 1 meisje en eenmaal (2069) over 16 mannen, 8 vrouwen, 1 meisje, waarbij eenmaal (872) 2 goudsmeden, 3 vrouwen en 1 meisje. Veel kunnen we er niet uithalen tenzij in verband met het relatieve niveau van de lonen, wat best kan met volgende groep teksten : g.

g) Talrijk zijn de dokumenten waarin tegelijk sprake is van mannen, jongens, vrouwen en meisjes, soms in de orde : mannen, vrouwen, jongens en meisjes, in enkele gevallen vrouwen en meisjes voorop. De jongens en meisjes kunnen voorkomen in één, twee, drie of vier kategorieën van loonschalen. Soms zijn de lonen van de vrouwen hoger dan die van de mannen, terwijl die van de meisjes gelijk zijn aan die van de jongens of wat lager, behalve voor de laagste. De spanning tussen de maximale maandlonen van volwassenen en de minimale van de jongeren schommelt tussen 3 BAR graan of meel (bv. PF 1009, 1023-1026, 1028-1030) à 5 BAR (b.v. PF 959-961 voor mannen, 847, 922-927 voor vrouwen) enerzijds en 1 (PF 1034, 1035) à $^1/_2$ BAR anderzijds.

Onder de beroepen die door de vier mensengroepen tegelijk, waarschijnlijk door één of twee groepen met de hulp van de andere, werd beoefend is er het reeds aangehaalde ambacht van scriba, in twee teksten (PF 1828, 1947), waarvan in één tweemaal de «Babylonische scribae op perkament» ter sprake komen. De verhouding mannen/jongens/vrouwen/meisjes is resp. als volgt :

(1828) : 13 m. (3 BAR) / 2 vr. (2 en 1 B.) / 6 j. (2 B.) 2 mj. (1 $^1/_2$ B.) + 8 mannelijke helpers li-be (2 B.)

(1947) : 21ᵉ j. v. Darius,
3ᵉ maand (r. 23-24) 5? m. (3 B.) / 2 j. (2 en 1 $^1/_2$ B.) / 8 vr. (2 B.) / 3 mj. (1 $^1/_2$ B.) + id.

2e maand (r. 25-26) 5 m. (3 B.) / 2 j. (2 en 1 $^1/_2$ B.) / 8 vr. (2 B.) / 3 mj. (1 $^1/_2$ B.) + 2 helpers[6].

Bij Mesopotamiëers blijvend treffen we Babylonische en Assyrische pottenbakkers of mandenvlechters aan (^{GIŠ}GIR huttip) (PF 868, 867), met vooral bij de Babyloniërs een hoge vrouwelijke en jeugdig-vrouwelijke bezetting: 2 m. (3 BAR) / 7 j. (2 B. [6 j.], 1 [1]) / 20 vr. (2 B.) / 27 mj. (1 $^1/_2$ [4], 1 [20], $^1/_2$ [3]) en bij de Assyriërs: 13+ m. (3 BAR) / 21 j. (2 [13], 1 [8]) / 24 vr. (2 B.) / 12 mj. (1 $^1/_2$ [6], 1 [6]).

Andere Assyrische werklui, misschien specialisten van irrigatiewerken (Aššuriyaip numakaip) en ^{GIŠ}DIN.TAR-makers (huttip) (PF 1842-1844), zijn tewerkgesteld in grote groepen van resp. 224, 224 en 29 arbeiders waarvan de 2 eerste omvatten: 50 m. (3 BAR) / 45 j., in 4 loonschalen (2 B. [15 j.], 1 $^1/_2$ [8], 1 [15], $^1/_2$ [7]) / 87 vr. (2 B.) / 42 mj., in 3 loonschalen (1 $^1/_2$ B. [20], 1 [19], $^1/_2$ [3]).

We vinden jongens en meisjes tewerkgesteld bij graanhandelaars (PF 1824: ŠE.BAR nutip): 10 m. (per dag 1 QA = $^1/_{10}$ BAR / 1 j. ($^1/_2$ QA) / 3 vr. ($^2/_3$ QA) / 1 mj. ($^1/_2$ QA).

Het feit dat enkele beroepsnamen nog niet duidelijk genoeg zijn en vooral dat het beroep niet is vermeld belet ons veel verder te gaan.

Wat de vreemde werklui aangaat kunnen als voorbeeld nog aangehaald worden teksten PF 1010, die handelt over het zeer hoge aantal van 520 Thrakische werklieden: 250 m. / 18 j. / 220 vr. / 32 mj.
1132, over werklui uit Sogdiana: 100 m. / x vr. / 12 j. / 12 mj.

Terloops zij nog gewezen op het feit dat de betalingen niet alleen geschieden ten gunste van werknemers werkzaam in Persepolis zelf, maar ook in negen andere plaatsen waarvan de zekerst identificeerbare en best bekende Shiraz is.

2. Onder de teksten van de Thesaurie, op bijna 100, zijn er 25 die jonge werkkrachten vermelden.

a) Jongens alleen vinden we als dienaars (PT 48), ezeldrijvers (?) (PT 47, 59), dierbewakers (PT 63), dit alles van de koninklijke domeinen. Hun loon is 3 $^3/_4$ sheqel of 3 $^1/_3$ shql of 3 shql zilver, wat vrij hoog is, even hoog als dat van veel volwassen mannen, van wie maar uitzonderlijk het barema reikt tot 7 $^1/_2$ shql (PT 39), of een enkele keer (PT 40), voor één enkel man, 8 shql of zelfs, ook éénmaal (PT 37), voor één man, een goudsmid, 8 $^1/_3$ shql.

6 Dergelijke schikking, met het aanhalen van nog extra-personen na de vier gebruikelijke groepen, is gans uitzonderlijk.

b) Meisjes alleen, zomin als vrouwen alleen, treft men niet aan.

c) Slechts uitzonderlijk komen alleen mannen en jongens voor, zo (PT 38) als bierstekers (^{GIŠ}Ú.SA-nu-iš-ki-ip) zijn er 4 mannen, à 3 $^{3}/_{4}$ shql en 1 jongen à 1 $^{7}/_{8}$ shql.

d) Voor hetzelfde beroep gaat het bij een andere gelegenheid (PT 46: ki-iš-nu-iš-ki-ip) over 19 mannen, 5 jongens, 9 vrouwen en 9 meisjes (voor resp. volgende lonen: 3 $^{1}/_{3}$; 1 $^{2}/_{3}$ en $^{10}/_{18}$; 2 $^{11}/_{18}$; 1 $^{1}/_{9}$ en $^{10}/_{18}$). Zelfs voor beroepen als wijn«makers», wijndragers (^{GIŠ}GEŠTIN ú-ut-ti-ip) (PT 36), goudsmeden (la-áš-tuk-ki-ip) (PT 37), koperbewerkers (?) (ku-pir-ri-ya-iš) (PT 49), wapenmakers (iṣ-ra-aṣ-ka$_4$-ra) (PT 52), en natuurlijk als schaapherders (UDU.NITÁ-ba-te-ip) (PT 50, 61) worden meisjes als jongens, naast vrouwen en mannen ingezet. Het laagste loon voor de meisjes ligt dikwijls op hetzelfde peil als het laagste loon voor jongens b.v. bij de goudsmeden (PT 37: Kariërs): $^{5}/_{6}$ shql[7], naast het dubbel voor de hogere kategorie en, bij de meisjes, zelfs 2 $^{1}/_{2}$ shql, loon dat voor de jongens hier niet voorkomt; het hoogste loon voor 1 man in dat beroep was 8 $^{1}/_{3}$ shql, voor de meeste mannen 5 en voor de vrouwen 3 $^{1}/_{3}$. Met dergelijke spanning tussen de extremen is het haast zeker dat de jongens en meisjes slechts helpers, laat staan leerjongens en leermeisjes waren.

De lonen kunnen naar gelang de beroepen wel verschillen. Het minimumloon voor jongens en meisjes ligt b.v. bij de bierstekers hoger dan bij de goudsmeden t.w. 1 $^{1}/_{9}$ shql (tegen $^{5}/_{6}$), terwijl andere jongens 3 $^{1}/_{3}$ shql en meisjes 2 $^{2}/_{9}$ verdienen, naast 7 $^{1}/_{2}$ voor de volwassen mannen. Bij de wapenmakers is het laagste cijfer, voor jongens en meisjes, 3 $^{3}/_{4}$ shql, wat wil zeggen dat het hier niet gaat om beginnelingen. Een herderinnetje kan het volgens PT 50 stellen met 1 shql, maar (grote) meisjes als schaapsherderin verdienen 2 $^{2}/_{9}$ shql en andere 2 + een grotere breuk als daareven, maar de aanduiding van de breuk is in de tablette niet bewaard gebleven, evenmin als de cijfers voor de jongens. Een andere tekst over schaapherders (PT 61) geeft vollediger, maar licht verschillende cijfers: van de laagste naar de hogere lonen is dat 1 $^{1}/_{4}$, 2 $^{1}/_{2}$ shql, voor jongens als voor meisjes, 2 $^{11}/_{12}$ voor jongens, 3 $^{3}/_{4}$ voor meisjes, 5 en 6 $^{1}/_{4}$ voor jongens, naast 5 voor vrouwen en 7 $^{1}/_{2}$ voor mannen, alles samen onder de hoogste lonen, en het gaat om vrij veel werkvolk: 131 personen: 73 volwassenen, 58 jongeren (34 j., 24 mj.).

[7] Hier o.m. zij er wel op gelet dat het in de tekst gaat om halve maandlonen, door ons herleid tot maandlonen (dus × 2).

In een vijftal en dan wel van de meest omstandige teksten wordt het beroep niet nader bepaald en luidt de aanduiding : werklieden van de thesaurie (kur-taš ka$_4$-ap-nu-iš-ki-ip) (PT39, 40, 65-67), wat waarschijnlijk verscheidene minder bezette beroepen aanduidt, zoals blijkt uit parallelle teksten van de eerste reeks (PF), waar tien à achttien beroepen kunnen aangegeven zijn (PF 866); de maxima voor mannen schommelen tussen 10 en 7 $^{1}/_{2}$ shql en de lonen voor beginnelingen tussen 1 en $^{5}/_{8}$ shql.

Eenmaal, in de teksten die jongeren vermelden, staat klaar de nationaliteit van de werklui aangeduid t.w. voor de reeds aangehaalde goudsmeden (la-aš-tuk-ki-ip) (PT 37) : dit zijn Kariërs (kur-kaš) : 27 m., 27 vr., 5 j., 13 mj. (totaal 72).

Even nog een paar vergelijkingen, alhoewel het gaat om beroepen waarvoor slechts volwassen mannen in aanmerking schijnen te komen :

— drie kategorieën Egyptische (mu-ṣir-ri-ya-ip) steenhouwers (ḪAR^{idg} še-iš-ki-ip) die de inscripties aan de zuilenzaal aanbrachten, alle mannen, verdienden slechts resp. 3, 1 $^{1}/_{2}$ en 1 shql (PT 9, 32^{e} jaar van Darius);

— vijf kategorieën Ḫatti = Syrische mannen (at-ti-ip) werkend aan de zuilenzaal verdienden insgelijks slechts resp. 3, 2, 1 $^{3}/_{4}$, 1 $^{1}/_{4}$, 1 shql (PT 12, 3^{e} jaar van Xerxes);

— vier kategorieën van gemengd Egyptische, Syrische en Ionische (ya-u-na-ip) mannen, in dezelfde functie, verdienden zelfs veel minder t.w. resp. 1 $^{7}/_{8}$, 1 $^{5}/_{8}$, 1 en $^{9}/_{16}$ shql (PT 15, 3^{e} jaar van Xerxes).

Dit waren enkele van de meest opvallende bevindingen genoteerd bij het doorlopen van deze dubbele dokumentatie die, in het geheel van onze antieke bronnen, eerder van uitzonderlijke aard is en de sociale status van de jongeren in een relatief niet te ongunstig daglicht plaatst.

Résumé

Prime de naissance et mise au travail des jeunes à Persépolis (règnes de Darius Ier à Artaxerxès Ier)

Les deux séries de textes élamites découvertes à Persépolis, l'une aux fortifications et la seconde à la trésorerie, nous renseignent au sujet des enfants et des jeunes ouvriers et ouvrières. La première couvre les années 504-494 av. J.-C., la seconde les années 492-458.

Seule la première série nous apprend que les femmes recevaient une prime à la naissance de leur enfant; le montant en était double pour un garçon en valait environ un mois de salaire, mais de taux assez bas.

Les deux séries contiennent d'autre part des données au sujet de salaires que pouvaient toucher les jeunes ouvriers et les jeunes ouvrières. En général, ces derniers se répartissent en deux à cinq groupes barémaux, sans doute suivant leur âge, aptitudes et expérience, mais à cet égard rien n'est exprimé. Souvent nous n'apprenons rien concernant le travail exécuté. Dans d'autres cas toutefois, nous voyons qu'ils étaient les aides d'agents en mission (seulement pour les garçons), de scribes, orfèvres, marchands de bière ou de vin, potiers ou vanniers, armuriers, bergers. Parfois les textes nous apprennent en outre de quelle nationalité étaient les groupes d'ouvriers, c.-à-d. de quelle satrapie ils étaient originaires : Babyloniens (scribes, potiers), Assyriens (spécialistes en travaux d'irrigation), Cariens.

OVER HET VAK „SUMERISCH" AAN DE OUDBABYLONISCHE SCHOLEN*

dub-sar eme-gi₇ nu-mu-un-zu-a
a-na-àm dub-sar e-ne

door HERMAN VANSTIPHOUT

Eén der best gekende aspecten van de Oudbabylonische maatschappij is de *Edubba*, de Oudbabylonische school. Enkele recente en grondige behandelingen van dit schoolsysteem, o.m. door KRAUS, RÖMER en SJÖBERG[1], maken een gedetailleerde voorstelling wellicht overbodig. Toch is het misschien nuttig even die punten aan te stippen waarvan we bijzonder goed op de hoogte zijn. Dit zijn vooral:

— de sfeer op school[2];
— de (hoge) status van de schrijfkunst[3];
— het curriculum van de onderwezen vakken[4];
— de canon van letterkundige werken bestudeerd op school[5];
— de vereiste eindtermen[6].

Belangrijk bij dit alles is nog het feit dat de onderwezen letterkunde in hoofdzaak Sumerisch is, en dat het Sumerisch ook nog de voertaal blijkt te zijn van de andere vakken, tenminste in het gevorderde

* Enigszins aangepaste en uitgebreide tekst van de lezing gehouden op 22 Mei 1978 te Brussel op de XVIe Dagen van de Belgische Oriëntalisten, met als titel: „Enkele Didactische Principes van het Onderwijs in het Sumerisch aan de Oudbabylonische Scholen". Ter referentie is de in de lezing besproken tekst hier als *appendix* in transscriptie en vertaling bijgegeven.

[1] F.R. KRAUS: *Vom mesopotamischen Menschen der altbabylonischen Zeit und seiner Welt*, Amsterdam 1973, inzonderheid pp. 214-231; W.H.Ph. RÖMER: *Iets over School en Schoolonderricht in het Oude Mesopotamië*, Assen, 1977; A.W. SJÖBERG: „The Old Babylonian Eduba" in *Assyriological Studies* vol. 20 (= Festschrift Jacobsen), Chicago 1977, pp. 159-179.

[2] Zie o.m. S.N. KRAMER: *Schooldays*, Philadelphia 1949, en A.W. SJÖBERG: „Der Vater und sein missratener Sohn" in *Journal of Cuneiform Studies* vol. XXV (1973) pp. 105-169.

[3] A.W. SJÖBERG: „In Praise of the Scribal Art" in *Journal of Cuneiform Studies*, vol. XXVI (1972) pp. 126-131.

[4] Zie RÖMER en SJÖBERG in voetnoot 1.

[5] Zie o.m. W.W. HALLO in *Journal of Cuneiform Studies*, vol. XX (1966) pp. 89-93.

[6] A.W. SJÖBERG: „Der Examenstext A" in *Zeitschrift für Assyriologie*, Bd 64 (1975) pp. 137-176.

stadium. Het vak Sumerisch heeft dus naast zijn intrinsieke functie (vooropleiding tot het lezen en bestuderen van de Sumerische letterkunde) ook nog een overkoepelende functie: alle vakken worden in de hogere leergangen via het Sumerisch bestudeerd[7]. De *ṭupšarrūtu* is in wezen een omvattende opleiding in en door het Sumerisch.

1. Hier duikt een probleem op, dat niet altijd voldoende onderkend wordt, misschien wel omdat het zo groot is. Hoe leerde men dit Sumerisch aan, vooral in de eerste stadia?

Voorlopig zwijgen onze bronnen hierover. De *Edubba*-essays spreken niet over enige methode. Zelfs wanneer we enkele als grap bedoelde teksten[8] ernstig zouden nemen, vertellen die ons nog niet hoe het Sumerisch werd aangeleerd. De disputen en spreekwoorden geven evenmin indicaties, en de examenteksten vermelden slechts het beoogde resultaat, niet de daartoe af te leggen weg.

Men zal hier terecht opmerken, dat we toch wel de lijsten bezitten, zelfs in groten getale. Deze lijsten hebben natuurlijk een grote rol gespeeld in het onderricht, en we kunnen ze volgens hun vermoedelijke didactische functie in drie groepen indelen.

a) De werken zoals tu-ta-ti, de syllabaria en verwanten (bv. Proto-Ea)[9] zijn in wezen tekenlijsten, waarbij het gaat om het inoefenen der tekens naar vorm en fonetische en/of logografische functie. Deze lijsten dienen dus de discipline van de *miḫiltu* (gù-sum)[10], en niet het aanleren van het Sumerisch als zodanig.

b) Dan zijn er de lexica, of misschien beter de encyclopedische vertaallijsten. Deze werken zijn algemeen (ur_5-ra = *ḫubullu*)[11] of gespecialiseerd in een of ander deelgebied (ká-gal = *abullu*, izi = *išātu*, lú = *ša*)[12]. Nu werden deze lijsten wel druk gecopieerd, maar toch vooral als „scribal fodder"[13], en hun verdere functie schijnt beperkt tot het uitbreiden van de woordenschat, al dan niet als begeleiding bij een aparte discipline (bv. uru-an-na = *maštakal*, ugu-mu enz ...).

[7] A.W. Sjöberg, *Eduba* (voetnoot 1) pp. 161-162.

[8] De teksten vermeld in voetnoot 2.

[9] Zie hiervoor de bijdrage van B. Landsberger op pp. 97-116 van M. Çiğ & H. Kizilyay: *Zwei altbabylonische Schulbücher aus Nippur*, Ankara 1959.

[10] Als dusdanig vermeld in Examentekst A (voetnoot 6) r. 19.

[11] *Materialien zum sumerischen Lexicon/Materials for the Sumerian Lexicon*, vol. V-XI, Rome 1957-1974 (= MSL).

[12] Zie MSL vol. XII & XIII, Rome 1969 & 1971.

[13] De term is van J.S. Cooper; cfr *The Return of Ninurta to Nippur*, Rome 1978, p. 8.

c) Tenslotte blijven enkele werken over die wel als leerboek hebben gefungeerd, nl. *ana ittišu* en de grammaticale teksten. Wat *ana ittišu*[14] betreft moet men toch wel opmerken dat het hier gaat om een leerboek van juridische terminologie — terminologie die even gespecialiseerd was als de onze, en evenals de onze in beide landstalen éénduidig diende vastgelegd te worden. Het is dus meer een gespecialiseerd leerboek in het „legalees", niet op de eerste plaats het Sumerisch. Overigens is de didactische opbouw van dit werk uitstekend, en verdient het een nauwkeurige analyse vanuit dit oogpunt.

Van de grammatische lijsten[15] (methodologisch komen hier natuurlijk alleen maar de OBGT in aanmerking; maar we weten (nog) niet hoe «nieuw» de NBGT zijn.) kan de onderwijsfunctie evenmin betwijfeld worden. Maar we moeten wel de precieze aard van deze functie trachten te doorgronden. Zoals JACOBSEN onlangs nog terecht aantoonde[16], gaat het hier tenslotte om *paradigmata*, onmisbaar bij het aanleren van een vreemde taal, maar niet voldoende. Om een vergelijking te maken, mank als elke vergelijking, kan men zeggen dat deze lijsten hoekmetingstafels zijn, geen handboek van trigonometrie.

2. Maar hoe leerde men dan wel het Sumerisch aan? Het antwoord moet m.i. gezocht worden in de massale hoeveelheid schoolcopieën van Sumerische werken die we uit deze periode bezitten. Het is zonder meer duidelijk dat de grotere teksten (bv. de *Klaagzang over Ur*, met meer dan 80 teksten uit Nippur alleen) een groot aandeel hadden in het onderwijs. Maar even duidelijk toont de kwaliteit van deze copieën aan dat het hier reeds een gevorderd stadium van de studie betreft. Deze kwaliteit moge men bijvoorbeeld aflezen uit de uitstekende manier waarop een tekst als an-gin$_x$ dím-ma over eeuwen werd overgeleverd[17]. Dit alles betreft dus wezenlijk een hogere studie, een *humaniora*, waarbij de letterkunde met haar religieuze, of historische, of wetenschappelijke, of algemeen menselijke inhoud, en haar esthetische vorm, bedreven wordt omwille van de intellectuele vorming. En dan blijft de vraag: zijn er teksten die aanwijsbaar hebben gediend

[14] MSL vol. I, Rome 1937, en A.W. SJÖBERG, *Eduba* (voetnoot 1) p. 165.

[15] MSL vol. IV, Rome 1956. Elementen hieruit verschijnen in Examentekst A (voetnoot 6) r. 17; aangezien dit om een examen gaat, zullen ze dan wel thuishoren in een meer gevorderd stadium.

[16] Th. JACOBSEN: „Very Ancient Texts: Babylonian Grammatical Texts" in *Studies in the History of Linguistics*, ed. Dell Hyme, Bloomington 1974 pp. 41-62.

[17] Zie J.S. COOPER: *The Return of Ninurta to Nippur*, Rome 1978 p. 39-46.

voor het basisonderricht in het Sumerisch, en zo ja, hoe werden deze teksten gebruikt?

Ik geloof een dergelijke tekst gevonden te hebben in de ode aan Lipit-Eštar met als *incipit* ^{d}li-pí-it-^{d}eš$_{4}$-tár lugal sag-íl nun bára-ga (= TCL XVI 87 met duplicaten)[18].

3. Ten eerste zijn er al *externe* aanduidingen in het tekstmateriaal zelf, die in deze richting wijzen. Er zijn 22 teksten/fragmenten bewaard. Hiervan zijn er *twee* (het Louvre-prisma TCL XVI 87 en het in 1977 uit 8 fragmenten samengestelde grote Nippurtablet CBS 13967+ te Philadelphia) die niet als schooltekst uit een relatief vroeg onderwijsstadium kunnen gekenmerkt worden. De overige fragmenten kan men in drie groepen verdelen:

a) Tabletten die de hele compositie bevat hebben, maar op grond van het nogal onhandige schrift duidelijk oefeningen zijn. Enkelen bevatten trouwens lexicale oefeningen op de rest van het tablet (bv. Ni 1601 = ISET I 48/106).

b) Tabletten die min of meer lange extracten bevatten; zo zijn er 5 tabletten met een typische schooloefeningvorm: een rechthoekig tablet, dikker dan normaal, en met rechte hoeken en randen (bv. SLTN 69; CBS 6668; CBS 6943). Ook hiervan hebben sommigen lexicale oefeningen op de achterkant (*e.g.* N 4960 rev. = níg-ga = *makkūru* r. 500-504 & 511-514).

c) Tenslotte zijn er niet minder dan 10 „linzen", de typische ronde tabletten (ong. 7 cm. doormeter) met onbeschreven achterkant en waar bovenaan de regel staat die de student er onder moest copiëren. Er zijn 9 regels van onze tekst (die ong. 60 regels bevat) op deze manier vertegenwoordigd, — een uitzonderlijk hoog percentage.

Verder vertonen de meeste tabletten een verdeling van de regels in twee, drie of vier delen, die overeenkomen met de grammatische analyse der zinnen, en ook dit is in hoge mate uitzonderlijk. Het over het algemeen nogal onhandige schrift, de vele oefentabletten, zowel rond als vierkant, het veelvuldig voorkomen van lexicale extracten op dezelfde tabletten en de ontleding van zinnen in hun (nominale en verbale) bestanddelen — alles wijst duidelijk naar een gebruik in het onderwijs.

[18] Een kritische editie is verschenen in *Journal of Cuneiform Studies* 1978. Overigens werden ook de collecties van spreekwoorden op deze manier gebruikt. Zie voetnoot 26.

Daarbij komt nog dat deze tekst nergens op een *catalogus* vermeld wordt. Alhoewel dit niet het meest zwaarwegende argument is, zou het hier toch kunnen betekenen dat deze tekst, in tegenstelling tot de overigens nauw verwante ode A van dezelfde koning[19], niet hoog genoeg gewaardeerd werd om geplaatst te worden in de canon van werkelijk „litteraire" werken.

4. Ook *inhoudelijk* vertoont de tekst merkwaardige bijzonderheden. Ongeveer één derde gaat op een of andere manier over schoolactiviteiten, en de slotregels insisteren:

„De klei(tabletten) in de scholen zullen jouw lof nooit nalaten";
„De schrijvers zullen dit/jou steeds bejubelen",
„en groots prijzen".
„Jouw roem zal in de school geen einde kennen!"

Interessant is ook nog r. 41, waar de reeks van traditionele epitheta die de vorst bepalen in zijn relatie tot de verschillende centra van Sumer, zoals gebruikelijk opent met Nippur, maar wel met de woorden:

„Voor Nippur ben jij *de Schrijver*!".

Dit heeft wellicht een dubbele bodem: enerzijds wordt dit schrijverschap in Nippur in de volgende regel („Voor het Ekur, Enlil's tempel, ben jij, Lipit-Eštar, de verzorger".) verklaard door de schrijver hier voor te stellen als de opperboekhouder die het rond Nippur draaiende economische systeem bestuurt, maar daarnaast mogen we hier toch ook wel een toespeling zien op Nippur als het centrum van *ṭupšarrūtu*.

Een tweede aspect van groot belang is het legislatieve karakter van het koningschap. Kwantitatief neemt deze passage (r. 26-39) net iets minder regels in beslag dan het schoolaspect; maar nog belangrijker lijkt mij de plaats er van. Zij volgt immers onmiddelijk op de eerste schoolpassage, en wordt zelf gevolgd door de reeds vermelde r. 41 (Lipit-Eštar als *schrijver* van Nippur). Daarbij komt nog dat de koning-wetgever hier voorgesteld wordt als iemand die vanuit zijn diepe wijsheid de wetten verkondigt:

„Grote geest, die alles grondig kent,"
„om de wet te doen heersen, zelfs over de vreemde landen,"
„onderscheid jij leugen en waarheid, zelfs van de woorden verborgen in het hart."

Men ontkomt nooit helemaal aan de indruk dat het uitvaardigen

[19] Zie voorlopig W. H. Ph. Römer: *Sumerische Königshymnen der Isin-Zeit*, Leiden 1965 pp. 29 vv. Een nieuwe uitgave wordt voorbereid.

van wetten hier gezien wordt in verband met, misschien zelfs als gevolg van, de schoolopleiding.

Op de schrijver als beheerder van een economisch complex is al gewezen, en in de eerste schoolpassage vinden we (r. 23-24) ook nog de schrijver als landmeter — d.w.z. als administrator van het land[20].

De rest van de tekst wordt gewijd aan lovende passages, die traditioneel zijn en in verband schijnen te staan met de fraseologie der koningsinscripties, en in r. 52-56 vinden we een korte vermelding van de vader van de vorst, Išme-Dagan.

Kortom, men kan deze tekst slechts met moeite passen in het bekende schema der koningsoden, vooral wanneer men hem bv. vergelijkt met ode A, die, zoals reeds lang geleden werd opgemerkt, een samenvatting in dichtvorm geeft van de toen vigerende koningsideologie[21].

Zou men deze tekst dan niet zo moeten interpreteren, dat hier aan de aankomende student een tekst als leermateriaal geboden wordt die, met een zeer modern aandoend pedagogisch inzicht, nauw aansluit bij de onmiddelijke belangstellingswereld, nl. de school? Er wordt toch duidelijk gemaakt hoe deze vorst, die het als schrijver zo schitterend schijnt te doen, tot in de verre toekomst zal beroemd blijven, en tevens daardoor hoe de schoolopleiding leidt tot het verwerven van kennis en wijsheid (19, 30-32), van de vreugde der schone letteren (19-23), en zeker niet in het minst van belangrijke machtsposities (wetgever, administrator, beheerder).

Maar dit alles toont nog niet aan *hoe* deze tekst didactisch kon gebruikt worden bij het onderricht in het Sumerisch. Daarvoor moeten we de tekst ook nog taalkundig grondig onderzoeken.

5. Bij een *grammatische* analyse krijgt deze schijnbaar zo eenvoudige tekst het karakter van een inleiding op en oefening in de meest voorkomende verbale structuren en syntactische modellen. Opvallend is de progressieve opbouw (van eenvoudig naar complex, van nominaal naar verbaal over verschillende stadia, enz.), evenals de klaarblijkelijke bedoeling van het opdelen der regels: de Sumerische zin is immers zo gebouwd dat het nominale deel voorafgaat, en de vorm van het verbale gedeelte regeert — vandaar dat men deze delen in veel van de teksten gescheiden heeft.

[20] Zie trouwens A. W. SJÖBERG, *Eduba* (voetnoot 1) p. 168.

[21] Zie F. R. KRAUS: „Das altbabylonische Königtum" in *Le palais et la royauté*, ed. P. Garelli (= XIXe RAI) pp. 235-261, inzonderheid pp. 250-252, verwijzend naar JACOBSEN, ZA 52 p. 115 voetnoot 51.

Zonder de tekst helemaal te analyseren, wil ik hier slechts de meest opvallende eigenaardigheden aanhalen.

a) In r. 1-12 vinden we enkel affixloze vormen van het werkwoord. Dit is al eigenaardig, maar bij nader toezicht zit hier nog veel meer achter: in 1-2 hebben we samengestelde vormen (sag-íl en ḫé-du$_7$) die haast substantieven of adjectieven zijn; in 3-4 zijn het enkelvoudige vormen, wel enigszins verbaal gebruikt (du en u$_5$), en te vergelijken met Akkadische participia; zo ook in 5-6, waar ze weer samengesteld zijn, op een iets verschillende manier, en de verlengde vorm op -a hebben (ki-gar-ra en ki-ága). Het bedoelde verschil tussen 3-4 en 5-6 zal wel liggen in de toepassing van de door GRAGG tentatief geformuleerde regel voor V + Ø : V + a[22].

In 6-9 worden dan verschillende schemata opgevoerd van constructies met het affixloze verbum, die teruggaan op de reeds vermelde types, maar verschillen in de uitwerking van het nominale gedeelte.

In 10 vinden we een omschrijvende constructie met -tuku (igi-gál tuku), en in 11 een genominaliseerde vorm van het affixloze verbum met *marû*-aspect en een ergatief (un laḫ$_x$-laḫ$_x$-e).

Tenslotte, in 12 gebruikt men de zogenaamde „mesannepada-constructie" — een der meest voorkomende mogelijkheden om een type van onderschikking uit te drukken (en ... an-né ki-ága).

b) In 12-14 vinden we dan drie zinnen met elk een andere en zeer productieve vorm van predicaat, nl. de reeds vermelde mesannepada-constructie (12); een copulaconstructie (13: giskim-ti-zu-um); tenslotte een volledig vervoegd verbum (14: ḫu-mu-te-gál). Is het toeval dat hier, na een ganse reeks van mogelijke affixloze constructies, plots de drie belangrijkste predicaatstructuren naast elkaar staan?

c) In de rest van de tekst treffen we dan ook telkens weer groepjes aan van verschillende uitwerkingen van deze drie basisconstructies, die elkaar deels overlappen en niet meer zo rechtlijnig voortschrijden als in 1-12. Toch merkt men hier weer op dat bv. 15-19 opnieuw een reeks van affixloze verba als predicaat bevat, met in de nominale component achtereenvolgens: een equatief (15); een agentief (of loc.-term.? — 15); een directief (17), een locatief (18) en tenslotte de eenvoudige ergatief (19).

Verder vindt men in 20-24a een reeks vervoegde vormen, en wel met als prefixen ba-, mi-, mu-, en ma-, haast onmiddelijk gevolgd (26-27) door bí- en na-.

[22] Zie G. GRAGG: „Linguistics, Methods and Extinct Languages" in *Orientalia* NS 42 (1973) p. 95-96.

In 32-39 is er een voortdurende afwisseling van 2ᵉ en 3ᵉ persoon, en het is wel niet zonder reden dat de lexicaal verschillende vormen van ak (nl. met en zonder directiefinfix) vlak naast elkaar staan.

In 40-45 heeft men dan weer een reeks predicaten in de 2ᵉ persoon, en wel: *copula 2ᵉ p.* (40a: in genitiefverbinding; 41: gewoon; 43: na vooropgestelde genitiefconstructie; 42a: na pron. pers. indep.) of *pron. poss. 2ᵉ p.* + *copula* (44: als gewoon predicaat; 45: aan genitiefconstructie als predicaat; de reeks loopt trouwens door tot 49a).

In 53-56 vinden we dan weer een reeks vervoegde verba in de *ḫamṭu* met prefixen mu-ra-, mu-ni-, en mi-ni-.

Maar niet alleen de verbale of semiverbale structuren met hun syntactische omgeving kunnen aan de hand van deze tekst geïllustreerd worden. Soms vinden we een reeks termen die zo uit hun lexicale lijst schijnen overgenomen te zijn[23], terwijl men hier en daar kan waarnemen dat lexicale «moeilijkheden» ook behandeld worden[24]. Interessant is ook nog een regel als 15 (gu lalgin du / mu duge du) waar het interne rijm tevens gelegenheid biedt om drie verschillende tekens voor /du/ op te voeren[25].

6. Men kan stellen dat deze tekst de volgende leer- en oefenstof biedt:

— De *tekens* met hun lezing en betekenis; dit is natuurlijk altijd al aanwezig, maar wordt hier af en toe op een speciale manier gebruikt[26].

— De basisgegevens van het Sumerische *verbaalsysteem*, vooral vanuit syntactisch oogpunt: de drie belangrijkste predicaatvormen („participiaalconstructies", d.w.z. affixloze vormen; copulatieve nominaalconstructies; vervoegde werkwoorden) worden progressief ingevoerd en zijn ongeveer evenredig verdeeld, en wel zo dat kleinere groepjes vaak relevante oppositie duidelijk maken.

— Algemenere *syntactische modellen* van zowel verbale als nominale hoofd- en bijzinnen; ook hier is de rijke verscheidenheid van constructies opvallend.

[23] Zie r. 34-35, en vergelijk MSL XIII p. 244.

[24] In r. 33 is het gebruik van gur_5-uš--è slechts te verklaren uit de homonymie der Akkadische verba *g/kaṣāṣu* A („afsnijden, snoeien") en B („tandenknarsen, razen"), en berust dan nog op een Akkadische interpretatie van búr = *pašāru* („loslaten", o.m. van de boogpees) als synoniem van *šūṣu* = è!

[25] Omgekeerd wordt in r. 3 waarschijnlijk bewust $-gin_x$ gebruikt vóór du, omdat DU ook een lezing /gin/ heeft.

— Met de verbale en syntactische modellen verbonden *stijlelementen*, zoals inhoudelijke, of lexicale, of grammatische, of fonetische parallellie; of nog schemata voor vers en strophe (twee- of drieledigheid, kruisstellingen, enjambementen ...).

— *Fraseologie* van officiële inscripties en oden, dienende ter verheerlijking van de koning, maar vooral van de school.

— *Terminologie* van enkele met de schoolactiviteit verbonden aspecten van de koningsideologie.

Uitgaande van het voor schoolteksten specifieke formaat der tabletten, van de in de slotregels zo duidelijk uitgedrukte plaatsing van de tekst in de schoolsfeer, en zeker van de didactische opbouw, lijkt het voor de hand liggend deze ode te interpreteren als een tekst dienende tot het basisonderwijs in het Sumerisch, en te stellen dat dit zijn eerste, zo niet enige, bedoeling is[26].

Intussen is het onwaarschijnlijk dat alleen *deze* tekst zo gebruikt werd. Er moeten meer dergelijke teksten te vinden zijn, die men m.i. zal kunnen ontdekken aan de hand van drie criteria: zij zullen relatief kort zijn; de vorm der tabletten zal overeenkomen met het boven besproken materiaal; en hun didactische opbouw zal vergelijkbaar zijn[27].

[26] Zie reeds KRAUS en SJÖBERG in de in voetnoot 1 aangehaalde werken, resp. p. 24 en 172. Dergelijke bevindingen nodigen trouwens uit tot een nieuw onderzoek naar de werkelijke en vermeende Sitz-im-Leben van de Sumerische Letterkunde. Zie H. VANSTIPHOUT: „Over de Reconstructie van de Sumerische Letterkunde" in *Phoenix*, 1977 p. 81. De vraag waarom deze schooltekst het formaat krijgt van een koningsode kan ik niet afdoende beantwoorden. Enerzijds sluit dit wel aan bij een bestaand genre (zie e.g. Šulgi B en SJÖBERG, *Eduba* (voetnoot 1) pp. 172-176), anderzijds hebben zowel Lipit-Eštar als zijn vader Išme-Dagan blijk gegeven van een grote interesse voor de Sumerische cultuur en letterkunde (zie e.g. de Inannahymne van Išme-Dagan en vooral de Klaagzang over Nippur), zodat de lof die Lipit-Eštar hier toegezwaaid krijgt voor zijn intellectuele gaven wel eens op de werkelijkheid zou kunnen berusten. En in verband hiermee zou het misschien niet te gewaagd zijn onze tekst op te vatten als opgesteld *in usum delphini*.

[27] We hebben natuurlijk reeds dergelijke teksten in de collectie der spreekwoorden. Toch zijn dit steeds kleine eenheden (zelden langer dan 6 regels). Opvallend is zeker de grote overeenkomst in de vorm van het tekstmateriaal (zie E.I. GORDON: *Sumerian Proverbs*, Philadelphia 1949 pp. 7-9 en de platen, en vergelijk met de platen in de volledige editie van onze tekst (zie voetnoot 18)). Onze tekst is echter veel langer, en heeft misschien wel gediend als *afsluiting* van de eerste fase in het onderricht van het Sumerisch. Hij wordt trouwens door meer dan één huidige docent gebruikt bij eerste jaarscolleges. Ik wil er hier tevens op wijzen dat deze interpretatie illustreert hoe noodzakelijk het voor de Sumerologie is met tabletten zelf te werken: in ons geval steunt de interpretatie grotendeels op de tabletten als materiële voorwerpen, en ze werd duidelijk na het samenstellen van 8 fragmenten tot één groot Nippurtablet, dat als voorbeeld diende. Deze „join" betekende immers dat er behalve het resulterende tablet *geen enkele* Nippurtekst is die *niet* een schooloefening uit het vroegste stadium is.

7. Tot besluit kunnen we nog opmerken dat de hier (naar ik hoop) aangetoonde didactische aard van deze tekst ons toelaat het onderwijs in het Sumerisch in de Oudbabylonische school als volgt te karakteriseren:

— Het is *tekstgebonden*, niet theoretisch. Men gaat uit van een werkelijke tekst om grammatische structuren te verklaren, c.q. in te oefenen.

— Het is *exemplatief*: verschillende structuren worden niet *in abstracto* behandeld, maar zijn af te lezen uit welgekozen tekstregels (dit zou trouwens wel eens de hoofdfunctie van de ronde oefentabletten kunnen zijn [28]), te vergelijken met onze Latijnse schoolgrammatica's.

— Het is *concentrisch*: grammaticale constructies, stijlelementen en woordenschat worden samen behandeld, evenals natuurlijk de tekens en de inhoud.

— Het is *progressief*: men gaat van eenvoudige naar meer complexe grammatische feiten, waarbij varianten zoveel mogelijk contrastief samengeplaatst worden.

Een oordeel over de pedagogische waarde (en de moderniteit) van deze methode van taalverwerving laat ik graag aan de lezer over.

Appendix: Ode B aan Lipit-Eštar in transscriptie en vertaling.

1. ^{d}li-pí-it- eš$_{4}$-tár lugal sag-íl nun bára-ga
2. ḫé-du$_{7}$ isímu nam-lugal-la
3. ^{d}utu-gin$_{x}$ du še-er-zi-kalam-ma
4. nam-nun-šè maḫ me-gal-la u$_{5}$
5. ub-da limmú un ki-gar-ra
6. še-ga ^{d}en-líl-le ^{d}nin-líl-le ki-ága
7. šul-zi igi-gùn bára-ga túm-ma
8. men aga-zi sag me-te gál
9. šibir šu-du$_{7}$ sag-gi$_{6}$-ga
10. nun ^{d}li-pí-it- eš$_{4}$-tár dumu-^{d}en-líl-lá sipa igi-gál tuku
11. un laḫ$_{x}$-laḫ$_{x}$-e gissu-du$_{10}$-ga u$_{4}$-saḫar$^{?}$-e ní-dúb-bu
12. en alim maḫ an-né ki-ága
13. giskim-ti-zu-um ama-^{d}nin-líl-lá

[28] Dit wordt goed geïllustreerd door het feit dat CHIERA de oefentabletten met spreekwoorden niet als dusdanig herkende, maar dacht dat het schooloefeningen waren waarbij de opdracht van de student was „to compose as many sentences as possible with any given noun" (E. CHIERA: *Sumerian Lexical Texts*, Chicago, 1929 p. 2). In zekere zin heeft hij nog steeds gelijk.

14. ^{d}li-pí-it- eš$_4$-tár á-nun ḫu-mu-te-gál
15. gù lal-gin$_x$ du$_{10}$ mu du$_{11}$-ge du$_7$
16. šà-ge túm-a dam-^{d}inanna
17. ^{d}en-ki-ke$_4$ geštú-dagal sag-ge-eš rig$_7$-ga
18. ^{d}nisaba munus ul-la gùn-a
19. munus-zi dub-sar nin nì-nam zu
20. si-zu im-ma si ba-ni-in-sá
21. šà-dub-ba-ka gu-sum mi-ni-in-sa$_6$-sa$_6$
22. gi-dub-ba kù-sig$_x$-ka šu mu-ni-in-gùn
23. gi-diš-ninda éš-gána za-gìn
24. ^{giš}as$_4$-lum le-um igi-gál sum-mu
24a. ^{d}nisaba-ke$_4$ šu-dagal ma-ra-an-du$_{11}$
25. ^{d}li-pí-it- eš$_4$-tár dumu-^{d}en-líl-lá-me-en

1. Lipit-Eštar, trotse koning, prins van de troon,
2. geschikte loot van het koningschap,
3. die wandelt als Utu, licht van het Land,
4. in adel verheven, die de grote Krachten berijdt,
5. en de mensen laat wonen in de vier windstreken,
6. uitverkoren door Enlil, bemind door Ninlil;
7. goede jongeling met heldere blik, de troon waardig,
8. wiens hoofd is getooid met de kroon, de goede tiara,
9. en die voorzien is van de scepter over de Zwarthoofdigen!
10. Prins Lipit-Eštar, zoon van Enlil, wijze herder
11. die het volk leidt naar zoete schaduw, rustigend *avondlicht*,
12. heer, grote stier, bemind door An,
13. jouw vertrouwen is (gevestigd op) de moeder van Ninlil.
14. Lipit-Eštar, jij bent begiftigd met vorstelijke kracht;
15. een honingzoete klank (is) jouw naam, heerlijk om uit te spreken!
16. Steeds begeerde echtgenoot van Inanna,
17. aan wie Enki groot verstand schonk, —
18. Nisaba, de vrouw die schittert van vreugde,
19. de goede schrijfster, meesteres die alles kent,
20. heeft jouw vingers op de klei(tabletten) begeleid,
21. heeft (jouw) geschrift op de tabletten sierlijk gemaakt.
22. Het gouden schrijfriet doet (jouw) hand glanzen;
23. de meetroede, de glanzende meetlijn
24. en de ellestok, die wijsheid geven,
24a. heeft Nisaba jou grootmoedig verleend.
25. Lipit-Eštar, jij bent de zoon van Enlil;

26. nì-zi nì-gi-na pa bí-e-è
27. en sa$_{6}$-zu an-zà-šè na-dul$^{?}$
28. ^{d}li-pí-it- eš$_{4}$-tár lugal umuš-gal-gal-la ad-gi$_{4}$-gi$_{4}$
29. inim-ma nu-kúš-ù gal-zu ka-aš-bar un-e si-sá
30. geštú-dagal nì-nam gal-le-eš zu
31. di-kur-kur-ra-ke$_{4}$ si sá-sá-e-dè
32. inim šà-ga gál-la lul-zi-bi mu-e-zu

33. ^{d}li-pí-it- eš$_{4}$-tár lú-erím-ra gur$_{5}$-uš mu-e-ta-ab-è-dè-en
34. ka-nir-da ka-gíri-kin du$_{11}$ lú zi-zi-i mu-e-zu
35. nam-tag-dugud ka-garáš-kam lú til-le mu-ni-in-zu
36. á-tuku sa-gaz nu-mu-un-ši-ak-e
37. kal-ga si-ga lú-ḫun nu-mu-un-ak-e
38. nì-si-sá ki-en-gi-ki-uri-a mu-ni-gar
39. su-kalam-ma mu-du$_{10}$
40. ^{d}li-pí-it- eš$_{4}$-tár lugal ì-si-in^{ki}-na
40a. lugal ki-en-gi-ki-uri-me-en
41. nibru^{ki}-šè dub-sar-re-me-en
42. é-kur-re é-^{d}en-líl-lá-šè
42a. ^{d}li-pí-it- eš$_{4}$-tár sag-ús-bi za-e-me-en
43. ^{d}en-líl ^{d}nin-líl-ra ki-ága-šà-ba-me-en
44. ur-sag ^{d}nin-urta maškim kal-ga-zu-um
45. ^{d}nuska sukkal-maḫ á-daḫ inim-ma-zu-um
46. išib keši^{ki}-šè ^{d}nin-tu-re
46a. zi-dè-eš pà-da-me-en
47. urí^{ki}-šè gál-la šul giš-tuku ^{d}suen-na-me-en

48. ^{d}en-ki-ke$_{4}$ eridu^{ki}-ta aga-zi sum-ma-me-en
49. ki-unug^{ki}-ga kù-^{d}inanna-ra
49a. ^{d}li-pí-it- eš$_{4}$-tár ḫi-li-šà-ga-na-me-en

50. ^{d}nin-ì-si-in-na-ke$_{4}$ ì-si-in^{ki}-na
50a. bára-maḫ-zu mi-ni-in-ri
51. i-lu-šà-ga mu-bala-sa$_{6}$-ga
52. nun-e nun-uru$_{x}$ diri-gal-maḫ-bi
53. ad-da-zu ^{d}iš-me-^{d}da-gan lugal-kalam-ma-ke$_{4}$
54. ^{giš}gu-za-na suḫuš-bi mu-ra-an-ge-en
55. inim-du$_{11}$-ga an-^{d}en-líl-lá-ta
56. dè-nim kur-kur-ra si-a mu-ni-in-gar

26. Wet en recht heb jij stralend uitgevaardigd.
27. Heer, jouw goedheid *bedekt* zelfs de horizon!
28. Lipit-Eštar, koning die met grote beslissingen wijze raad verschaft,
29. wiens bevel niet aflaat, wiens beslissing het volk recht geeft,
30. grote geest, die alles kent;
31. om de wet te doen heersen, ook in de vreemde landen,
32. onderscheid jij leugen en waarheid, zelfs van de woorden verborgen in het hart.
33. Lipit-Eštar, jij gaat *razend tekeer* tegen de vijanden,
34. maar weet het volk te redden van kwaad en geweld,
35. ja, jij weet de mensen te bevrijden van verdrukking en vernieling!
36. De machtigen roven niet langer,
37. en de rijke maakt de arme niet meer tot huurling —
38. zo schiep jij orde in Sumer en Akkad,
39. zo verlichtte jij de lichaamsinspanningen van het Land!
40. Lipit-Eštar, koning van Isin,
40a. Koning van Sumer en Akkad,
41. Voor Nippur ben jij de Schrijver;
42. voor het Ekur, de tempel van Enlil,
42a. Lipit-Eštar, ben jij zijn verzorger;
43. voor Enlil en Ninlil ben jij de lieveling van hun hart.
44. De held Ninurta is jouw lijfwacht,
45. en Nuska, de grootvizier, helpt (bij het uitvoeren van) jouw bevelen.
46. Voor Keš ben jij de priester, door Nintur
46a. in vertrouwen uitverkoren.
47. Voor Ur ben jij aangesteld als jongeling die steeds de aandacht heeft van Sin,
48. en vanuit Eridu heeft Enki jouw de kroon geschonken.
49. Voor Inanna in de gouw Uruk
49a. O Lipit-Eštar, ben jij de vreugde van haar hart,

50. En Ninisina, in Isin
50a. heeft jou geplaatst op de verheven troon.
51. Onder vreugdeliederen, in een voorspoedig jaar,
52. heeft de vorst, de machtige prins, die uitmunt in grootsheid en adel,
53. jouw vader, Išme-Dagan, koning van het Land,
54. de grondslag van zijn troon stevig voor jou gevestigd,
55. en op bevel van An en Enlil
56. het *luide geschreeuw* der vreemde landen tot zwijgen gebracht.

57. ^{d}li-pí-it- eš$_4$-tár dumu-^{d}en-líl-lá-me-en
58. nì-gi-na-zu ka-ka mi-ni-in-gál
59. zà-mí-zu é-dub-ba-ka im-e nam-tag$_4$-tag$_4$
60. dub-sar-e a-le ḫé-em-ši-ak-e
60a. gal-le-eš ḫé-i-i
61. ár-zu é-dub-ba-ka mùš nam-ba-an-tùm-mu
62. sipa gú-tuku šul dumu-^{d}en-líl-lá
63. ^{d}li-pí-it-eš$_4$-tár zà-mí

57. Jij, Lipit-Eštar, bent Enlil's zoon;
58. jouw rechtvaardigheid heb jij in ieders mond gelegd;
59. de klei(tabletten) in de scholen zullen jouw lof nooit nalaten;
60. de schrijvers zullen (dit/jou) steeds bejubelen
60a. en groots prijzen.
61. Jouw roem zal in de school geen einde kennen!
62. Herder, aanvoerder, jonge zoon van Enlil,
63. Lipit-Eštar, jou zij lof.

NOTES SUR LA TERMINOLOGIE ET LE STATUT DE L'ENFANT HITTITE

par René LEBRUN

Même si la documentation tant archéologique que philologique s'avère moins fournie en ce domaine pour le monde hittite que pour le monde mésopotamien ou égyptien, le moment semble néanmoins venu de synthétiser les renseignements en notre possession et d'en dégager certaines conclusions dont l'intérêt ne peut laisser indifférent aucun spécialiste de l'Antiquité orientale.

I. La terminologie hittite relative à l'enfance et ses problèmes

Dans les langues anciennes ou modernes, l'être humain en bas âge se voit désigné de plusieurs manières selon le point de vue affectif, familial, génétique, sexuel ou social où l'on se place. De là découle l'emploi respectif des termes: «bébé, chéri, descendant, enfant, fils, fille, jeune, petit, nourrisson, rejeton, petit-fils» et j'en passe. La façon dont ces concepts sont rendus dans les diverses langues, est souvent révélatrice des structures socio-culturelles des peuples utilisateurs de ces langues.

Les renseignements fournis par le monde hittite à ce sujet sont pertinents pour diverses raisons:

a) le hittite est actuellement la langue indo-européenne la plus anciennement attestée;

b) il existe plusieurs dialectes hittites (nésite, palaïte, louvite cunéiforme et hiéroglyphique avec à sa suite le lycien) dont l'influence se fit sentir tardivement;

c) la civilisation des Hittites présente de remarquables affinités en bien des points avec le monde latin notamment.

1. *Le terme «fils».*

Le mot propre aux généalogies familiales et officielles est susceptible de s'appliquer aussi bien à un enfant qu'à un adulte. Sur la base de la documentation actuellement accessible (exception faite des nombreux inédits), il nous faut admettre que la dénomination nésite du «*fils*» demeure inconnue pour la simple raison que les scribes hittites prirent l'habitude d'écrire mécaniquement (par sténographie, dirions-nous aujourd'hui) le sumérogramme DUMU : «enfant, fils» qui se confond avec le sumérogramme TUR «petit» : . Les lectures hittites-nésites usuelles étant connues, à savoir *ammiyant-* : «petit» opposé à *šalli-* : «grand» et *kappi-* : «jeune, petit», il y aurait lieu de supprimer la transcription TUR et de la remplacer par DUMU chaque fois que ce dernier sumérogramme se trouve assorti du complément phonétique *-la-* ou *-a-* et que le contexte impose le sens de «fils»[1]. Un coup d'œil sur la flexion de DUMU montre que ce sumérogramme cache la lecture hittite d'au moins deux mots hittites relatifs à l'enfant ou au fils dont les thèmes respectifs se terminent en *-a-* et en *-la-*[2]. Comme nous aurons l'occasion de le souligner plus loin, l'analyse de nombreux passages tend à démontrer que la graphie DUMU-*a* s'applique plus généralement au mot «enfant». Dès lors, l'on peut se demander, en se fondant aussi sur des passages exhaustifs, si la graphie DUMU-*la-* ne dissimule pas la lecture hittite-nésite du nom désignant la filiation propre, c'est-à-dire du mot «fils». Afin d'éviter toute confusion, il convient de rayer le hittite *uwa-* encore mentionné récemment par E. Benveniste comme étant la lecture hittite de «fils»; cette position se réfère à une interprétation dépassée proposée autrefois par A. Goetze[3]. Le concept «garçon» se rend par le sumérogramme DUMU.NITA = «fils/enfant mâle» + complément phonétique *-a-* ou *-la-* mais la lecture hittite-nésite est toujours inconnue.

En ce qui concerne le terme «*fille*» qui a une valeur tant généalogique que sexuée, le hittite utilise habituellement le sumérogramme DUMU.

[1] La rubrique consacrée à TUR dans J. Friedrich, *HWb*, p. 297 doit donc être revue.

[2] Un bon exemple de la flexion de DUMU se trouve en KUB VIII 35 ainsi que dans les nombreuses citations de l'article de H. Graig Melchert, *Revue Hittite et Asianique* (abrév. *RHA*) XXXI (1973), p. 57-70. La flexion de DUMU-*a-* et de DUMU-*la-* est conforme à la flexion attendue des thèmes en *-a-*; toutefois, la présence notamment en KUB VIII 35 du datif DUMU-*li-* < thème DUMU-*la-* alors que dans les structures parallèles du texte l'on trouve uniformément un thème DUMU-*a-*, laisse entrevoir deux hypothèses :

— ou le terme «enfant» est désigné en nésite par un radical susceptible d'être élargi en *-la-*,

— ou le thème DUMU-*la-* comporte un radical différent de DUMU-*a-* et se réfère à une notion proche de «enfant», éventuellement «fils»; la graphie grâce à un sumérogramme précisé du point de vue sexuel : DUMU.NITA-*la*-abonderait en ce sens. Par contre, nous émettons des réserves quant à une lecture TUR-*la-* : «enfant» proposée par N. van Brock, *RHA* 71 (1962), p. 100 nº 104.

[3] Voir E. Benveniste, *Vocabulaire des Institutions indo-européennes*, 1, Paris, 1969, p. 235 se référant probablement encore à A. Goetze, *ZA NF* 2, p. 81 sq.

SAL = «fils/enfant femelle» + complément phonétique *-i-* aussi bien que *-a-*, ce qui laisserait supposer deux lectures hittites possibles l'une relative à l'âge, l'autre à la filiation. À la lumière de données récentes, il se pourrait que, en conformité avec le thème en *-a-*, la lecture hittite du nom de la fille ait été *neka-*[4]. Les faits sont plus clairs en ce qui concerne le hittite du Sud anatolien ou groupe louvite. En effet, le louvite hiéroglyphique, essentiellement attesté du Xe au VIIIe s. av. J.-C., nous donne le terme *namuwai-* : «fils»[5]. Cette dénomination s'interprète de manière satisfaisante par l'indo-européen si on la décompose en **nawa-* + **muwai-*; louvite *nawa-* < i.e. **newo-* signifierait «nouveau» (cf. hitt. *newa-*, latin *novus*, gr. νέος, skr. *návaḥ*) tandis que *muwai-* provient vraisemblablement de i.e. **mew-* : «flux vital», une racine bien représentée d'ailleurs en hittite : ainsi, le nom propre *^m^Muwatalli-* ou les composés en *-muwa-* retrouvés en gréco-asianique sous la finale -μοας, -μως[6].

En lycien — la langue d'Asie Mineure de la *provincia Lycia* attestée par des documents épigraphiques des Ve et IVe s. av. J.-C. et qui représente l'évolution tardive de la langue louvite —, nous rencontrons notamment dans les généalogies officielles le terme *tideimi-* rendu dans les inscriptions bilingues par le grec τέκνον, υἱός, ἔγγονος; les emplois de *tideimi-* correspondent bien à la valeur «fils». Or, le lycien *tideimi-* correspond exactement au louvite *titaimi-* : «bébé, nourrisson» qui est, lui, le participe de sens passif en *-mi-* du verbe *titai-* : «allaiter»[7]. Une explication analogue vaut évidemment pour le lycien *tideimi-* tout en remarquant que dans cette langue *tideimi-* revêt un élargissement sémantique faisant abstraction de l'âge. Un phénomène identique se rencontre dans le monde italique où, par exemple, le latin *filius* révèle

[4] Sur cette question, voir maintenant H. OTTEN, *Studien zu den Boğaz-köy Texten* (abrév. *StBoT*) 17 (1973), p. 6.

[5] Voir E. LAROCHE, *Les Hiéroglyphes hittites* (abrév. *HH*) t. 1, Paris, 1960, p. 31-32; P. MERIGGI, *Hieroglyphisch-Hethitisches Glossar* (abrév. *Glossar*), Wiesbaden, 1962, p. 86-87. Sur la base de quelques documents attestant les formes FILS-*nai-*, FILS-*nawai-* ou FILS *nawai-* et l'acc. n. pl. collectif FILS *na-wa-na-i*, E. LAROCHE et P. MERIGGI posent un terme *na(wa)nai-* «fils», différent donc de l'appellation usuelle *namuwai-*; *na(wa)nai-* est évidemment à rapprocher de *nawana-*, dénomination louvite de l'enfant; aussi, ne convient-il pas de corriger la graphie en ENFANT *na(wa)nai-*; deux termes désigneraient l'enfant, l'un étant la forme thématisée pleine : *nawana-/nawanai-*. D'autre part, nous nous demandons si la graphie FILS *nawai-* ne constitue pas la forme réduite de FILS *namuwai-* par amuissement de la syllabe interne *-mu-*; il s'agirait néanmoins d'un traitement local exceptionnel étant donné le caractère habituellement stable de cette syllabe.

[6] Voir E. LAROCHE, *NH*, p. 323; voir aussi POKORNY, *Idg. Etym. Wtb.*, p. 741.

[7] Voir E. LAROCHE, *Dictionnaire de la langue louvite* (abrév. *DLL*), Paris, 1959, p. 98.

un radical *fel-* que nous retrouvons dans l'acc. pl. ombrien *fel-iuf*: «nourrisson, rejeton», *fel-* étant probablement issu de l'i.e. ⁺*dhe-* : «sucer, téter»[8]. Le nom lycien de la «fille» est *kbatra-* < peut-être de *kba* + suffixe d'agent *-tra* = hitt. *-tara-*, gréco-latin *-tēr*.

2. *Les termes de la sphère affective*

Comme nous l'avons suggéré dans l'introduction, toute une série de termes désignant l'enfant relève de la sphère affective ou puérile. Au niveau du hittite quelques-uns sont remarquables et ont déjà été suggérés dans les lignes précédentes.

Ainsi, en hittite-nésite ou langue classique de la capitale Hattusa, le jeune âge de l'enfant en fonction duquel la non-responsabilité de l'enfance est parfois invoquée, est traduit par l'adjectif *kappi-* et par *ammiyant-* < préfixe privatif *a-* + participe du verbe *miya-* : «croître»[9]. Tous deux sont souvent associés à DUMU-(*a*)-, sumérogramme auquel il faut ici confier le sens de «enfant». Ainsi, KBo IV 12 Ro 5 : «*A-NA PA-NI A-BU-YA-mu kappin* DUMU-*an* ḪUL-*lu* GIG GIG-*at* : du vivant de mon père une mauvaise maladie s'empara de moi tout jeune enfant»; en KUB XXVIII 6 Ro 15b : «*ammianza* DUMU-*aš* . . . : le petit enfant (nom.)».

Dans le groupe louvite-lycien, nous avons, bien sûr, *titaimi-* : «bébé, nourrisson» et son correspondant lycien *tideimi-*.

Le terme «cher, chéri» témoignant souvent de l'amour que les parents portent à leur enfant ou qu'un couple divin voue à une divinité enfant comme cela se présente souvent dans les généalogies divines, est exprimé par le hittite *aššiyant-*, participe du verbe *aššiya-* : «aimer».

3. *Le terme «enfant» et ses dérivés*

L'analyse du vocabulaire utilisé pour rendre le concept «enfant» est fondamentale et procure de précieuses données afin de débroussailler le problème de la terminologie *enfantine* hittite. Le *verbum technicum* se référant à la première période de l'existence humaine précédant

[8] Voir E. BENVENISTE, *Vocabulaire des Institutions indo-européennes*, 1, Paris, 1969, p. 235 en accord avec ERNOUT-MEILLET, *Dict. étymol. de la langue latine*, p. 223.

[9] Dans *a(m)m̃iyant-*, E. LAROCHE, *Journal of Cuneiform Studies* (abrév. *JCS*) 21 (1967), p. 174 note 7, reconnaît le négatif en *an-* < *n̥ du participe *miyant-*; à côté du préfixe négatif *ni-* (cf. *walli-* > < *ni-walli-*), le hittite connaîtrait un préfixe privatif *an-* que l'on retrouve dans l'adjectif *a-šiwant-* : littér. «privé, abandonné des dieux», d'où le sens dérivé et plus profane de «pauvre»; la pauvreté trouve ici son origine dans la sphère religieuse.

l'âge de la majorité s'exprime dans les dialectes hittites à l'aide du sumérogramme DUMU pour l'écriture cunéiforme (valable aussi pour désigner le fils) et du signe hiéroglyphique Lar. 45 = Meriggi 44 représentant le bras avec main ouverte ou poing fermé + «crampon». De manière générale, dans les textes hittites-nésites le sumérogramme DUMU est assorti du complément phonétique *-a-* dans les contextes où il signifie clairement «enfant» mais il faut relever un nombre d'exemples où DUMU a un complément phonétique *-la-* : dans ce cas l'on peut souvent admettre la traduction «fils». Deux lectures hittites, éventuellement bâties sur un radical identique, ne sont toutefois pas à exclure.

A. Le domaine louvite

Nous déblaierons d'abord le terrain dans le domaine louvite. Les textes cunéiformes louvites contemporains de l'Empire hittite donnent une graphie avec complément phonétique du type DUMU-*ni-* ou DUMU-*anni-*[10]. Par contre, les textes en louvite hiéroglyphique postérieurs aux textes à écriture cunéiforme présentent les graphies ENFANT-*na-* ou ENFANT-*na-na-*[11]. Cependant, dans les mêmes textes hiéroglyphiques le mot *enfant* se trouve écrit trois fois en toutes lettres et correspond à la lecture *na(wa)na-*, ce qui permet de supposer que dans la notation ENFANT-*na-na-* le signe Lar. 44 est un déterminatif préposé, comme on en rencontre souvent dans les textes hiéroglyphiques, et qu'il serait plus correct de transcrire ^{enfant}*nana-* < la forme pleine ^{enfant}*nawana-* d'où l'on pourrait dégager *nawa-* : «descendant ou jeune» + *-na-*[12]. Le hittite étant coutumier d'alternances thématiques *-a/i-*, l'on est autorisé à envisager pour le louvite cunéiforme une lecture **nawani-* que la découverte de nouveaux textes viendra peut-être confirmer.

B. Le domaine du hittite-nésite

Dans le cas du hittite-nésite, en attendant la venue d'un duplicat donnant la lecture complète du sumérogramme DUMU-*a-*, tout progrès en la matière nous semble passer par une analyse préalable de la terminologie de l'enfantement et de la descendance.

[10] Voir E. Laroche, *DLL*, p. 119.

[11] Voir E. Laroche, *HH*, p. 30-31 et P. Meriggi, *Glossar*, p. 88-89.

[12] Pour *nawa-* : «descendant», voir E. Laroche, *HH*, p. 289. À rapprocher sans doute du nésite *newa-* : «nouveau».

1) Nous observons tout d'abord que le thème verbal *ḫaš-* est bien représenté dans le groupe linguistique hittite, en particulier en hittite-nésite. Ainsi, le verbe *ḫaš-* précédé de la particule réflexive *-za* signifie «engendrer» dans le chef de l'homme et «enfanter» dans celui de la femme. L'on ne peut établir avec certitude si un lien existe entre *ḫaš-* rencontré dans l'expression *-za...ḫaš-* et le verbe *ḫeš-/ḫaš-*: «ouvrir», moyennant quoi *-za... ḫaš-* signifierait littéralement: «s'ouvrir» et se référerait essentiellement à la notion de continuité familiale au sens matériel et figuré[13].

2) Le radical verbal *ḫaš-* est à l'origine du causatif attendu en *-nu-*, soit *ḫašnu-*: «faire enfanter, accoucher quelqu'un». Ce causatif est lui-même à l'origine d'un dérivé nominal d'agent en *-alla-* précédé d'un «*p*» épenthétique, ce qui aboutit au substantif ^{sal}*ḫašnu-palla-*: «sage-femme», profession typiquement féminine dont le rôle était important dans le rite de l'enfantement[14].

3) Du thème verbal *ḫaš-* est encore issu le déverbatif abstrait de genre neutre en *-atar*, *ḫaššatar*. Le sens premier en est «le fait de procréer», d'où «procréation, puissance procréatrice». Le terme subit un élargissement sémantique traduisant le résultat de la procréation puisque *ḫaššatar* signifie aussi: «famille», ce qui montre que pour les Hittites, la famille était fondamentalement axée sur la descendance[15]. Être privé d'enfant(s) révélait l'hostilité des dieux envers le Hittite.

En liaison avec *ḫaššatar*, nous pensons que ce terme peut constituer la lecture hittite de DUMU-*atar* dont le sens ne serait cependant pas identique à l'abstrait DUMU$^{(meš)}$-*latar* qui fait, lui, référence à un thème en *-la-*. En effet, les contextes où apparaît DUMU-*atar* lui confèrent le sens général de «enfance»; il s'agit donc d'un abstrait dénominatif du mot signifiant «enfant» du type AMA-*atar* (à lire *annatar*) ou UKÙ^{meš}-*tar* (à lire *antuḫšatar*).

4) Le hittite connaît un substantif *ḫašša-* mais sa traduction fait difficulté. En effet, dans la prière KUB XXI 27 III 43, la déesse Zintuḫi, petite-fille de la grande déesse Soleil d'Arinna, est qualifiée

[13] Pour le verbe *ḫeš-/ḫaš-*: «ouvrir», voir J. FRIEDRICH, *HWb*, p. 62. Pour l'interprétation *-za ... ḫaš-*; «s'ouvrir», il y a lieu d'observer que *ḫaš-*: «mettre au monde» est parfois employé sans *-za*, par exemple dans KBo XXII 1 Ro 1, 2, 13; la rection y est transitive; idem en louvite hiéroglyphique.

[14] Voir N. VAN BROCK, *RHA* 71 (1962), p. 95 N° 70.

[15] Voir H. KRONASSER, *Etymologie der hethitischen Sprache* (abrév. *EHS*), Band 1, Wiesbaden, 1966, p. 293. Pour la réfutation d'un éventuel substantif *ḫaššanna-*: lat. «familiaris» refait à partir du gén. s. de *ḫaššatar*, voir H. KRONASSER, *EHS*, p. 336-337 § 174.

de *ḫašša aššiyanza* de la déesse Soleil d'Arinna. On en a tiré argument pour affirmer que *ḫašša-* signifiait «petit-enfant». Mais, comme Graig-Melchert l'a encore fait observer récemment à la suite de Goetze[16], il se pourrait que le sens de «enfant» convienne aussi bien; en effet, une grand-mère ne pourrait-elle dire: «mon enfant chéri» à son petit-fils ou à sa petite-fille? La prospection des faits doit être élargie; peut-on relever d'autres emplois de *ḫašša-*? Le texte KUB XXXVI 110 15-16 me paraît significatif: «*labarnaš* É-*ir-šet tuškarattaš ḫaššaš-šaš ḫanzaššaš-šaš*: la maison du roi est dans la joie pour ses enfants et ses petits-enfants»; il semble plus logique de voir dans *ḫašša-* le sens de «enfant»; quant à *ḫanzašša-*, deux interprétations méritent d'être retenues:

— ou, comme le suggère E. Laroche[17], l'on y voit le traitement hittite-nésite du louvite *ham(a)sa-* qui a le sens très officiel de «petit-fils», + l'enclitique possessif *-ša* au directif. La présence postulée de ce possessif me gêne cependant.

— ou l'on suppose un terme **ḫanza* = lat. *pro* + *ḫašša-*, réplique parfaite du latin *prognatus*, avec amuissement de la syllabe interne *ḫa* > *ḫanzašša-*: «petit-enfant». Le hittite comportera également une sorte de juxtaposé *ḫašša ḫanzašša* dont l'emploi figé du directif dans la séquence DUMU DUMU.DUMU *ḫašša ḫanzašša* lui confère la valeur de «générations suivant les petits-enfants»[18]. Le nom louvite du petit-enfant/fils est *ham(a)sa-* à l'origine d'un dérivé en *-kala-*: *hamsu(k)kala-*: «arrière-petit-enfant/fils»; la signification de l'élément *-kala-* demeure obscure. Le terme lycien *esedennewe* constitue la dénomination lycienne de la descendance.

5) Les faits réunis m'amènent à poser le mot *ḫašša-*: «enfant», déverbatif thématisé en *-a-* de *ḫaš-*; en conséquence, DUMU-*atar* pourrait bien se lire **ḫaššatar* mais serait un dénominatif abstrait de *ḫašša-* à distinguer de *ḫaššatar* déverbatif abstrait de *ḫaš-*. Face à *ḫašša-*, relevons à la suite de A. Goetze et de E. Laroche le terme *ḫaššu-* déverbatif de *ḫaš-* thématisé en *-u-* ce qui contribue à former

[16] A. Goetze, *Ar. Or.* 2, p. 162-163; H. Graig Melchert, *RHA* XXXI (1973), p. 57.

[17] Lettre adressée par E. Laroche à H. Graig Melchert dont il est fait écho dans *RHA* XXXI (1973), p. 65 note 6.

[18] Également dans H. Graig Melchert, *RHA* XXXI (1973), p. 65 note 6. Pour rendre la notion de «arrière petit-enfant» à laquelle l'on songe parfois pour traduire *ḫašša ḫanzašša*, l'on attendrait plutôt un composé du type *ḫanzaššaḫašša-*, le déterminant précédant le déterminé. La séquence DUMU DUMU.DUMU$^{(meš)}$ *ḫašša ḫanzašša* doit plutôt s'interpréter littéralement: «enfant, petit(s)-enfant(s) (et vers) les enfants (et) petits-enfants (de ceux-ci), c'est-à-dire la lointaine descendance = sumérogramme NUMUN.

un dérivé de sens passif, d'où découle le sens : «enfanté de, enfant de, fils de»[19]. L'emploi de *ḫaššu-* se trouve bien illustré dans le monde hittite comme on peut en juger par les cas suivants :

— dans l'inscription bilingue louvite hiéroglyphique-phénicien de Karatepe (VIIIe s. av. J.-C.), nous trouvons le louvite *hasu* hapax traduit en phénicien par *l šrš* : «la descendance»[20] ;

— de nombreux anthroponymes cappadociens sont terminés en *-(a)ḫšu-*, féminin *-(a)ḫšu-šar-* ; le professeur E. LAROCHE interprète cette finale comme représentant le degré zéro de *ḫašu-*. Ces noms propres constituent la réplique hittite des composés grecs en -γένης, sanskrits en -putra- ou akkadiens en *mar* + complément déterminatif.

Les composés en *-(a)ḫašu-* se rencontrent avec :

des noms divins : *Pirwaḫšu*, *Taruḫšu*, *Inaraḫšu* : «enfant de Pirwa, enfant de Taru, enfant d'Inara»,

des toponymes : type : enfant du lieu x, ex. : *Udniya-ḫšu* : «enfant du pays»,

des noms de lieux et de bâtiments, ex. : *Ḫešta-ḫšu-* : «enfant de l'ossuaire»,

des adjectifs conceptuels tels que premier, libre, noble, sacré, lourd/sérieux, ex. : *Šuppia-ḫšu-* : «enfant du sacré» avec le nom féminin ^f*Šuppia-ḫšu-šar-* : «fille du sacré», des noms de personnes, ex. *Ataḫšu* : «enfant d'Ata».

L'on peut donc conclure que *ḫašu-/ḫšu-* signifie : «enfant, rejeton, fils, descendant» et *ḫašu/ḫšušar(a)-* : «fille».

Il est établi aujourd'hui que la dénomination hittite du roi est *ḫaššu-* et celle de la reine *ḫaššu-šara-* comportant le suffixe *-šara-* issu de l'i.e. **-sor-* contribuant à former des noms de fonctions et de statut social féminins, comme en latin *uxor* ou *soror* < **swe-sor*. Déjà vers 1930, F. Sommer par une de ces géniales intuitions dont il avait le secret, pensait que le nom présumé de la fonction royale en hittite avait un lien avec le radical *has-*. Hittite *ḫaššu-* désignerait ainsi le descendant en première ligne du clan, le premier-né hiérarchiquement, c'est-à-dire l'*Enfant* par excellence en qui se résument toutes les existences des enfants du pays hittite ; de même, la reine est la *Fille* du pays. Chez les Hittites, le concept même de la royauté (= hitt. **ḫaššuiznatar*) serait lié à la naissance, comme nous le constatons dans le monde germanique avec les mots king, König, koning < i.e. **gen-*[21].

[19] Voir A. GOETZE, *RHA* 66 (1960), p. 48-49 et E. LAROCHE, *NH*, p. 301.
[20] P. MERIGGI, *Glossar*, p. 55.
[21] Voir E. LAROCHE, *NH*, p. 302.

6) Le participe *ḫassant-* a la signification habituelle de «*natus*, nouveau-né». Cependant, il peut aussi prendre le sens technique de «prince de sang, prince royal». Nous avons maintenant la preuve que les LÚ^{meš} *ḫassanteš* ne sont autres que les princes de sang, les bien-nés. Comme pour le roi hittite, le caractère aristocratique peut être exprimé par la qualité de la naissance d'un individu au sein de la cité[22].

7) Au terme de cette analyse linguistique portant sur la terminologie de l'enfance dans le monde hittite, soulignons à la suite d'E. Laroche que le radical *has-* ne peut se rattacher, comme d'aucuns l'ont cru, à la racine indo-européenne **su-* : «engendrer». Cette hypothèse est radicalement contredite par les faits linguistiques hittites[23]. Il conviendrait plutôt, comme nous l'avons suggéré plus haut, de chercher dans la voie d'un rapprochement avec le verbe *ḫaš-/ḫeš-* : «ouvrir». De plus, aucune étymologie commune n'est à établir avec *ḫašša-* : «foyer» en dépit des apparences séduisantes[24].

II. Statut de l'enfant hittite

1. *L'enfant au sein de la famille*

Au travers des multiples observations glanées dans les textes, chacun ne peut manquer d'être frappé par l'unité de la famille hittite et par la place essentielle qu'y occupait l'enfant. Les parents devaient entourer l'enfant d'un amour profond à l'image de ce qui se passait dans le monde des dieux. L'amour des parents envers leurs enfants s'inscrivait dans l'ordre de la nature, expression de la volonté des dieux, et revêtait un caractère sacré. L'enfant était, quant à lui, étroitement solidaire de ses parents pour le meilleur comme pour le pire, tant dans le domaine profane que dans le domaine religieux. Ainsi, dans les Instructions adressées au personnel du palais, il est question d'un jugement rendu grâce à l'ordalie par le fleuve et l'on peut y lire : «Le jour où l'âme du roi s'emporte, je vous convoque tous, chefs de vaisselle et je vous confie au fleuve. Celui qui est purifié, est un serviteur du roi, mais celui qui est sali, je n'en veux pas ; on l'exécutera avec sa

[22] Les *ḫaššanteš* appartiennent à la famille par excellence, la famille royale. À Ugarit, nous avons le *ḫaštanuri* < **ḫaššantan uri-* : «grand des princes», cf. E. Laroche, *Ugaritica* III (1956), p. 139 et note 7.

[23] Réfutation par E. Laroche, *NH*, p. 301 ; **su-* est le radical du nom i.e. du «fils».

[24] *ḫašša-* : «foyer» serait plutôt à rapprocher de l'osque *aasai*, lat. *ara* d'après H. Pedersen, *Hittitisch und die anderen indoeuropäischen Sprachen*, Copenhague, 1938, §98.

femme et ses enfants!»[25]. D'autre part, dans une des prières contre la peste de Mursili II, le roi déclare : «Bien que je sois innocent, il n'en est pas moins vrai que la faute du père retombe sur le fils; sur moi donc est retombé le péché de mon père»[26]. Nous savons aussi que si un maître était mécontent d'un serviteur, il punissait ce dernier ou le congédiait en même temps que sa femme et ses enfants. À tous les niveaux de la société, la même conception se retrouve : l'enfant hérite de tout. Ainsi se comprend mieux l'application de certaines sanctions très sévères, voire inimaginables pour nos conceptions occidentales du XXe siècle. En effet, si le géniteur a commis une faute grave, par exemple une atteinte sérieuse à une réalité sacrée, son enfant a été souillé de cette faute par contact. La souillure peut se transmettre de génération en génération et atteindre tout ce que les gens de cette famille toucheraient jusqu'à entacher profondément la cité, le pays et à en détourner les dieux. Pour que la faute grave disparaisse, l'entité familiale, enfants y compris, devait disparaître, c'est-à-dire être exécutée. Telle était la dure loi de l'antiquité hittite jusqu'au début du XIIIe s. environ, date à partir de laquelle les sanctions tendent à s'assouplir. De fait, déjà sous le règne de Mursili II se dégageait une tendance soulignant la responsabilité de l'individu; l'aveu de la faute appela de plus en plus le pardon de celle-ci. Il est dit : «Puisque j'ai reconnu la faute de mon père/de moi/de x, que l'esprit des dieux soit apaisé!» Cette opinion est la transposition au plan divin d'une attitude constatée dans la société humaine : «Si un esclave avoue à son maître la faute commise, ce dernier, bien que pouvant agir selon son bon plaisir, ne sera-t-il pas apaisé parce que la faute a été avouée? Le maître ne punira donc pas son serviteur!» Dans cet ordre d'idées, l'enfance s'affirme progressivement comme l'âge de l'innocence, de l'irresponsabilité, argument que les rois hittites utiliseront de plus en plus (par exemple Hattusili III) pour se désolidariser des fautes commises par leurs parents avant leur majorité[27]. Celle-ci une fois atteinte, les enfants deviennent responsables face à la société divine et humaine (famille, cité, pays). Il se dégage en cette matière une trace des progrès du rationalisme hittite et de la tendance à la laïcisation de la religion qui en est la conséquence. Les Hittites se rapprochent d'une évolution parallèle révélée chez les Hébreux notamment par le *Deutéronome* XXIV 16 où il est précisé que

[25] KUB XIII 3 II 14-19.
[26] KUB XIV 8 Vo 27'-31'.
[27] KUB XXI 19 I 18-20.

les pères et les enfants sont chacun responsables de leurs propres péchés[28].

Même si dans la société hittite, une relative égalité s'était peu à peu instaurée entre l'homme et la femme, il faut bien constater que plusieurs actions relatives aux enfants étaient envisagées seulement dans le chef du père. Il était possible, par exemple, que le père vende son enfant pour de l'argent. Le texte divinatoire KUB VIII 35 Ro 14′ montre clairement que cette pratique était assimilée à une catastrophe; l'usage n'en était pas moins réel. D'après le *Code* § 44A, le père pouvait donner l'un de ses enfants comme substitut de l'enfant d'une autre famille tué par sa faute. Les Hittites connaissaient également la pratique du lévirat en ce sens qu'en cas de décès du père et de la non-majorité de l'enfant, ce dernier était adopté par le frère du défunt, ensuite par le père de celui-ci ou, à défaut, par un fils du frère de celui-ci. La structure familiale était donc patriarcale bien qu'aux périodes antérieures aux migrations indo-européennes en Anatolie la femme ait certainement joué un rôle prépondérant. On s'en rend compte du fait que plusieurs cités du Hatti étaient dirigées à l'époque par des reines; toute aussi significative était la dénomination du «gendre»: *andaiyant-* = lat. *introiens*: «celui qui entre», ce qui montre que les envahisseurs indo-européens du Hatti ont été frappés par une société où la continuité familiale était incarnée par la fille et non par le jeune époux.

2. *La naissance*

Le fait d'avoir des enfants, des petits-enfants et une descendance prospère était considéré par les Hittites et tant d'autres peuples de l'antiquité méditerranéenne comme une bénédiction des dieux. C'était l'image même du bonheur et le sens de nombreuses supplications aux dieux protecteurs. Aussi, dès la naissance, grâce à la mantique babylonienne connue des scribes hittites, dans les couches aisées de la population s'interrogeait-on sur l'avenir du nouveau-né. Le texte KUB VIII 35 = *CTH* 545 nous en offre un excellent exemple[29]:

«Si un enfant naît le premier mois (de l'année), cet enfant démolira sa maison (ou anéantira son bien)... Si un enfant naît le deuxième mois, cet enfant recevra la santé du cœur. Si un enfant naît le troisième

[28] Voir M. VIEYRA, dans *Les religions du Proche-Orient*, Paris, 1970, p. 560.

[29] La tablette KUB VIII 35 est la traduction hittite d'un modèle babylonien; elle offre des parallèles avec les textes horoscopiques de Ninive. Passage analysé: x+1-10'.

mois, cet enfant verra la justice. Si un enfant naît le quatrième mois, cet enfant sera maladif. Si un enfant naît le cinquième mois, ses jours seront écourtés. Si un enfant naît le sixième mois, le père (et) la mère entoureront cet enfant de froideur; (cependant), cet enfant échappera à la rivière, au feu, à la flamme. Si un enfant naît le septième mois, un dieu favorisera cet enfant-là. Si un enfant naît le huitième mois, cet enfant mourra et s'il ne meurt pas, l'angoisse gagnera le père et la mère de cet enfant. Si un enfant naît le dixième mois, la maison au sein de laquelle il grandira[30], sera dévastée. Si un enfant naît le onzième mois, cet enfant sera costaud. Si un enfant naît le douzième mois, cet enfant vieillira (et) engendrera beaucoup d'enfants. Si un enfant naît le treizième mois (il s'agit du mois intercalaire), il ne se passera rien du tout».

Dans cet extrait, l'on observera au passage le caractère bénéfique du septième mois qui peut être mis en relation avec la valeur symbolique importante et favorable du chiffre sept dans le monde sémitique. Les Hittites l'ont adoptée et peut-être à leur suite les Grecs[31]. Il n'est pas moins significatif de dégager le lien qui semble unir la ménologie et l'hépatoscopie. En effet, nous constatons que la naissance d'un enfant durant le huitième mois de l'année entraîne un *omen* défavorable exactement comme dans le cas de huit circonvolutions intestinales; par contre, toute naissance au douzième mois provoque une destinée heureuse tout comme les présages tirés de l'examen des entrailles avec douze circonvolutions intestinales ne pouvaient être que favorables.

L'attribution du nom au moment de la naissance était également capitale mais aucun document officiel ne nous renseigne sur la manière dont il était octroyé. Cependant, E. Laroche a attiré l'attention sur deux textes littéraires contenant un épisode presque identique concernant le rite de la naissance : il s'agit du *Chant d'Ullikummi* avec la naissance du monstre Ullikummi et du *Conte d'Appu* riche étranger sans enfant que les dieux prennent en pitié au point de lui donner un héritier. Évidemment, ces deux récits peuvent ne pas refléter la vieille tradition hittite ou pré-hittite car le premier appartient à la tradition hourrite

[30] Littéralement : «La maison dans les murs de laquelle il grandira».

[31] Le fait est bien connu chez les Hébreux; chez les Grecs, le fait est aussi remarquable : par exemple, le poème de Solon sur les âges qui reçoit un écho dans l'opinion du sage athénien sur la vie déclarée à Crésus et rapportée par Hérodote I 32; dans Hérodote encore I 86, deux fois sept jeunes nobles sont menés au bûcher préparé pour Crésus par les Perses; le monarque lydien avait régné quatorze ans et Sardes avait été assiégée durant quatorze jours; le temps est chaque fois évalué selon un multiple de sept.

de Syrie du Nord, elle-même ouverte à la pensée sémitique occidentale sur laquelle les récentes découvertes d'Ebla ou de Meskéné nous apporteront éventuellement d'utiles renseignements, et le second récit fait référence à l'Est, au pays de Lulluwa. D'autre part, il faut noter que ces traditions faisaient partie intégrante de la culture hittite impériale surtout durant la seconde moitié de l'Empire [32]. Ces naissances se déroulent selon un rite en trois phases :

1. l'élévation du bébé par la sage-femme ;
2. la déposition du bébé sur les genoux du père ou du grand-père, ce qui impliquait sa reconnaissance ;
3. l'attribution du nom par le père ; le choix est dicté par les événements.

Bornons-nous à relever que l'octroi du nom s'effectue de manière identique dans l'Ancien Testament ou dans la société homérique de l'Odyssée [33]. La légitimation de l'enfant par la déposition sur les genoux du père se rencontre chez les Grecs, les Latins et les Celtes. On pourrait conclure à un héritage indo-européen dont une des plus anciennes manifestations se trouverait chez les Hittites et qui se serait répandu éventuellement en milieu nord-syrien à l'époque de la rédaction du *Chant d'Ullikummi* en notre possession. Bien que certains émettent des réserves à ce sujet en objectant qu'Hérodote attribue aux Lyciens, descendants de la branche louvite, une filiation maternelle, l'objection perd de son poids si l'on considère que les épitaphes lyciennes nous livrent une généalogie patrilinéaire et ne font pas état de filiation maternelle exclusive [34].

3. *Les précautions entourant l'enfant en bas âge*

En ces temps où la mortalité infantile était un véritable fléau, il s'avérait indispensable d'entourer le nouveau-né de mille précautions dont les plus usitées dans la logique du moment étaient les recours aux rituels. Plusieurs d'entre eux sont connus par les titres figurant dans les tablettes-catalogues. En voici un échantillon :
— pour les précautions au moment de la naissance : KUB XXX 43 III 20-22 : « quand la sage-femme enduit l'enfant avec les ingrédients de la conception » ;

[32] Voir E. LAROCHE, *NH*, p. 369-370.

[33] HOMÈRE, *Odyssée*, XIX 399-412.

[34] HÉRODOTE I 173. La meilleure connaissance que nous avons aujourd'hui de la langue lycienne, contredit les affirmations d'Hérodote.

— en matière de sevrage de l'enfant : KUB XXX 67 4'-5' : [1 tablette : parole de N]inatta, épouse de Tazzitta : lorsque [ ]sèvre un enfant, voici le rituel» ;

— pour les maladies de l'enfant, plusieurs rituels étaient prévus visant essentiellement à extirper du corps le mauvais démon : KBo XII 100 Ro 1-7 : «1 [Si] un enfant souffre du ventre, 2 ou même si quelque adulte en souffre, 3 on l'exorcise ainsi en louvite : 4 Dans l'Euphrate supérieur, les serpents étaient noués par la queue, 5 les femmes *wašummaniyali-* étaient nouées par le *duti-* (élément de toilette féminin), 6-7 les compagnons étaient noués par la robe» ; mentionnons encore KUB XXX 49 IV 16-20 : «... si un enfant est [pâ]le ou s'il a absorbé des [v]iscères, pour lui elle (la magicienne) sacrifie de la manière suivante au Soleil de la maladie x».

Le déroulement correct de ces rituels était fondamental ; aussi nécessitait-il le recours à un personnel très qualifié et le savoir des grands scribes était parfois sollicité, comme ce fut le cas pour le roi Hattusili III lorsqu'il était enfant[35].

Les Hittites veillaient aussi scrupuleusement à ce que les enfants ne souillent pas volontairement ou non les réalités sacrées ; au cas où un accident se serait produit, des rituels de purification adéquats étaient prévus[36].

Ces quelques réflexions, certes incomplètes, auront permis, espérons-nous, de dégager certains espects d'un problème encore peu exploré par les hittitologues et les historiens de l'antiquité. Les incessantes découvertes de Boğaz-köy, de Maşat, des nouveaux chantiers de fouilles ouverts par nos collègues turcs au cours des dernières années ainsi que les sites syriens de Meskéné et d'Ugarit viendront assurément enrichir ce dossier.

Nous avons notamment pu constater que le nom indo-européen du «fils» issu de la racine **su-* était perdu dans la totalité du monde hittite, comme d'ailleurs l'ensemble du vocabulaire familial n'a rien de directement indo-européen. Comme E. Laroche l'a observé, les Hittites et leurs cousins louvites ont dû réinventer un nouveau vocabulaire — qui pouvait, lui, contenir des éléments indo-européens — essentiellement

[35] Hattusili III atteint tout jeune d'une grave maladie fut confié aux soins du chef des scribes Midannamuwa.

[36] Cf. KUB XXX 50 + 1963/c.

8 1 *TUP-PU QA-TI ma-a-an* DUMU SAL *tab-ri-ya-aš*

9 *I-NA tab-ri-ti še-er mar-še-eš-zi*

10 *nu tab-ri-ša ma-aḫ-ḫa-an šu-up-pí-ya-aḫ-an-zi*

trad. : «1 tablette ; fin. — Quand l'enfant d'une femme du *tabri* se souille sur le *tabri*, voici comment on sacralise le *tabri*».

affectif et primaire, adapté à un milieu indigène dans lequel ils essayaient de s'intégrer [37]. Sans pouvoir proposer d'étymologie indo-européenne, nous avons, pour notre propos, souligné le rendement du radical *ḫaš-* dans les différents dialectes hittites, en particulier en nésite, en relevant les emplois parfois très spécialisés et significatifs des structures sociales qui en étaient faits. Nous voyons ainsi combien le statut de l'individu au sein de la société hittite était conditionné par la qualité de la naissance. Les Hittites de l'Anatolie centrale exprimèrent le concept de royauté et de haute aristocratie de sang par la mise en évidence de l'excellence de la naissance. D'autre part, par l'octroi du nom, les parents essayaient de créer pour leurs enfants une filiation de haut niveau destinée à valoriser leur identité face aux dieux et aux hommes : c'est le cas des noms composés en *-(a)ḫšu-* et *-(a)ḫšušar-*. L'on constate également que le vocabulaire de l'enfance et de la filiation fut réinventé de manière différente par les deux grandes familles hittites, la famille nésite d'une part, la louvite d'autre part; un sens technique supplémentaire fut parfois attribué à un même mot : ainsi hitt. *ḫaššu-* : «roi» et *hasu-* : «descendant» en louvite hiéroglyphique. Cependant, même si le vocabulaire spécifiquement indo-européen propre à l'enfant et au fils a disparu, certaines pratiques d'origine indo-européenne ont pu se maintenir au travers des influences diverses : la reconnaissance de l'enfant par sa déposition sur les genoux du père serait à verser à leur nombre.

L'arrivée d'un enfant au sein de la famille était une bénédiction des dieux et faisait l'objet d'une attention toute spéciale surtout à une époque où la mortalité infantile était élevée. La religion conditionnait le statut de l'enfant dès sa venue au monde ainsi que les nombreuses précautions dont il devait être entouré, même si une légère tendance à la laïcisation se manifesta durant la seconde moitié de l'Empire. Elle était probablement l'œuvre de scribes érudits, teintés de rationalisme, qui mirent notamment l'accent sur la responsabilité de l'individu, ce qui devait contribuer à adoucir des peines excessives à l'égard d'enfants innocents censés être porteurs de souillures. Sous l'Empire hittite, les précautions et dispositions prises à l'égard de l'enfant trouvaient leur origine dans des emprunts aux pratiques babyloniennes (mantique), syro-kizzuwatniennes (rituels de purification) ou dans des souvenirs anatoliens et indo-européens. C'était l'âge des tendances syncrétiques et de la recherche d'un profond équilibre politique et culturel d'un pays où s'entrecroisaient tant d'influences.

[37] E. LAROCHE, *Comparaison du louvite et du lycien*, *Bulletin de la société de linguistique, Paris* (abrév. *BSL*) 53 (1958), p. 186.

Tableau récapitulatif
(— indique les dérivés; = indique les dérivés de dérivés).

Hittite-nésite	*Groupe louvite*		
	Louvite cunéif.	Louvite hiérogl.	Lycien
(-za) ḫaš- : enfanter, engendrer		*has-*	
— *ḫašša-*, DUMU-(*a*)- : enfant?	DUMU-*anni-*?	*na(wa)na-*, ENFANT-*na-*	*tideimi-*
= **ḫaššatar*, DUMU-*atar* : enfance			
— *ḫašnu-* : accoucher (quelqu'un)			
= *ḫaššanupalla-* : sage-femme			
— *ḫaššatar* : 1. procréation, 2. famille			
— *ḫaššu-*, LUGAL-(*u*)- : roi	LUGAL-(*u*)-	ROI-*ti/a-*	
= *ḫaššušara-* : SAL.LUGAL-(*a*)- : reine SAL.LUGAL-*rā-*		*hasusara-*	
— *ḫaššant-* : 1. «natus», nouveau-né 2. prince de sang			
— *ḫanzašša-*, DUMU.DUMU : petit-enfant	*ḫamša-*	*ham(a)sa*	
— *ḫašša ḫanzašša*, NUMUN : descendance		*hasu-*	*esedennev*
— *ḫaštanuri-* : grand des princes			
	-hamšu(k)kala- : arrière-petit-enfant	DESCENDANT *-m(a)sukala-*	
DUMU-(*la*)- : fils?	DUMU-*anni*?	^{tils}*namuwai-*	*tideimi*
— DUMU$^{\text{(meš)}}$-*latar* : filiation, progéniture			
DUMU.NITA-(*a/la*)- : garçon			
neka-?, DUMU.SAL-(*a/i*)- : fille			*kbatra-*
kappi- (DUMU-(*a*)-), TUR : petit (enfant)	TUR		
ammiyant- (DUMU-(a)-) : petit enfant, bébé	*titaimi-*		*tideimi*
aššiyant- : cher, chéri			
	titai : allaiter		**tidei-*

HET EXAMENREGLEMENT VAN DE SUMERISCHE SCHOOL

van HERBERT SAUREN

De school is het lot van het kind, zoals koning Sjulgi in zijn Hymne B zegt[1]. Hij was dan ook de ideale leerling, die alles kende en zelf zijn meesters in verbazing bracht. De andere leerlingen zaten eerder met een pak problemen, als zij naar school moesten. Hier kan men het verhaal vermelden van de leerling van het tafelhuis, dumu-e_2-dub-ba[2]. Hij is een kleine jongen, die 's morgens vlug zijn brood eet, en zijn boterham pakt om naar school te gaan. Maar van de lessen weet hij niet meer te vertellen als dat alle meesters hem plagen en slagen. De literaire traditie heeft met dit verhaal een ander verbonden, dat ons een zeer slimme knaap voorstelt[3]. Hij geeft aan zijn vader, die eveneens schrijver is, de raad de meester toch eens uit te nodigen, en inderdaad, als de jongen na het opulente maal aan de voeten van zijn meester zit, weet hij alles en krijgt grootste onderscheiding. Het langste bekende stuk spreekt van de schrijver en zijn zoon[4]. De zoon gaat echt met tegenzin naar school en zijn vader is niet helemaal tevreden. Maar dat is alleen het schema van het verhaal. De literaire vormgeving toont evenwaardige strofen bij vader en zoon in deze lange dialoog van meer dan 100 verzen. Het blijkt zelfs dat de vader meer filoloog is maar dat de zoon de poëzie beter beheerst. Bovendien bevat deze tekst de oudste scheldrede ter wereld uitgesproken door de zoon.

De teksten zijn dus satiriek en wij kunnen weinig inlichtingen over het werkelijke leven op school verwachten[5]. Andere teksten zingen de lof van de schrijfkunst, die van groot belang was voor elk hoger

[1] Z. G. R. CASTELLINO, *Two Šulgi Hymns* (BC), Roma 1972, 30-33, 11-20; H. VANSTIPHOUT, *Phoenix 23*, 1977, 68, 9.

[2] S. N. KRAMER, *JAOS 69*, 1949, 199-215; A. FALKENSTEIN, *WdO* 1, 1948, 172-186.

[3] Vanaf l. 42 tot einde.

[4] Z. A. SJÖBERG, *JCS 25*, 1973, 105-169.

[5] Z. Cl. WILCKE, *Kindlers Literaturlexikon*, 9111-9112.

administratief beroep. Zo eindigt de tekst, die wij bestuderen, met de woorden[6]:

zit gebogen over de schrijfkunst,
dag en nacht zal je haar in jouw harte bewaren,
de schrijfkunst is een goed lot,
een goede beschermgeest erbij, is een goed oog,
dat is hetgeen het paleis nodig heeft.

Als wij meer over de school willen weten moeten wij vragen, hoeveel schrijvers er nodig waren, welke sociale rang deze in de maatschappij hadden. Men moet dus de ekonomische teksten raadplegen. Wij moeten de lijsten bestuderen, die ons over het programma op school kunnen inlichten. De school was echter niet alleen voor kinderen, kleuters, die leerden schrijven, maar zij liep door tot de hoogste graden van wetenschap, administratie, dichtkunst, godsdienst en zangkunst[7].

De literaire teksten laten vele van onze vragen onbeantwoord. Hun doel was de studie van de sumerische taal, en niet bericht te geven over het leven op school. Het bestuderen van de sumerische taal gebeurde tijdens de oud-babylonische periode met hulp van kleine eenvoudige verhalen. Wij noemen deze verhalen de e-dub-ba-literatuur. Alleen als men de teksten van deze kant bestudeert leveren zij ons een zinvol resultaat op. Bij de hedendaagse uitgaven van sumerische literaire teksten blijft de vertaling meestal een raadsel en toch is de sumerische tekst verstaanbaar. Ik wil even aantonen hoe wij een betere vertaling kunnen bereiken. Ik zal daarom alleen 10 verzen van het examenreglement van de sumerische school, of van examentekst A, voorstellen[8].

De dialoog tussen meester en leerling lijkt mij in de vertaling van A. Sjöberg volledig onwaarschijnlijk, omdat daar tenslotte de leerling de meester ondervraagt. Ik heb daarom, zoals het met alle literaire teksten moet, in strofen ingedeeld. De strofe omvat 10 verzen. Ik heb de syntax bestudeerd en het metrum vastgesteld. Daaruit volgt de

[6] nam-dub-sar-ra-še$_3$ tuš he$_2$-gam-e
gi$_6$-u$_4$-zal-e ša$_3$-zu he$_2$-bal-e
nam-dub-sara giš-šub-ba-sig$_5$-ga
tuk-^{d}lama gi$_8$ zalag$_2$-ga
ni$_3$-ša$_3$-hab-e-gal-la-ke$_4$

[7] H. Waetzoldt, *Das Schreiberwesen in Mesopotamien*, phil. Diss. habil. Heidelberg 1972, zal veel kennis over de schrijver in der Ur-III-periode brengen.

[8] A. Sjöberg, *ZA 64*, 1975, 137-176.

inhoud, de rede van de meester, een eenvoudig en homogeen stuk literatuur[9].

De schrijver ondervraagt zijn leerling
in de vergadering van de geleerden in de hof van de school:
„Vooruit mijn zoon, zet U neer aan mijn voeten,
ik wens U iets te zeggen, laat mij dan ook iets horen,
Uw tijd als kleuter en nu als jonge man brengt U door op school
met al hetgeen U van de schrijfkunst weet, met al hetgeen U van haar tekens niet weet,
maar, dat wat ik niet weet, is wat U nu weet,
alsdan, ik zal U een vraag stellen, zeg dan eerst: ,ik wens het U te zeggen' en laat mij dan iets horen,
vraag en ik zal het U zeggen, zeg dan: ,ik wens nu te antwoorden',
als U (inmiddels) niet antwoorden kunt, waarom zal ik het niet voor U herhalen?"

Na deze inleiding van de ondervraging, volgen in onze tekst de mogelijke vragen. De inleiding, het examenreglement, legt duidelijk vast waar de leerling met zijn antwoord begint, zodat deze niet achterna met alle verontschuldigingen kan afkomen, om te beweren dat hij toch het juiste antwoord bedoelde. De tekst geeft aan het einde nog drie mogelijke uitslagen. Deze zijn: geslaagd, toegelaten het examen te

[9] dub-sar dum(u)-a-ni ab-dim$_4$- e-de$_3$
unken-l(u)$_2$- um-me-a-k(e)$_4$-e-ne kisal- e$_2$-dub-ba-a-ka
gin-nu dum(u)-gu$_{10}$ ki-ta-gu$_{10}$-še$_3$ tuš-(a-)ab
ga$_2$-nu ga-mu-r(a)-ab-du$_{11}$ giš-g(u)$_{10}$ un-tuk-tuku-m(e)-en
u$_4$-tur-ra-zu-ta nam-šul-l(a)-a-zu-še$_3$ e$_2$-dub-b(a)-a i$_3$-ti-l(e)-en
nam-dub-sar-a i$_3$-zu-a giskim-bi nu-zu-a
a-r(a)-am$_3$ ni$_3$ n(u)-un-zu-a a-n(a)-am$_3$ i$_3$-zu
ga$_2$-na en$_3$ g(a)-ar$_2$-tar-ba du$_{11}$-g(a) ga-mu-r(a)-ab-du$_{11}$ giš-g(u)$_{10}$ un-gi$_4$-g(i)$_4$-e-de$_3$
en$_3$ tar-m(u)-u$_8$ g(a)-a-mu-r(a)-ab-du$_{11}$ du$_{11}$-g(a) ga-mu-r(a)-ab-gi$_4$-gi$_4$
nu-m(u)-un-da-ab-gi$_4$-gi$_4$ a-n(a)-aš nu-mu-r(a)-ab-gi$_4$-gi$_4$

1. a	2 + 2 + 2 + 2	S_1	---	O	V				
2. a_1	2 + 5 + 2 + 5					LT	---	L	---
3. b	2 + 2 + 4 + 2	Imp.	Vok.	T.	Imp.				
4. b_1	2 + 4 + 2 + 4					Imp.	V	O	Imp.
5. c	5 + 5 + 3 + 3	(S_2)	A/T	L	V				
6. d	4 + 3 + 2 + 3					O	---	O	
								O	V(-a)
7. b_1/b	2 + 4 + 2 + 2	(S_1)	---	O	V-a	(S_2)	---	O	Imp.
8. c_1	3 + 3 + 5 + 5	Imp.	(Vok.)	O	V-ba	Imp.	O		
9. d/b_1	3 + 4 + 5 + 5	O	V	Imp.	O			T	V
10. d_1	3 + 2 + 3 + 4					(O)	V		

herhalen en de dringende raad de studies af te breken. Ten slotte volgen de hierboven vermelde verzen over de lofprijs van de schrijfkunst. De hele tekst is poëtisch opgebouwd, ik wil hier alleen de eerste 10 verzen van dichter bij bekijken.

De syntax kan op objectieve wijze duidelijk maken, welke vertaling de betere benadering van de sumerische tekst is. In de eerste zin, vers 1-2, volgt de lokatief-terminatief en de lokatief, twee direktioneele naamvallen, op het werkwoord. Deze volgorde is in het Sumerisch vrij ongewoon. Waar men ze aantreft betekent zij een beklemtoning van de woorden die op het werkwoord volgen. Daarom heeft A. Sjöberg de 2ᵉ regel als deel van de volgende zin opgevat.

Men mag daar tegenover het argument gebruiken dat de interjunktie ga-na, op, vooruit, een oude imperatief, net zo als het akkadisch woord *alka*, op, vooruit, aan het begin van een zin moet staan. Wij hebben dan een filologisch argument tegen een ander van dezelfde aard. De beslissing ligt bij de auteur.

Ik geef daarom een ander argument : de opbouw van de syntax in de strofe zelf. Juist zoals in de eerste zin twee direktionele naamvallen op het werkwoord volgen, zo komen in vers 5-6 twee objekten na het werkwoord. De twee zinnen staan aan het begin van de onderdelen van de strofe, d.w.z. van de twee vierregelige onderstrofen.

Alhoewel deze volgorde een uitzondering in het Sumerisch is, vinden wij ze nog twee keren in deze 10 verzen. In vers 8 en in vers 9, staat de imperatief du_{11}-ga, zeg, en hetgeen de jongen moet zeggen vooraleer hij een antwoord geeft is het navolgend objekt. Ook deze voorbeelden staan opmerkelijk dicht bij elkaar. Zij vormen een paar aan het einde van de tweede onderstrofe en aan het begin van het laatste distichon.

Zo eerbiedigt de syntaktische opbouw alle mogelijke parallele betrekkingen in de strofe. Een poëtisch argument wordt aan het filologische toegevoegd. De vertaling die deze betrekkingen evenzeer meeomvat als alle andere filologische uiteenzettingen is objektief en niet elleen subjektief beter.

Een tweede punt van de sumerische grammatika laat zich zonder moeite uit deze tekst aflezen. De twee objekten in vers 6 zijn inderdaad geen naamwoorden maar hele zinnen. Zoals onze talen kan ook het Sumerisch objektzinnen vormen, en in het Sumerisch is dit nog veel eenvoudiger. Het is bekend dat het Sumerisch elk werkwoord en elke zin kan nominaliseren. Dat betekent : door toevoegen van de uitgang -a, verandert het werkwoord of een hele zin in een naamwoord. Dit naamwoord kan dan zinsdeel van een hoofdzin worden en gelijk welke naamval aannemen. In vers 6 is deze nominalisering duidelijk in het schrift terug te vinden, maar niet in de vertaling van A. Sjöberg.

In vers 7, is het werkwoord van de eerste helft genominaliseerd. Het tweede werkwoord niet. Tekst N leest hier: nu-mu-un-zu-am_3 zonder de uitgang -a en met de kopula -am_3, het is. De -a van de nominalisering is echter achter klinkers niet nodig. In vers 7 hebben wij dan ook een nominaalzin, waarvan het onderwerp de eerste helft en waarvan het voorwerp de tweede helft is.

In vers 8 noteert de kommentaar van A. Sjöberg, l.c. 151, 8: „-ba in beiden Texten fehlerhaft". Maar de eerste helft van dit vers is een lokatiefzin: „vooruit, als ik U een vraag stel". De lokatiefzin is meestal tijdelijk op te vatten. -ba is samengevoegd uit -bi, het bezittelijk voornaamwoord, 3e pers. zaken enkelv., en -a, de uitgang van een lokatief.

Vers 10 geeft nog een voorbeeld van een lokatiefzin. Deze bestaat alleen uit het werkwoord: „als U niet antwoorden kunt". Ook de reeds besproken objekten in vers 8 en 9 zijn objektzinnen welke alleen uit het werkwoord bestaan.

Daarmee heb ik mijn redenen gegeven waarom de vertaling veranderd en verbeterd moet worden. Ik kan nog een beetje verder gaan en de hoofdstukken tonen die geschikt zijn om de sumerische taal te beoefenen[10].

Wij hebben reeds het navolgend objekt en de sterkere klemtoon bestudeerd. Wij hebben evenzeer de ondergeschikte zinnen, objekt-, lokatief- en subjektzin leren kennen. Men kan hier ook de imperatief herhalen:

1. gin-na, ga_2-nu, ga_2-na zijn varianten van het hetzelfde woord.
2. gin-na, tuš-a-ab, tar-mu-u_8, geven 3 verschillende klinkers in de verbaalwortel, en evenzeer de drie mogelijke morfologische afwijkingen.
3. un-tuk-tuku-me-en, un-gi_4-gi_4-e-de_3 ook deze vormen drukken een bevel uit. De morfologie noteert deze vormen als prospektief.

De negatie nu- is voorgesteld:

1. i_3-zu-a / nu-zu-a,
2. nu-un-zu-a / i_3-zu,
3. ga-mu-ra-ab-gi_4-gi_4 / nu-mu-ra-ab-gi_4-gi_4.

[10] Z. mijn lezing ter gelegenheid van de Duitse Orientalistendag 1977 in Erlangen, in *OLP* 10, 1979, p. 97-107.

De positieve en de negatievorm staan in een vers of ze volgen op mekaar.

De schrijfwijze van de optatief is uitgewerkt met alle mogelijke orthografische veranderingen :

1. ga$_2$-na, ga$_2$-nu,
2. ga-mu-ra-ab-du$_{11}$, ga-a-mu-ra-ab-du$_{11}$,
3. ga-ar$_2$-tar-ba, ga-mu-ra-ab-gi$_4$-gi$_4$.

Tekst N heeft afwijkende vormen :

1. ga-[na], ga$_2$-na,
2. ga-mu-ra-ab-du$_{11}$, ga$_2$-na-a[b-du$_{11}$]
3. ga-ab-tar-aba$_x$, ga-mu-ra-ab-gi$_4$-gi$_4$.

In al deze gevallen zijn de voorbeelden zo uitgebreid en de mogelijke afwijkingen van morfologisch of zuiver orthografisch aard zo volledig genoemd dat elk toeval uitgesloten is.

Nemen wij nog bij al deze grammatikale elementen het metrum dat zeer regelmatig is, de vele vormen van rijmen, dan hebben wij een heel mooi stuk literatuur. Ik hoop dat in toekomst betere vertalingen meer mensen toegang verschaffen tot deze oude maar uiterst waardevolle beschaving.

Résumé

Le règlement de l'examen à l'école sumérienne a été publié par A. Sjöberg, *ZA* 64, 1975, p. 137-176. Le texte littéraire et métrique en strophes de 10 vers a servi à l'école sumérienne comme texte d'études.

La 1re strophe nous donne une allocution du maître à son élève qui se prépare pour son examen final. La strophe contient les paradigmes de l'impératif au singulier, de la négation et du cohortatif. Au niveau de la syntaxe, elle offre les phrases nominalisées et la position accentuée de l'objet.

L'ENFANT DANS LA PEINTURE THÉBAINE

par ARPAG MEKHITARIAN

Il importe, avant d'entreprendre l'étude des scènes qui nous intéressent, de définir le terme «enfant». Nous employons ce mot dans son sens le plus large, en y englobant les adolescents — garçons et filles — jusqu'à l'âge de la puberté et que les Égyptiens représentaient généralement nus. On a objecté quelquefois que, dans certains cas, — le thème de la servante, par exemple, — il s'agissait de personnes adultes figurées à petite échelle pour des raisons «hiérarchiques» face aux «bourgeois en goguette», comme Flaubert appelait la haute société du Nouvel Empire festoyant dans les tombes thébaines[1]. S'il est vrai que les fillettes ont des corps déjà formés, on consatera, à y regarder de près, que l'artiste a donné au visage une expression juvénile qui ne trompe pas. Ce n'est pas un des traits les moins remarquables du peintre égyptien que son sens aigu de l'observation : on ne peut assez y insister pour combattre la légende tenace du conformisme de l'art pharaonique.

Un second point à noter est l'absence paradoxale de scènes de jeux d'enfants, comme on en trouve à l'Ancien Empire au mastaba de Mérérouka à Saqqara[2], par exemple, et au Moyen Empire à Béni Hassan, tels les lutteurs chez Amenemhât (nº 2)[3], Baket (nº 15)[4] et Khéti (nº 17)[5].

Enfin, troisième remarque préliminaire, il n'y a pas dans la peinture thébaine — sauf erreur — de représentations de l'enfant au sein, thème connu pourtant, bien que rare, dans la ronde-bosse : nous songeons, entre autres, à la figurine pittoresque d'une nourrice allaitant deux enfants à la fois, statuette conservée au Metropolitan Museum de New York et datant de l'Ancien Empire[6], ainsi qu'au petit bronze,

[1] J.-M. CARRÉ, *Voyageurs et écrivains français en Égypte* (Le Caire 1932), II, p. 112.

[2] P. DUELL, *The Mastaba of Mereruka* (Chicago 1938), II, pl. 162-165.

[3] P. E. NEWBERRY, *Beni Hasan* (Londres 1893), I, pl. XIV, XV, XVI.

[4] ID., *ibid.*, II, pl. V, VIII, VIII A.

[5] ID., *ibid.*, II, pl. XV, XVI.

[6] *Burlington Fine Arts Club : Catalogue of an Exhibition of Ancient Egyptian Art* (Londres 1922), pl. XIII.

de Basse Époque, du musée de Berlin [7]. En bas-relief, nous connaissons seulement deux scènes d'Ancien Empire à Saqqara (A. M. Moussa & H. Altenmüller, *Das Grab des Nianchchnum und Chnumhotep*, pl. 26a; et chez Kagemni dans Wreszinski, *Atlas* III, pl. 109A). N'omettons pas ici, toutefois, les ostraca avec scène d'allaitement étudiés par Mme Emma Brunner-Traut, *Die Wochenlaube* (Mitt. des Inst. f. Orientforschung III, 1, Berlin 1955).

Aux tombeaux d'Ouserhat (56) [8] et de Kenamon (93) [9], nous voyons, il est vrai, le jeune roi Aménophis II assis sur les genoux de sa nourrice, mais il nous apparaît là en adulte ou au moins comme un grand garçon, à l'instar de tant d'autres représentations symboliques en bas-relief où le roi est allaité ou caressé au menton par une déesse : depuis Sahouré à Abou Sir [10] jusqu'à Séthi Ier à Abydos [11] en passant par Hatshepsout [12] et Aménophis II [13] tétant la vache Hathor à Deir el-Bahari, de même que le beau dessin si suggestif (fig. 1) de la tombe royale de Thoutmosis III, où celui-ci prend le sein de la déesse Isis transformée en arbre [14]. Il y aurait lieu de signaler encore le jeune roi allaité par Isis au temple de Ramsès II à Beit el-Wâli (Porter-Moss, *Topogr. Bibl.* VII, p. 26 [37]) et le petit prince Wadjmose sur les genoux de Paheri à Elkâb (*Ibid.* V, p. 179 [7-8]).

L'enfant en bas âge apparaît cependant chez Menna (69) dans un détail des travaux agricoles : une jeune maman a fait de sa robe une bandoulière dans laquelle elle a glissé son bébé [15]. Dans des processions de tributaires étrangers, de tout petits négrillons sont portés par leur mère dans un panier suspendu comme un sac à dos : des têtes crépues (fig. 2) surgissent ainsi, de façon amusante, chez Sebekhotep (63) [16], Horemheb (78) [17] ou Houy (40) [18], vice-roi de Nubie sous le règne de

[7] S. Wenig, *Die Frau im alten Ägypten* (Leipzig 1967), fig. 20a.
[8] PM 56 (7).
[9] PM 93 (16).
[10] L. Borchardt, *Das Grabdenkmal des Königs Sahu-Re* (Leipzig 1913), II, pl. 18. — J. Capart et M. Werbrouck, *Memphis* (Bruxelles 1930), fig. 167.
[11] A. M. Calverley, *The Temple of King Sethos I at Abydos* (Londres-Chicago 1958), IV, pl. 20.
[12] K. Lange und M. Hirmer, *Aegypten* (Munich 1967), pl. 131. — P. Gilbert, dans *Chronique d'Égypte*, XXVIII (1953), fig. 19-20.
[13] K. Lange, *op. cit.*, pl. 146.
[14] A. Mekhitarian, *La Peinture égyptienne* (Genève 1954), pl. p. 38.
[15] PM 69 (2).
[16] PM 63 (9).
[17] PM 78 (8).
[18] PM 40 (6).

Toutankhamon. D'autres enfants nubiens (fig. 3), capables de marcher, sont tenus par la main : tout nus, ils avancent parfois en se trémoussant, et le peintre égyptien a bien saisi l'agilité du corps chez les noirs. Comme pendant aux gens du Sud, des Asiatiques amènent aussi leur fils en Égypte : c'est le cas, par exemple, chez Ineni (81) ou Menkheperrâseneb (86) [19] et chez Amenemheb (85) [20], où le type sémitique (fig. 4) est nettement marqué.

Les petits Égyptiens, eux, figurent dans une dizaine de thèmes courants de l'iconographie des tombes thébaines, généralement au service des adultes ou participant à leurs actes, ne formant jamais un monde qui leur soit propre : ils n'existent, semble-t-il, qu'en fonction des grandes personnes.

Ils accompagnent leurs parents dans des scènes que nous nommerons, pour la facilité, «de famille». En réalité, il s'agit de ces tableaux où les défunts assis reçoivent les hommages des survivants. Chez Sennedjem (1), d'époque ramesside, le couple a, debout à côté de la chaise, un petit garçon nu, qui visiblement n'a pas encore atteint l'âge de la circoncision (fig. 5), et une fillette vêtue d'une longue robe plissée; ils portent tous les deux, sur le crâne rasé, une grande mèche de cheveux tombant sur la joue, à l'imitation de la coiffure habituelle des princes héritiers [21]. De petites filles similaires se tiennent également auprès d'autres membres défunts de la même famille ou bien (l'une d'entre elles du moins) font partie de la procession de porteurs de bouquets [22]. Nous devinons enfin qu'un jeune fils de Sennedjem, appelé Rahotep, est décédé en bas âge : il navigue déjà sur les eaux célestes entourant les champs d'Ialou [23]. C'est là un cas unique dans l'iconographie thébaine. Revenant à la jeune fille à la longue mèche, nous en avons d'autres exemples, notamment chez Ouserhat (51) [24] et chez Ipouy (217) [25] : il semble que ce type de coiffure ait été à la mode au Nouvel Empire. Pour l'enfant à côté du siège des parents, nous citerons, de la XVIIIe dynastie, Nebseny (108) dont le petit-fils, un garçon nu, pose la main sur les genoux de son grand-père, alors que sous la chaise de l'épouse, un singe attaque un régime de dattes [26].

[19] PM 81 (5) et 86 (8).
[20] PM 85 (17).
[21] PM 1 (6).
[22] PM 1 (8).
[23] PM 1 (9).
[24] PM 51 (9).
[25] PM 217 (4).
[26] PM 108 (3).

Dans la tombe du médecin Nebamon (17), c'est une petite fille nue qui tient un miroir sous le siège de la dame [27]. Derrière le couple debout faisant des offrandes chez Mây (130), une esquisse montre une fille nue apportant un miroir et un vase à onguent [28].

Le «tableau de famille» le plus complet, et peut-être le plus «amusant», nous est livré par le peintre d'Anherkhâou (359), de la XXe dynastie [29] : n'était le contexte, on pourrait se croire dans un salon d'autrefois. Le défunt et sa femme, richement vêtus d'amples robes blanches, sont assis devant un guéridon sur lequel est posé en équilibre un gâteau aux figues du sycomore. Deux prêtres leur présentent des objets funéraires : un coffret à oushebti, une figurine d'Osiris, un vase à libations. Ils sont entourés de leurs quatre petits-enfants représentés nus : trois fillettes, dont la première est assise sur les pieds mêmes de son grand-père, et un tout petit garçon. Ces quatre enfants ont des coiffures baroques : des mèches, les unes droites, les autres bouclées, séparées par une partie rasée du crâne. Les filles portent, en outre, boucles d'oreilles et colliers. Elles tiennent chacune dans la main ou se passent un petit oiseau. Frustré, semble-t-il, de ce jeu, le jeune frère (fig. 6) se retourne, lève les bras et frappe de ses deux mains les genoux de la grand-mère. L'inscription, à côté de lui, nous le décrit comme un coléreux; elle dit simplement : «Fils de son fils, Anherkhâou (le même nom que le grand-père), surnommé Le Violent»!

Il arrive aussi, comme cela se produit deux fois chez Amennakht (218) [30] et une fois chez Pashedou (3) [31], que les enfants prennent part aux prières — l'hymne à Rê particulièrement ou l'adoration du faucon Horus — qu'à genoux ou debout le père et la mère adressent aux dieux.

Il en va de même des processions funéraires où quelquefois un petit-fils du mort, tel celui de Nakhtamon (341), suit l'enterrement [32]. Parmi les porteurs de mobilier (coffret, guéridon, chaise, etc.), se glissent également de tout petits personnages qui ne peuvent être que des jeunes garçons comme il y en a un chez Païry (139) [33] et deux

[27] PM 17 (3).
[28] PM 130 (1).
[29] PM 359 (12).
[30] PM 218 (8 et 9).
[31] PM 3 (6); cf. aussi *ibid.* (7) : le défunt et une petite fille adorant diverses divinités.
[32] PM 341 (2).
[33] PM 139 (4).

autres qu'on prendrait pour des nains chez Nebamon et Ipouky (181) n'était qu'ils sont représentés nus (fig. 7) selon le principe égyptien de distinguer ainsi les impubères[34]. De plus grands jeunes gens s'associent à des rites d'offrandes en apportant, par exemple, des gerbes de fleurs (fig. 8), tels les fils et filles de Menna (69) qui, avec leur mère, accompagnent le défunt devant l'autel[35]; tel aussi, chez Ouserhat (56), un défilé d'hommes tenant chacun en main une laitue, plante symbolique, et dont les traits marquent cette expression de jeunesse dont il a été question plus haut[36]. À noter que cette dernière scène n'est pas terminée dans le détail et qu'elle pourrait, par là, avoir aussi un sens symbolique : on constatera, d'ailleurs, qu'aucune tombe thébaine n'est «définitivement» achevée — si l'on excuse ce pléonasme — et que ce fait n'est vraisemblablement pas dû au hasard.

Pour reprendre le thème des funérailles, remarquons la fillette nue qui s'est faufilée dans le célèbre groupe des pleureuses sur la paroi peinte du tombeau de Ramose (55)[37], ainsi que les deux jeunes filles (fig. 9) également nues en tête des pleureuses d'Amenmose (19)[38].

Elles nous introduisent, par contraste, dans cette autre catégorie de scènes fréquentes, celle du banquet, où de petites servantes, le plus souvent non vêtues, s'occupent de la toilette des invitées, les parfument ou bien divertissent l'assemblée des convives par leurs danses. Choisissons, entre autres, la belle enfant (fig. 11) au regard langoureux — suivie d'une jeune fille apportant un collier et une fleur de lotus — qui se penche sur la coiffure d'une dame chez Djeserkarâseneb (38)[39], ou celle qui redresse une boucle d'oreille chez Nakht (52)[40], ou encore les deux petites «esclaves», peintes l'une en rose, l'autre en brun, — sans doute une Égyptienne et une Nubienne, — sur une paroi assez abîmée de Nebseny (108)[41]. Dans un tableau similaire, mais inachevé, de la tombe anonyme nº 175, on voit deux grandes filles également nues[42] : la première tient d'une main le poignet d'une dame sur l'épaule de laquelle elle pose l'autre main; la seconde porte un bol en faisant un mouvement de torsion inhabituel, — épaules de face,

[34] PM 181 (4).
[35] PM 69 (5).
[36] PM 56 (5).
[37] PM 55 (5).
[38] PM 19 (3).
[39] PM 38 (6).
[40] PM 52 (3).
[41] PM 108 (3).
[42] PM 175 (4) inédit.

hanches vues de dos, la tête demeurant de profil, — mouvement que nous ne retrouvons guère qu'une fois, chez Rekhmirê (100)[43].

Dans le même contexte des festins, un cas des plus intéressants est celui de Djehouty (45), un personnage du règne d'Aménophis II, dont la tombe a été «usurpée» à la XIXe dynastie par un certain Djehoutemheb qui s'est cru peut-être un descendant du premier vu la similitude du nom. Plusieurs filles — deux Égyptiennes, trois vraisemblablement Nubiennes — étaient originairement nues[44]. Le nouveau propriétaire du tombeau a fait badigeonner de blanc leur corps (fig. 10) pour les habiller d'une longue tunique. On a cru qu'il s'agissait là d'un acte de pudibonderie de la part de Djehoutemheb[45] sans remarquer que celui-ci était chef des tisserands d'Amon et qu'il disposait à volonté d'étoffes non seulement pour vêtir ainsi ces pauvres servantes, mais aussi pour couvrir les épaules des dames de la XVIIIe dynastie, trop décolletées à son gré, et même pour allonger le pagne de certains hommes. D'aucuns ont pensé qu'il a voulu mettre à la mode du jour ces personnages[46], auxquels il a donné d'ailleurs des noms de membres de sa famille. Cette théorie est partiellement valable, mais elle ne justifie pas l'aversion de Djehoutemheb pour le nu puisqu'un de ses contemporains, Nakhtamon (341), n'a pas hésité à faire représenter logiquement non vêtue une danseuse jouant du luth et dont les cuisses sont tatouées de figures du dieu Bès[47]. Au reste, à la XVIIIe dynastie déjà, les «ballerines» de métier sont tantôt nues comme celles de Nakht (52)[48], Djeserkarâseneb (38)[49] et Amenhotep-si-se (75)[50], (où chaque fois la danseuse joue également de la mandore), tantôt vêtues d'une longue robe flottante comme la flûtiste du même Djeserkarâseneb (38) ou les joueuses de mandore chez Horemheb (78)[51], Nebamon (90)[52], Menkheper (79)[53] et dans la tombe inachevée portant le n° 175[54].

Pour en revenir aux enfants, une petite gamine s'introduit parfois

[43] PM 100 (18).
[44] PM 45 (8).
[45] S. SCHOTT, *Ein Fall von Prüderie aus der Ramessidenzeit*, in «Zeitschrift für ägyptische Sprache und Altertumskunde», Bd. 75 (1939), pp. 100-106.
[46] N. de G. DAVIES, *Seven Private Tombs at Kurnah* (Londres 1948), p. 8.
[47] PM 341 (9).
[48] PM 52 (3).
[49] PM 38 (6).
[50] PM 75 (4).
[51] PM 78 (2 et 6).
[52] PM 90 (2).
[53] PM 79 (8).
[54] PM 175 (4).

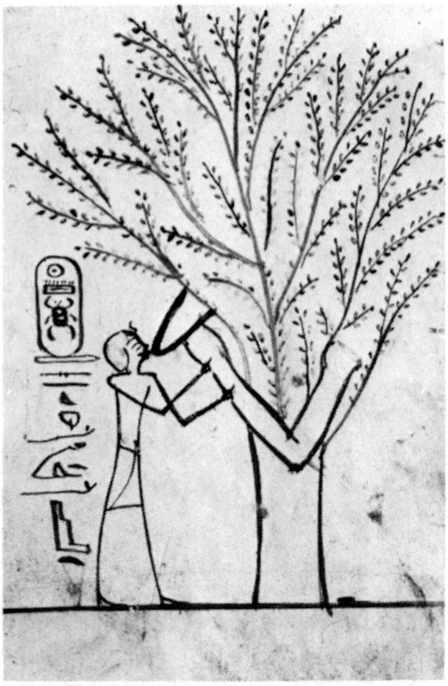

Fig. 1. Thoutmosis III allaité par Isis-Arbre.

Fig. 2. Tombe de Sebekhotep (63) : négrillons.

Fig. 3. Tombe de Houy (40) : Nubiennes.

Fig. 4. Tombe d'Amenemheb (85) : petit Sémite.

Fig. 5. Tombe de Sennedjem (1) : un fils du défunt.

Fig. 6. Tombe d'Anherkhâou (359) : grand-père et trois petits-enfants.

Fig. 7. Tombe de Nebamon et Ipouky (181) : petit porteur de mobilier.

Fig. 8. Tombe de Menna (69) : jeune porteuse de bouquets.

Fig. 9. Tombe d'Amenmose (19) : pleureuses.

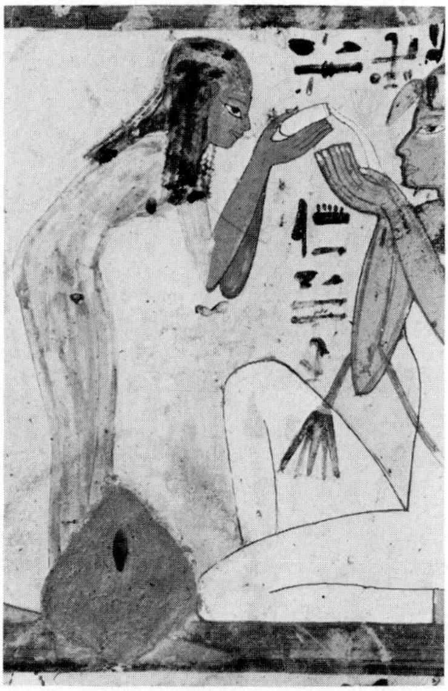

Fig. 10. Tombe de Djehouty (45) : détail du banquet.

Fig. 11. Tombe de Djeserkarâseneb (38) : jeune servante.

Fig. 12. Tombe de Djeserkarâseneb (38) : petite danseuse.

Fig. 13. Tombe de Nakht (52) : fillette dans la scène de pêche au harpon.

Fig. 14. Tombe de Menna (69) : jeune fille à la chasse aux oiseaux.

Fig. 15. Tombe d'Amenemôpet (276) : retour d'une chasse au désert.

dans le groupe des musiciennes et se met à danser (fig. 12) au son de la harpe et des autres instruments traditionnels des orchestres égyptiens. Relevons quelques exemples charmants : Djeserkarâseneb (38), Amenhotepsi-se (75), dans les scènes citées précédemment, et la noiraude de Wah (22)[55].

Les peintres thébains nous font rarement pénétrer dans l'intimité de la société bourgeoise du Nouvel Empire. Une esquisse du tombeau de Nefer-renpet (140) nous révèle une scène exceptionnelle de gynécée : la «gouvernante», assise sur une chaise basse, coiffe sa maîtresse qui se contemple dans son miroir. Au-dessus, c'est-à-dire au fond de la chambre à coucher, un tout jeune serviteur fait le lit de la dame en y étendant un grand drap blanc[56]. Il eût été indiscret de laisser entrer dans le «harem», à pareil moment, un domestique adulte. Une scène similaire d'appartement, mais dont est absente la maîtresse de maison, nous montre chez Ouser (260) que l'arrangement du mobilier était confié plutôt à des jeunes filles[57].

C'est la vie de plein air qui est le plus souvent décrite par les artistes. Les travaux agricoles occupent une place de choix dans l'iconographie égyptienne. Chez Djeserkarâseneb (38), par exemple, un jeune garçon suit les laboureurs et sème le blé[58]. Chez Menna (69), toute une paroi est consacrée à ces travaux des champs auxquels participent aussi des enfants[59]. Voici quelques détails qui ne manquent pas de saveur : aux fonctionnaires du cadastre venus arpenter les terres à la saison de la moisson, le paysan et sa femme présentent des cadeaux, suivis de leur jeune fils qui ne peut offrir que ce qu'il a de plus cher, son ânon (effacé intentionnellement ici) et un cabri; les fonctionnaires eux-mêmes sont accompagnés de petits larbins qui portent leur palette de scribe ou leur baluchon; pendant le transport du blé, des épis tombent à terre, qu'un jeune homme s'empresse de glaner; deux petites filles font de même, mais en se crêpant le chignon, alors qu'à côté deux autres, plus gentilles, arrachent l'une du pied de sa camarade une épine. Au tombeau de Khnoummose (253), c'est encore une fillette qui entasse des épis dans un grand panier[60].

[55] PM 22 (4).

[56] PM 140 (7); à noter que M. BAUD, *Les Dessins ébauchés de la nécropole thébaine* (Le Caire 1935), pl. XXV, a omis le drap blanc qu'étend sur le lit le petit serviteur.

[57] PM 260 (1).

[58] PM 38 (3).

[59] PM 69 (2).

[60] PM 253 (5) inédit.

Chez Ipouy (217), où les thèmes pittoresques et souvent uniques en leur genre ne manquent pas, nous avons, entre autres, une scène de marché où deux toutes jeunes enfants apportent des fleurs de lotus, l'une sur la tête, l'autre en empoignant un immense bouquet monté qui a presque le double de sa taille. Dans un tableau de pêche, c'est encore un enfant qui cherche à soulever un lourd sac plein de poissons, cependant que, plus loin, un autre petit garçon attrape au vol un poisson qui a voulu s'échapper du filet [61].

Un des sujets favoris du peintre égyptien et un des plus décoratifs est celui de la chasse aux oiseaux dans les fourrés de papyrus et de la pêche au harpon, un double tableau qui s'étale comme une belle tapisserie sur les murs des tombes, par exemple, de Wah (22) [62], Nakht (52), Menna (69), Horemheb (78). L'attrait de telles scènes est non seulement dans leur vaste composition d'ensemble, mais aussi dans le nombre de détails délicieux dont elles fourmillent. Il s'agit là de jeux ou de sports de riches auxquels assistent tous les membres de la famille, montés sur la légère barque de papyrus avec le «seigneur». Le jeune fils de Horemheb (78), nu, portant seulement des bijoux (un collier, un pectoral et des bracelets), coiffé de la grande mèche caractéristique tombant sur la joue, tient de la main gauche trois fleurs de lotus et montre avec l'index de la main droite, en se retournant vers son père, les oiseaux qui volent au-dessus des papyrus [63]. Dans la même attitude chez Nakht (52) mais tenant cette fois de la main gauche un canard aux ailes croisées derrière le dos, le petit garçon tend de la droite un boomerang au chasseur; tandis que, sur l'autre barque (fig. 13), sa petite sœur (vêtue uniquement d'une étroite ceinture autour de la taille mais ornée de trois bracelets à chaque bras et coiffée, comme lui, d'une mèche de cheveux à nattes tressées) lève la tête vers son père dont elle caresse la jambe d'une main et à qui elle montre les deux grands poissons qu'il va harponner [64]. La plus jeune des filles de Menna (69), placée sur le canot avec ses parents mais indifférente à l'action, s'agenouille dans un mouvement plein de souplesse — un des nus les plus gracieux de tout l'art égyptien — pour cueillir un bouton de lotus. Derrière elle, une sœur au joli minois (fig. 14) et un peu plus âgée, est couverte de fleurs de lotus et tient

[61] PM 217 (5).
[62] PM 22 (5).
[63] PM 78 (13).
[64] PM 52 (6).

deux canards sauvages par les ailes mais se détourne ostensiblement de la scène de carnage[65].

Les enfants ne figurent pas, toutefois, dans les chasses au désert, considérées sans doute comme trop dangereuses pour eux vu qu'il s'agissait non seulement d'aller en char, mais aussi d'attaquer à coups de flèches des bêtes sauvages. Il ne faut pas exclure cependant ce dernier thème de l'étude sommaire qui vient d'être faite d'un des aspects les plus instructifs de la peinture thébaine, car on constate là que l'artiste égyptien a traité avec autant d'amour et de sensibilité le petit de l'animal que celui de l'homme. Un exemple émouvant est le retour de chasse chez Amenemôpet (276), où un homme ramène vivants une gazelle et son faon attrapés sans doute dans un piège[66]. La gazelle est sur les épaules du personnage; son petit (fig. 15) est tenu d'une main robuste par le porteur: ses cornes naissantes, son museau allongé, non encore formé, une goutte qui tombe comme une larme de l'œil lui donnent une expression de peur qu'a certainement voulue l'auteur du tableau, fin animalier comme tant d'autres de ses confrères. Ce détail final symbolise, sans commentaires, la matière développée à grands traits dans les pages ci-dessus.

On aura observé sans peine que l'énumération qu'on vient de lire est purement exemplative, qu'elle n'a nullement la prétention d'épuiser le sujet. Aussi, pour ne pas alourdir davantage un tel résumé, il n'a pas été jugé nécessaire d'y joindre une copieuse bibliographie. Le spécialiste averti trouvera toutes les références utiles dans B. PORTER et R. L. B. MOSS, *Topographical Bibliography of Ancient Egyptian Hieroglyphic Texts, Reliefs and Paintings*, I. The Theban Necropolis, Part 1 : Private Tombs, Second Edition (Oxford 1960). Pour l'aider dans sa tâche, nous indiquons en note pour chaque scène, à côté de PM, le numéro de la tombe et, entre parenthèses, celui de la paroi où le détail mentionné figure d'après la description de la *Topographical Bibliography*.

[65] PM 69 (12).
[66] PM 276 (11).

L'ENFANT DANS LA LITTÉRATURE RITUELLE VÉDIQUE (*BRĀHMAṆA*)

par JEAN-MARIE VERPOORTEN

§ 1. — Dans la littérature védique, les œuvres de style *brāhmaṇa* sont au nombre de 13[1]. Loin de faire écho à la religion populaire, elles furent composées, sans doute entre 1000 et 600 av. J.-C., par une élite sacerdotale, chez qui les préoccupations ritualistes avaient atteint un degré inégalé ailleurs, sauf peut-être au 16e siècle de notre ére, chez les Aztèques de Mexico.

Tous les aspects du sacrifice : emplacement dans l'espace et le temps, accessoires matériels, prêtres, gestes, paroles récitées ou chantées, actes isolés ou en groupe sont mentionnés par les *brāhmaṇa*, et justifiés d'abord par les besoins du promoteur du sacrifice (*yajamāna*), puis au moyen de mythes ou de considérations symboliques, numériques et étymologiques.

Cet univers, longtemps tenu par les sanskritistes occidentaux pour un amas de divagations, se révèle en fait fascinant, et qui en a goûté peut malaisément s'en détacher[2].

§ 2. — Dans les *brāhmaṇa*, l'enfant a un rôle minime[3]. Le mot même de *kumāra* est rare. Il désigne le nouveau-né de sexe masculin

[1] On y ajoutera 3 ou 4 *āraṇyaka*, sortes d'appendices aux *brāhmaṇa*.

Abréviations. *AB* = *Aitareya-brāhmaṇa*, éd. AUFRECHT; trad. KEITH, Harvard Oriental Series, v. 25. *ŚB* = *Śatapatha-brāhmaṇa*, éd. WEBER; trad. EGGELING, Sacred Books of the East XII XXVI XLI XLIII XLIV. *TB* = *Taittirīya-brāhmaṇa*, éd. GOḌABOLE, Ānandāśrama Sanskrit Ser. 37 (jusque III 7 inclus); éd.-trad. DUMONT de III 8-12, Proceedings of the American Philosophical Society, vv. 92 et 95 (1948 et 51). *PB* = *Pañcāviṃśa-brāhmaṇa, trad.* CALAND, Bibliotheca Indica 255. *AĀ* = *Aitareya-āraṇyaka*, éd.-trad. KEITH. *BĀU* = *Bṛhadāraṇyaka-upaniṣad*, éd.-trad. SENART, Paris, Belles-Lettres. *JB* = *Jaiminīya-brāhmaṇa*, éd.-trad. d'extraits par W. CALAND, *Das Jaiminīya-brāhmaṇa in Auswahl*, rééd. Wiesbaden, 1970. *TS* = *Taittirīya-saṃhitā*, trad. KEITH, Harvard Or. Ser., vv. 18-19; éd. WEBER, Indische Studien XI-XII. *ṚV* = *Ṛgvedasaṃhitā*, éd. AUFRECHT; trad. GELDER, Harvard Or. Ser., vv. 33-35.

[2] En dernier lieu J. DEPPERT, *Rudras Geburt. Systematische Untersuchungen zum Inzest in der Mythologie der Brāhmaṇas*, Beiträge zur Südasien-Forschung. Südasian-Institut, Universität Heidelberg, Bd 28, 1977, p. XXVII.

[3] MACDONELL-KEITH, *Vedic Index of Names and Subjects*, vol. 1, pp. 487-88. Il n'y a aucune mention significative de l'enfant dans le livre de R. N. SHARMA, *Culture and Civilization as revealed in the Śrautasūtras*, Delhi, 1977.

aussi bien que le jeune garçon dans les premières années de son existence. Il se distingue de *garbha* «embryon» et de *putra* «fils». *ŚB* XI 4 1 7 parle du *kumāra* comme de celui dont le semence reste stérile quand elle est répandue[4]. Il s'agit donc du «puceau», du garçon impubère, cf. note 18. Au demeurant, sa forme féminine *kumārī* signifie bien «jeune fille vierge, pucelle». Ainsi en *ŚB* XIII 5 2 1 et 4; 5 4 27; *TB* III 4 19 1, et note 27. Plus tard[5], *kumāra* est concurrencé et remplacé par *bāla*.

Les mentions de l'enfant dans nos textes peuvent être réparties sous 3 chefs :

1. les données relevant de l'observation et mises en rapport avec le rite en vertu du raisonnement suivant : l'enfant est ou agit comme ceci ou cela parce qu'il imite ce qui se fait dans le rite;
2. les cas où le mot *kumāra* est usité de manière dépréciative et où l'enfant souligne par sa seule présence une situation paradoxale;
3. les passages où un enfant bien précis intervient de façon décisive à la charnière de légendes plus ou moins développées, plus ou moins connues.

§ 3. — Les données d'observation sur l'enfant. Tout sacrifiant (*yajamāna*) doit passer par une consécration (*dīkṣā*), avant d'aborder le service divin sous la houlette des prêtres. Il meurt ainsi au profane et accède au sacré. Cette (re)naissance[6] est évoquée par *AB* I 13, en une comparaison circonstanciée du *yajamāna* et de l'enfant qui voit le jour.

L'embryon tient les poings fermés dans le corps de la mère; c'est ainsi également que se présente le nouveau-né. En outre, il est encore revêtu de la membrane amniotique. C'est que la nature copie le rite où l'on voit l'initiant enveloppé d'un vêtement de lin tenir les poings serrés[7]. Préférant pour notre part que le rite imite la nature, nous inverserions le raisonnement. Les *brāhmaṇa* le font aussi, mais excep-

[4] … *vidyād yasmāt kumārasya retaḥ siktaṃ na saṃbhavati.* Quant à (MĀDHAVA-) SĀYAṆA, commentant le mot en *TB* II 6 10 1, il glose *vatso 'tyantabālas/taruṇo yuvā/tayor madhye vartamānaḥ kumāraḥ.* Il situe donc *k*° entre *vatsa* 'très jeune enfant' et *taruṇa-yuvan*. Cf. d'ailleurs P. CHAUNU, *La Mémoire de l'éternité* (Paris, Laffont, 1975), p. 118 : Entre 12 et 15 ans une véritable mutation se produit… Le seuil de l'aptitude à se reproduire est le seuil capital…

[5] Voir par ex. *Mahābhāṣya* I 1 3 ad Pāṇini 1 1 1 vārttika 13 (= KIELHORN I 42 3) : *bāla/yuvan/vṛddha* «enfant/jeune homme/vieillard».

[6] Selon *Jaiminīya-upaniṣad-brāhmaṇa* III 2 4, la troisième après la conception et l'accouchement.

[7] *AB* I 3 19-20, 23 : *muṣṭī kurute. muṣṭī uai kṛtvā garbho 'ntaḥ śete. muṣṭī kṛtvā kumāro jāyate … sahaiva vāsasābhyavaiti. tasmāt sahaivolbena kumāro jāyate.*

tionnellement. Ainsi en *ŚB* VI 1 3 20, la construction de l'autel du feu doit durer un an (360 jours), car c'est la période de gestation de l'enfant divin Rudra[8].

D'ordinaire toutefois, c'est la succession rite/mythe-nature qui l'emporte. En *ŚB* XI 1 6 3-5, l'enfant d'un an veut faire entendre des sons articulés et se lever, car c'est après ce laps de temps que Prajāpati proféra des sons (*bhūḥ-bhuvaḥ-svaḥ*) et se leva[9]. En *AB* III 2 7-10, l'enfant n'acquiert la maîtrise de ses sens et de ses membres que grâce aux récitations liturgiques[10].

De même qu'on alimente le feu sacrificiel d'une cuiller de beurre, ainsi on nourrit un enfant en lui donnant le sein[11] ou en lui faisant lécher du beurre fondu[12]. Et de même qu'il serait extravagant de vouloir nourrir au sein un bébé qui n'est pas encore né, de même est-il ridicule d'offrir au Soleil sa ration quotidienne de lait chaud (*agnihotra*), le matin avant qu'il ne soit levé[13].

§ 4. — L'enfant en situation dépréciative ou paradoxale. Dans le deuxième groupe d'extraits, le mot *kumāra* est usité de façon dépréciative, ce qui contribue à souligner une situation paradoxale.

On ne s'étonnera pas que certains adultes s'adressent à de plus jeunes en les traitant de «gamins». Par exemple, le roi Pravāhana

[8] *ŚB* VI 1 3 20 : *tam etaṃ saṃvatsara eva cinuyāt... sa saṃvatsare kumāro 'jāyata.* Cf. infra, § 11.

[9] *ŚB* XI 1 6 3-5 : *tasmād u saṃvatsara eva kumāro vyājihīrṣati. saṃvatsare hi prajāpatir vyāharat... sa vā ekākṣaradvyakṣarāṇy eva prathamaṃ vadan prajāpatir avadat. tasmād ekākṣaradvyakṣarāṇy eva prathamam vadan kumāro vadati... tasmād saṃvatsara eva kumāra uttiṣṭhāsati. saṃvatsare hi prajāpatir udatiṣṭhat.* Notons que l'enfant donne de la voix dès la naissance (*JB* I 297 = Auswahl § 107 : *tasmād u kumāro jāyamāna eva vācam abhivyāharati*); qu'il profère en premier les sons *ta(ta)/tā(tā)* (*AĀ* I 3 3 : *tathaivaitat kumāraḥ prathamavādī vācaṃ vyāharaty ekākṣaradvyakṣarāṃ tateti tāteti*).

[10] *AB* III 2 7-10 : *āśvinaṃ śaṃsati/tasmāt kumāraṃ jātaṃ saṃvadanta : upa vai śuśruṣata ni vai dhyāyatīti* «Il récite la litanie aux Aśvin. Aussi se disent-ils l'un à l'autre à propos du nouveau-né : 'Il veut écouter, faire attention'». *aindraṃ śaṃsati/t.k.j.s. : pratidhārayati vai grīvā atho śira iti* «Il... à Indra. Aussi... du nouveau-né : 'Il redresse la tête et aussi le cou'». *vaiśvadevaṃ śaṃsati/tasmāt kumāro jātaḥ paśceva pracarati* «Il... aux Viśve-Deva. Aussi l'enfant ne marche-t-il qu'un certain temps après sa naissance». *sārasvataṃ śaṃsati/tasmāt kumāraṃ jātaṃ jaghanyā vāg āviśati* «Il... à Sarasvatī. Aussi la parole arrive-t-elle la dernière dans le nouveau-né».

[11] *ŚB* II 2 1 1 : *yad agniṃ tasmā etad annādyam apidadhāti / yathā kumārāya vā jātāya vatsāya vā stanam apidadhyād / evam asmā etad annādyam apidadhāti* «Quand on lui (au feu) ajoute du feu (= la cuiller pleine de beurre qui ravive la flamme) en nourriture, on le lui donne comme on donnerait le sein à un nouveau-né ou (la mamelle) à un veau».

[12] *BĀU* I 5 2 (= *ŚB* XIV 4 3 4) : *tasmāt kumāraṃ jātaṃ ghṛtaṃ vaivāgre pratilehayanti / stanaṃ vānudhāpayanti.*

[13] *AB* V 31 1 : *sa yo 'nudite juhoti / yathā kumārāya vā vatsāya vājātāya stanaṃ pratidadhyāt tādṛk tat.*

Jaivali, qui n'est qu'un kṣatriya, mais un kṣatriya érudit, interpelle ainsi le jeune mais présomptueux brâhmane Śvetaketu, fils d'(Uddālaka) Āruṇi. «Gamin, lui dit-il, as-tu reçu l'instruction de ton père?». Et sur réponse affirmative de Śvetaketu, il entreprend de lui poser des questions qui sont autant de «colles»[14]. *Kumāra* amorce donc ici une situation paradoxale où un non-brâhmane en remontre à un brâhmane, c'est-à-dire à un détenteur officiel de tout savoir.

Autre paradoxe lors d'une conversation entre le père de Śvetaketu, cette fois, Uddālaka Āruṇi, et son jeune élève Proti. Le premier demande au second : «Selon toi, gamin, combien ton père pensait-il qu'il y a de jours dans l'année rituelle?». Nullement déconcerté par cette question piège, le novice expose la théorie fort sophistiquée de son père Kusurubindi à ce propos[15]. C'est au tour d'Uddālaka, théologien chevronné pourtant, de rester pantois.

A deux reprises encore, un jeune l'emporte sur un plus âgé. C'est d'abord Keśin Dārbhya qui ravit à son aîné, Ahīnas Āśvatthi, sa fonction de chapelain du roi Keśin Sātyakāmi(n), et ce grâce à son savoir supérieur. Il connaît en effet la triple corrélation mystique suivante : l'*anuṣṭubh*, stance de 4 fois 8 syllabes, équivaut à elle seule à tous les mètres ; la *bṛhatī*, stance de 36 syllabes, aux diverses victimes animales ; le sacrifice, au monde céleste[16]. C'est ensuite Vṛṣaśuṣma, le tout jeune fils du liturgiste Ṛjiśvan Vātavāta. Lors du sacrifice du *ṛtapeya*, il supplée son père à bout de forces, et obtient au ciel une meilleure place que celui-ci, car il a consommé plus de lait de jeûne que lui[17].

[14] *BĀU* VI 2 1 (= *ŚB* XIV 9 1 1) : *śvetaketur vā āruṇeyaḥ ... ājagāma jaivaliṃ pravāhanam... tam udīkṣyābhyuvāda : kumāreti. sa : bhoḥ iti pratiśuśrāva. anuśiṣṭo nv asi pitreti. om iti hovāca. vettha yathā... iti. nāham ata ekaṃ cana vedeti hovāca* («A tout cela, je ne connais aucune réponse», avoua-t-il).

[15] *ŚB* XII 2 2 13 : *protir ha kauśāmbeyaḥ kausurubindir uddālaka āruṇau brahmacaryam uvāsa. Taṃ hācāryaḥ papraccha : kumāra kati te pitā saṃvatsarasyāhāny amanyateti.* Sur le contenu de la réponse, cf. VERPOORTEN, *Unité et distinction dans les spéculations rituelles védiques*, Archiv für Begriffsgeschichte, XXI.1 (1977) § 4.5.

[16] *JB* I 285 (= Auswahl, § 100) : *atha hāhīnasam āśvatthiṃ keśī dārbhyaḥ keśinaḥ sātyakāminaḥ purodhāyā aparurodha. sa hi sthavirataro 'hīnā āsa / kumārataraḥ keśī. sa hovāca : āṃ keśin kiṃ me vidvān rājanyam upāhṛthā iti. sa hovāca : dahed anuṣṭubham eva sarvāṇi chandāṃsy upāsmahe / bṛhatīṃ paśūn / yajñaṃ svargaṃ lokam iti.*

[17] *JB* II 161 (= Auswahl, § 143) : *tam u ha vṛṣaśuṣmeṇa kumāreṇārjiśvanenākṣeṇopaniṣeduḥ... sa hāmuṣmiṅl loke pitaram ājagāma. tasya ha kalyāṇo loka āsa... atha hānyo lokaḥ kalyāṇatara āsa... sa hovāca : tata yat tvaṃ mad bhūyo dadivānasi / bhūyas te mad anūktam / atha kathaṃ tavāyaṃ loko / 'sau mameti. sa hovāca : vratopayoddhyo vai kila putrakāsau loka āsa. vratopayodhitara eva nau tvam asi.* «Ils (= les prêtres) s'installèrent à côté de lui (= Vātavāta) avec son enfant, Vṛṣaśuṣma, fils de Ṛjiśvan, qui s'était enduit les yeux d'onguent (rite de dīkṣā?)... V. rencontra son père dans

L'enfant comme personnage-clé dans d'autres légendes

§ 5. — Les légendes énumérées et résumées ci-dessous contiennent toutes nommément le mot *kumāra*, sauf la première, celle de Śunaḥśepa. Toutefois, il semble bien que celui-ci soit un garçon encore jeune[18]. Les deux récits qui suivent font intervenir, l'un, un père indifférent, l'autre, un oncle hostile à l'enfant.

Le premier, donc, et le plus célèbre, a pour héros Śunaḥśepa. Le *ṛṣi* Ajīgarta[19] Sauyavasi vit dans la forêt avec ses enfants: l'aîné, Śunaḥpucha; le moyen, Śunaḥśepa; le cadet, Śunolāṅgūla. Passe Rohita, le fils unique du roi Hariścandra, qui doit être immolé à Varuṇa et qui demande à Ajīgarta de lui vendre l'un des trois pour être sacrifié à sa place.

Le *ṛṣi* refuse de céder l'aîné; la mère sauve le plus jeune. L'accord se fait donc sur Śunaḥśepa. Ajīgarta accepte ensuite, moyennant 200 vaches de rétribution, de lier son fils au poteau d'exécution, et même de l'immoler. En fin de compte l'infanticide n'a pas lieu. Śunaḥśepa en effet invoque tour à tour divers dieux, et c'est la déesse de l'aurore, Uṣas, qui l'arrache à la mort. Quant à Ajīgarta, pour avoir adopté ce comportement inqualifiable, illicite même pour les śūdra, et y avoir persisté, il est déchu de sa puissance paternelle. Śunaḥśepa est adopté à titre de fils aîné par l'illustre Viśvāmitra, ancien kṣatriya devenu brâhmane. Pour marquer qu'il est désormais un homme nouveau, il troque son ancien nom de Śunaḥśepa «Queue de chien» contre celui de Devarāta «Dieudonné»[20].

l'au-delà. Son père y occupait une place honorable... Mais il y avait une place plus honorable encore... V. demanda: 'Père, puisque tu as fait plus de dons que moi, plus de récitations que moi, d'où vient alors que cette place-ci est pour toi et celle-là pour moi?'. Ṛ. répondit: 'En vérité cette place-là, fiston, est pour celui qui a bu le lait de jeûne. Or de nous deux, c'est toi qui en a bu le plus'».

[18] Śunaḥśepa est sans doute un *kumāra*, s'il est vrai que celui-ci occupe, comme notre héros, une position moyenne, entre le *vatsa*, le «nourrisson» et le *yuvan*, le «jeune homme», cf. note 4. Preuve indirecte aussi en note 24.

[19] Étymologiquement, «celui qui n'a rien à avaler», KEITH, trad. de la *TS*, intr., vol. I, p. cxl. L'*AB* précise que le *ṛṣi* est *aśanayāparīta*, qu'il «meurt de faim».

[20] *AB* VII 15 7 sv.: *sa'jīgartaṃ sauyavasim ṛṣim aśanayāparītam araṇya upeyāya. tasya ha trayaḥ putrā āsuḥ: śunaḥpuchaḥ śunaḥśepaḥ śunolāṅgūla iti. taṃ hovāca: ṛṣe 'haṃ te śataṃ dadāmi / aham eṣām ekenātmānaṃ niṣkrīṇā iti. sa jyeṣṭhaṃ putraṃ nigṛhṇāna uvāca: na nv imam iti / no evemam iti kaniṣṭhaṃ mātā. tau ha madhyama saṃpādāyāṃ cakratuḥ śunaḥśepe... 8 tam etam abhiṣecanīye puruṣaṃ paśum ālebhe. 16 1sv... tasmā upākṛtāya niyoktāraṃ na vividuḥ. sa hovācājīgartaḥ sauyavasir: mahyam aparaṃ śataṃ dattāham enaṃ niyokṣyāmīti. tasmā aparaṃ śataṃ dadus / taṃ sa niniyoja. 2 tasmai... viśasitāraṃ na vividuḥ. sa hovācājīgartaḥ sauyavasir: mahyam aparaṃ śataṃ dattāham enaṃ viśasiṣyāmīti... 3 atha ha śunaḥśepa īkṣāṃ cakre: hantāhaṃ*

Le second récit est emprunté à *JB* III 221. Un certain Gaya nourrit des intentions criminelles contre un enfant à naître, le fils de Sākamaśva, Vyaśva, dont il est l'oncle paternel (*pitṛvya*). Redoutant en effet de voir son neveu devenir un *ṛṣi*, c'est-à-dire sans doute un rival, il le fait exposer à sa naissance. Mais l'enfant se nourrit du lait qui sort de ses pouces. Informé qu'il est toujours vivant, Gaya empoigne le pilon rituel et se prépare à l'assassiner. L'enfant entonne alors une mélodie rituelle, et la massue, retombant en arrière, fracasse la tête de Gaya[21].

Même chatiment pour un théologien non autrement nommé qui avait rabroué un enfant. Le *Vādhūlasūtra*, et lui seul, nous livre en effet, pour illustrer une des opérations de l'*aśvamedha*, une historiette insolite, et, pour tout dire, assez artificielle. La voici :

Le cheval aśvamédhique doit être dépecé selon un rituel précis, et ceci incombe au fils du barde en chef, un jeune garçon qui n'a pas encore répandu sa semence[22], que l'on pare et que l'on pleure comme s'il allait mourir. Or, quand Keśin Maitreya célébrait son sacrifice, un vieillard, le grand père ou le bisaïeul d'Ekayāvan Kāndama, remplaçait le garçonnet. Attiré par les lamentations bruyantes que l'on répand sur lui, Dīrghatama Māmateya, un expert en rituel, l'interpelle et lui dit : «Gamin, viens, je vais te dire comment tu dois le découper. Ainsi ta tête n'éclatera pas». Fort des renseignements de Dīrghatama, notre vieillard-enfant se met au travail. Survient alors un autre liturgiste, dont le nom n'est pas donné, et il s'en prend à lui : «Gamin, pourquoi blesses-tu le cheval? Voici comment tu dois le découper». Mais au moment où il prend le couteau, la tête de l'importun vole en éclats[23],

devatā upadhāvāmīti … 12 sa uṣasaṃ tuṣṭāva … 13 tasya ha smarcy-rcy uktāyāṃ vi paśo mumuce … 17 2 atha ha śunaḥśepo viśvāmitrasyāṅkam āsasāda … sa hovācājīgartaḥ sauyavasir : ṛṣe punar me putram dehīti. neti-hovāca viśvāmitro-devā vā imaṃ mahyam arāsateti. sa ha devarāto vaiśvāmitra āsa … 3 sa hovāca śunaḥśepo : 'darśus tvā śāsahastaṃ na yac chūdreṣv alapsata … nāpāgāḥ śaudrān nyāyād / asaṃdheyaṃ tvayā kṛtam.

[21] *JB* III 221 (= Auswahl, § 201) : *vyaśvaṃ vai sākamaśvaṃ garbhe santaṃ gayaḥ pitṛvyaḥ paryapaśyat : ṛṣir janiṣyata iti. taṃ jātaṃ parāstave 'bravīt … tasmā aṅguṣṭhau prāsnutāṃ. tad asmā ācakṣata : yaṃ nai kumāraṃ parāstave 'bravīr / ayaṃ vai sa jīvatīti. sa musalam ādāyācchaid dhaniṣyan … sa etat sāmāpaśyat. tad abhyagāyata. tad asya musalaṃ pratyak patitvā śiro 'chinat.*

[22] *Asiktaretasa*. Le mot a-t-il valeur de définition comme en note 4, ou de restriction? Un *kumāra* impubère est-il requis ici parce qu'il en existe qui ne le sont pas?

[23] *Vādhūla-sūtra* (= Caland, Acta Orientalia 4, 1925-26), p. 200 : *ānayanti etaṃ sūtaśreṣṭhasya putraṃ kumāram asiktaretasam aśvasya viśasitāram alaṃkṛtya rudanto yathā mariṣyantam evam … tad dhaitat keśī maitreyo yatrāśvamedheneje / tad dhaikayāvnaḥ kāndamasya pitāmaham vā prapitāmahaṃ vodāninyuḥ kumāram… (cf. ci-dessus) mariṣyantam evam. tad u ha dīrghatamo māmateya upaśuśrāva. sa hovāca : kim etad*

car tel est le châtiment réservé dans les *brāhmaṇa* à qui est coupable d'un oubli ou d'une faute rituels.

§ 6. — Dans 2 des épisodes précités, l'enfant était sauvé d'une mort certaine et préméditée par sa confiance tantôt en la divinité, tantôt dans le rite. Dans le suivant, il meurt accidentellement puis est ressuscité. Cet événement semble avoir eu un certain retentissement, puisqu'il a laissé des traces dans le *ṚV*[24], tandis qu'il est l'objet d'un récit circonstancié de la part du *JB* III 94-96[25].

Les deux responsables de l'homicide involontaire sont le roi Tryaruṇa et son chapelain Vṛśa Jāna. Circulant en char, ils écrasent accidentellement un enfant de brâhmane qui jouait sur le chemin. Se rejetant la responsabilité l'un à l'autre, ils se mettent d'accord pour consulter un arbitre, en l'espèce les sujets de Tryaruṇa, les Ikṣvāku. Ceux-ci donnent tort au chapelain en vertu du principe que celui qui tient les rênes (*saṃgrahitar*, ici Vṛśa) est responsable du char[26].

Pour sortir de ce mauvais pas, Vṛśa ressuscite le garçon à l'aide d'un verset tiré de l'hymne *ṚV* IX 65 29.

Mais les Ikṣvāku, à leur tour, sont punis pour avoir condamné un brâhmane chapelain. Le feu déserte leur contrée. C'est Vṛśa qui va mettre fin à ce désastre. Grâce de nouveau à une mélodie magique, il découvre que le femme du roi Tryaruṇa est en réalité une démone, et qu'elle tient le feu caché sous un coussin. Il l'apostrophe donc à l'aide de *ṚV* V 2 1, où Agni est présenté comme un enfant (*kumāra*) séquestré par sa mère.

rudanti / ka eṣa ghoṣa iti… sa hovāca: kumārehi te 'haṃ tad vakṣyāmi yathā tvam evāśvaṃ viśasiṣyasi. no te mūrdhā vipatiṣyatīti… tam u tvānya upanikramya… uvāca: kumāra kim idam aśvaṃ kliśnann āssa. itthaṃ vā aśvaṃ viśasiṣyasīty asim ādāyācacchau. tasya ha mūrdhā vipapāta.

[24] *ṚV* V 2, analysé par SIEG, *Die Sagenstoffe des Ṛgveda und die indische Itihāsatradition*, pp. 64 sv. En V 2 7, référence est faite à l'histoire de Sunaḥśepa. Confirmation jusque dans le *veda* que celle-ci est à sa place dans un exposé sur le *kumāra*.

[25] *JB* III 94-96 (= Auswahl, § 180): *Vṛśo vai jānas tryaruṇasya traivṛṣṇasyaikṣvākasya rājñaḥ purohita āsa… tau hādhāvayantau brāhmaṇakumāraṃ pathi krīḍantaṃ rathacakreṇa vicicchidatuḥ… sa ha vṛśo 'bhīśū prakīryāvatiṣṭhann uvāca: tvaṃ hantāsīti. neti -hovāca- yo ha vai rathaṃ saṃgṛhṇāti / sa rathasyeśe. tvaṃ hantāsīti. neti-hetara uvāca-… tau vai: pṛcchāvahā iti. tau hekṣvākūn eva praśnam eyatus. te hekṣvākava ūcur: … tvam eva hantāsīti / vṛśaṃ eva parābruvan. so 'kāmayata: ud ita iyām… sam ayaṃ kumāro jīved iti. sa etat sāmāpaśyat. tenainaṃ samairayat… sa kruddho janam agacchad: anṛtaṃ mā vyavocann iti. teṣāṃ hekṣvākūṇām agner haro 'pākrāmad… tam anvamantrayanta… sa āgatyākamayata: paśyeyam idam agner hara iti. sa etat sāmāpaśyat / tad abhy agāyata. tad apaśyat: piśācī vā iyaṃ tryaruṇasya jāyā. sainat kaśipunā chādayaitvādhyāsta iti. tad abhivyāharat RV V 2 1: (texte infra note 35) …iti… etena vā agner haro 'pakrāntam anvavindat.*

[26] Plutôt que son propriétaire, en l'occurrence Tryaruṇa.

Partant de cette figuration du dieu du feu comme un jeune, on est tenté de reconnaître Agni dans l'enfant écrasé, le char représentant le sacrifice. Agni éteint, le sacrifice arrêté, une querelle éclate entre le prêtre mandaté (Vr̥śa) et son mandant (Tryaruṇa). Quoi qu'il en soit de cette exégèse allégorique, l'homologie *agni-kumāra* servira encore au § 10 à éclairer un détail insolite de la légende de Purūravas et Urvaśī.

§ 7. — La résurrection d'un enfant par un brâhmane est encore attestée ailleurs dans le *JB*. Elle est par exemple opérée par un thaumaturge du nom de Gaurivīti Śāktya. La fille d'Asita, dont il était amoureux, vivait sous bonne garde dans un palais aérien, car son père était jaloux. Gaurivīti y pénétra néanmoins grâce à l'aide de l'oiseau Tārkṣya qui lui avait promis d'exaucer son vœu en échange de la vie sauve. Tārkṣya le transporta donc dans le conduit d'une de ses plumes, et, chaque matin, il le réveillait d'un chant qui reçut le nom de *jarābodhīya*. Toujours est-il que la jeune fille fut enceinte et un bébé naquit. Mais les Asura le déchiquetèrent, et en dispersérent les morceaux sous prétexte qu'il était démoniaque, parce que *jāmīgarbha* «enfant d'une sœur». Mais Gaurivīti eut la vision d'une mélodie dont la force magique lui permettrait de ressusciter son fils. Et ce dernier adjoignit désormais à son patronyme Gaurivīta, le surnom de «Recollé» (Saṃkirti)[27].

L'autre histoire est une presque résurrection, de ton tout évangélique d'ailleurs. Elle nous conte la guérison miraculeuse d'un jeune garçon nommé Sudīti par 2 *devarṣi*, Taranta et Purumīḍha, fils de Vitadaśva et de Mahī. L'enfant était brûlant de fièvre; la mère les supplia donc de le guérir. Malgré leur répugnance à accéder à sa requête, ils lui conseillent d'étendre le mourant dans une fente du sol[28]. La femme, qui a foi en eux, obéit. Purumīḍha reçoit alors révélation de *R̥V* VIII 71 14, verset chargé de puissance[29], qu'il récite en demandant à

[27] *JB* III 197 (= Auswahl, § 197): *tam (tārkṣyaḥ suparṇa) abravīd: r̥ṣe* (= Gaurivīti Śāktya) *mā me 'stho. yatkāmo 'si / taṃ te kāmaṃ samardhayiṣyāma iti. kiṃkāmaḥ khalv aham asmīty abravīt. asitasya dhāmnyasya duhitaraṃ kamayase. tasyai tvā nivakṣyāmīti. atho hāsito dhāmnya īrṣyur āsa. tasya hāntarikṣe prāsāda āsa... taṃ ha sma patranāḍyām upaguhyāsyai kumāryai nivahati. taṃ ha smaitenaiva sāmnā prātar bodhayati... seyaṃ kumārī garbham ādhatta. sa kumāro 'jāyata. tam asurā vicchidya parāsyanto 'bruvañ: jāmīgarbho vā ayaṃ / rakṣo vā idam ajanīti. tam akāmayata: sam enam īrayeyam iti. sa etat sāmāpaśyat. tenainaṃ samairayat. sa eva saṃkirtir gaurivīto 'bhavat.*

[28] Selon *TB* I 5 10 7, le sol se fendit quand l'Asura Prahrāda Kāyādhava laissa, à la suite d'une maladresse criminelle, tomber son fils Virocana sur le sol.

[29] Ledit verset mentionne Sudīti et Purumīḍha comme auteurs de l'hymne.

la mère le nom du malade. Il le touche en priant Agni, et, au dernier mot de la mélodie, le garçon se relève, épuisé mais guéri[30].

Certes, le miracle découle d'abord de l'usage d'un *sāman* efficace. Puisque le récit fait partie du *JB*, composé par et pour des chantres, il ne pouvait en être autrement. Toutefois, elle s'opère aussi par incubation. Le contact avec la Terre-mère assure le renouveau de la vie. Du reste, les deux thaumaturges sont fils de Mahī. Et Mahī n'est-il pas un des noms de la Terre?

§ 8. — C'est la vertu curative de la terre qui se profile encore à l'arrière-plan d'un conte bien plus fameux, celui du bain de jouvence de Cyavana. Cette fois, c'est un vieillard qui en bénéficie par le truchement d'enfants, présentés au demeurant par les deux sources du récit[31] comme des persécuteurs.

Cyavana donc, un *ṛṣi* mû par l'espoir de retrouver sa jeunesse (*punaryuvatā*), ordonne à ses fils de le déposer au bord de la rivière Sarasvatī, au lieu dit Śaiśava «Fontaine de jouvence». Alors qu'il est en pleine méditation, passe une caravane. C'est le clan de Śaryāta Mānava en transit. Les jeunes du groupe, bouviers et oiseleurs, aperce-

[30] *JB* I 151 (= Auswahl, § 44) : *tarantapurumīḍhau vai vaitadaśvī māheyau mahyā ārcanānasyai putrau. tau ha yantau strī paretyovāca : putrasya vai tyasyā upatapati. taṃ sma me cikitsatam iti. tāṃ ha krudhyantāv ivocatuḥ : kathaṃ nāv itthaṃ brūyād iti. taṃ vā arvīṣa upavapeti. sā heyaṃ strī śraddhāya : devarṣī mā mantrakṛtāv avocatām ity arvīṣa upovāpa … tāv akāmayetām … sam ayaṃ kumāro jīved iti. sa etat purumīḍhaḥ sāmāpaśyat. tenāstuta … ko nāma kumāra iti. sudītir nāmeti. taṃ agniḥ sudītaye chardir ity evābhyamṛśat. sa tānto niravartata. tam etena nidhanena samairayad dakṣāyā iti.*

[31] *JB* III 120-28 (= Auswahl, § 186) : *taṃ (= Cyavanam) sarasvatyai śaiśave nidhāya prāyan. so 'kāmayata vāstau hīnaḥ : punaryuvā syāṃ / kumārīṃ jāyāṃ vindeya / sahasreṇa yajeyeti. sa etat sāmāpaśyat. tenāstuta. taṃ tuṣṭuvāṃsaṃ śaryāto mānavo grāmeṇādhyavāsayat. taṃ kumārā gopālā avipālā mṛdā śakṛtpiṇḍair āsapāṃsubhir adihan. sa 'saṃjñāṃ śāryātyebhyo 'karot. tan na mātā putram ajānāt / na putro mātaraṃ. so 'bravīc charyāto mānavaḥ : kim ihābhitaḥ kiṃcid adrāṣṭa / yata idam ittham abhūd iti. tasmai hocur : na nu tato 'nyat / sthavira evāyaṃ niṣṭhāvaḥ śete … sa hainam ādrutyābravīd : ṛṣe … śāryātyebhyo bhagavo mṛḍety. atha ha sukanyā śāryātyā kalyāṇy āsa … tāṃ hāsmai daduḥ … taṃ ha sarasvatyai śaiśavam (aśvinau) abhyavacakṛṣatuḥ. sa hovāca : kumāri sarve vai sadṛśā udeṣyāmo. 'nena mā lakṣmakeṇa jānitād … taṃ heyaṃ jñātvāvabibhede … taṃ hocatur : ṛṣe … punaryuvābhūḥ.*

ŚB IV 1 5 2 sv. : *śaryāto ha vā idaṃ mānavo grāmeṇa cacāra. sa tad eva prativeśo niviviśe. tasya kumārāḥ krīḍanta imaṃ (= Cyavanam) jīrṇiṃ kṛtyānurūpam anarthyaṃ manyamānā loṣṭair vipipiṣuḥ. sa śāryātebhyaś cukrodha. tebhyo 'saṃjñāṃ cakāra. pitaiva putreṇa yuyudhe / bhrātā bhrātrā. śaryāto ha vā īkṣāṃ cakre … sa hovāca : ko vo 'dyeha kiṃcid adrākṣīd iti. te hocuḥ : puruṣo evāyaṃ jīrṇiḥ kṛtyānurūpaḥ śete. tam anarthyaṃ manyamānāḥ kumārā loṣṭair vyapikṣann iti. sa vidāṃ cakāra : sa vai cyavana iti. sa rathaṃ yuktvā sukanyāṃ śāryātim upādhāya prasiṣyanda. sa ājagāma yatra 'rṣir āsa tat. sa hovāca : ṛṣe … iyaṃ sukanyā. tayā te 'pahnuve / saṃjānītāṃ me grāma iti … 12 tau (aśvinau) hocatuḥ : etaṃ hradam abhyavahara. sa yena vayasā kamiṣyate / tenodaisyatīti. taṃ hradam abhyavajahāra. sa yena vayasā cakame / tenodeyāya.*

vant ce vieillard fantomatique (*kṛtyānurūpa*), ce rebut inutile (*anarthya*), le lapident à l'aide de mottes de terre glaise, de fumier, de cendre, de poussière. L'ermite en colère leur jette un sort, et la discorde s'installe dans la parentèle. Śaryāta, le chef, convoque tout le monde, apprend qui est la cause des querelles (*niṣṭhāva?*), et se précipite chez l'ascète pour lui présenter ses excuses. Il lui offre sa fille Sukanyā à titre de dédommagement. Grâce à un bain prescrit par les Aśvin, et qu'elle lui fait prendre dans les eaux de la Sarasvatī, Cyavana retrouvera sa jeunesse. Bien que le récit nous présente les enfants comme des tortionnaires, on peut se demander si le traitement cruel qu'ils infligent à Cyavana n'est pas en réalité la première phase d'une thérapeutique de rajeunissement qu'on pourrait appeler bain de boue. L'intéressé, après avoir reçu la force revigorante de la terre dont il était enduit, se débarrasse de celle-ci par un bain lui aussi revivifiant.

Une variante anodine du thème des enfants persécuteurs est procurée par le *JB* une fois encore. Triste est le sort du roi Darbha Śātānīki, devenu objet de dérision pour tout son peuple, les *Pañcāla*. C'est à ce point que les enfants eux-mêmes daubent sur son nom Darbha. Des 2 vocables qui désignent l'herbe purifiante du sacrifice, *darbha* et *kuśa*, le premier semble revêtir ici une nuance péjorative, un peu comme en français, on qualifie de «mauvaise graine» un individu peu recommandable.

En tout cas, ce n'est pas avant d'avoir célébré, sur le conseil de ses hôtes, les deux brâhmanes Ahīnas Āśvatthi et Keśin Satyakāmi, un rite nommé *apaciti* («respect»), que le roi retrouvera son prestige[32]. Désormais, ajoute *Baudhāyana-śrautasūtra* XVIII 38, le double nom des rois des Pañcāla sera modifié : *śīrṣaṇya* remplacera *keśa/i*, *kuśa* se substituant à *darbha*.

§ 9. — Les récits de la littérature *brāhmaṇa* qui font intervenir l'enfant sont en nombre restreint, mais certains ne manquent pas d'ampleur, et sont par là bien connus[33]. Tous nous dépeignent le *kumāra* en situation dramatique : à l'article de la mort, menacé ou

[32] *JB* II 100-102 (= Auswahl, § 133) : *darbham u ha vai śātānīkiṃ pañcālā rājānaṃ santaṃ nāpacāyāṃ cakruḥ. api ha smainaṃ kumārā darbha darbheti hvayanti. tasya haitau brāhmanāv āsatur ahīnā āśvatthiḥ keśī sātyakāmir iti. tau hainam upasameyatuḥ ... taṃ hocatur : apacitir iti vā ayaṃ yajñakratur asti | tena tvā yājayāveti. tatheti. tena hainaṃ yājayāṃ cakratuḥ. sa haiṣu tathāmātram apacitiṃ jagāma | yad apy etarhi pañcālā darbhān kuśā ity evācakṣate.*

[33] Il n'y a pas grand'chose à tirer d'un passage narratif du *Vādhūla-sūtra* publié par Caland, AO 6, 1927-28, p. 191, § 75, où *kumārān* apparaît comme épithète du mot *vatīn* de sens inconnu, dans un contexte trop corrompu pour autoriser une traduction.

victime d'adultes jaloux, indifférents, brutaux ou maladroits. Rien d'idyllique donc dans ce tableau de l'enfance. Au contraire, une sourde hostilité entre elle et le monde des grands, surtout si ceux-ci sont infatués de leur savoir et tiennent l'enfant pour un être ignare ou improductif. Mais s'il triomphe de l'épreuve que lui imposent les circonstances, le *kumāra* acquiert comme une personnalité nouvelle. Et à ceci correspond çà et là un changement de nom [34]. Sporadiquement aussi, l'animosité part des enfants et vise un aîné prestigieux, soit un roi, soit un ermite chez qui la concupiscence a remplacé la maîtrise de soi.

§ 10. — L'enfant n'est pas absent non plus du monde divin. Au § 6 déjà, Agni, le dieu du feu, est invoqué au titre de sa jeunesse. Concédons que, sur ce point, les *brāhmaṇa* ont appauvri l'héritage du *R̥V.* Dans celui-ci en effet, les traits par où Agni se signale comme jeune sont fort nombreux. Dans les *brāhmaṇa* et les *āraṇyaka* en revanche, ils ne sont qu'épisodiques et liés à une citation de cette *saṃhitā.*

C'est le cas d'ailleurs au §6. L'hymne *R̥V* V 2 1, que Vr̥śa Jāna entonne pour exorciser la démone qui retient le feu captif, évoque une jeune mère qui séquestre son garçon nouveau-né (*kumāra*), et refuse de le confier au père [35]. Allégorie où Sieg, à la suite de Sāyaṇa, reconnaît le bâton à feu (*araṇi*) qui tarde à s'enflammer et à fournir le feu nouveau (*agni kumāra*).

Le feu et l'enfant sont associés aussi dans la célèbre légende de Purūravas et Urvaśī. Purūravas, un humain, a pu obtenir la main de la nymphe céleste Urvaśī, à condition de ne jamais apparaître nu devant elle. Elle est enceinte de lui, quand, au milieu d'un orage déclenché

[34] La collation du nom à un bébé efface le péché qui est en lui. Cf. infra note 37 où le 9e enfant de Prajāpati et d'Uṣas reste sous l'emprise du péché jusqu'à ce qu'il soit baptisé du nom de Rudra. On rappellera que selon PATAÑJALI, *Mahābhāṣya* (2e-1er s. av. J.-C.), I 1 1 (*Paspaśā*) : «Après le dixième jour, au fils nouveau-né on donne un nom à initiale sonore, contenant une semi-voyelle, non vr̥ddha, qui rappelle trois ascendants, qui est renommé chez un être non humain… Qu'on donne un nom de 2 ou 4 syllabes, terminé par un suffixe primaire, non par un suffixe secondaire» (Trad. P. FILLIOZAT, *Le Mahābhāṣya de PATAÑJALI avec le Pradīpa de KAIYAṬA et l'Uddyota de NĀGEŚA, Adhyāya 1, Pāda 1, Āhnika 1-4*, p. 65, Publications de l'Institut Français d'Indologie, n° 54, 1, Pondichéry, 1975). Texte de l'éd. KIELHORN (rééd. ABHYANKAR, Poona 1962), vol. I, p. 4, lignes 22-24 : *daśamyuttarakālaṃ putrasya jātasya nāma vidadhyād ghoṣavad ādyantarantaḥstham avr̥ddhaṃ tripuruṣānūkam anaripratiṣṭhitam… dvyakṣaraṃ caturakṣaraṃ vā nāma kr̥taṃ kuryān na taddhitam.* Cf. aussi *Śāṅkhāyana-gr̥hyasūtra*, I 24 4 = trad. OLDENBERG, Sacred Books of the East, v. XXIX, p. 50.

[35] *R̥V* V 2 1 : *kumāráṃ mātā yuvatíḥ sámubdhaṃ gúhā bibharti / ná dadāti pitré.* Commentaire par SIEG, *Sagenstoffe* (ci-avant note 24), pp. 69 sv.

par les dieux, elle aperçoit par mégarde son mari sans vêtement. Elle regagne le ciel, mais il la suit et tente de la ramener sur terre. Elle refuse néanmoins et confie à Purūravas le jeune garçon qui vient de naître. Purūravas rentre donc chez lui avec son fils et son feu domestique. Sur le point d'entrer au village, il dépose celui-ci dans la forêt et continue sa route avec le bébé seul. Quand il revient chercher le feu, celui-ci s'est métamorphosé en arbre, plus précisément en pipal (*aśvattha*), le récipient qui le contenait se transformant, lui, en un mimosa (*śamī*)[36].

Veut-on ébaucher ici un contraste entre le *kumāra* encore stérile, et Agni, qui, bien que tout aussi jeune, est doué d'une force germinative intense.

§ 11. — Reste enfin la jonction d'Agni et du *kumāra* qui s'opère dans le mythe de la naissance de Rudra. Du passage du *ŚB* qui en fait état[37], sélectionnons quelques éléments.

1. Rudra y est présenté comme un nouveau-né geignard. Il se désole d'être la proie du péché, faute d'avoir encore reçu un nom.

2. Rudra est le dernier, le plus jeune, des enfants nés du mariage incestueux du Prajāpati et de sa fille Uṣas. Il est par ailleurs assimilé à la dernière, à la neuvième des formes d'Agni, celle qui pénètre (*anupraVIŚ*) les autres. Certes les 8 premières sont visibles; la 9e ne l'est pas, mais elle n'en est pas moins éminemment active. Ici comme en bien d'autres cas, le dernier élément de la série la contient tout entière, la porte à l'unité, à la perfection[38].

Pour expliquer le premier détail, on renverra à l'étymologie traditionnelle qui dérive le nom divin Rudra de la racine *RUD* «pleurer» (*TS* I 5 1 1).

Est-il possible en revanche qu'il y ait un lien quelconque entre la jeunesse de Rudra-Agni et son pouvoir diffusif? Oui, si l'on en croit une théorie développée tout récemment[39]. En effet, J. Deppert reconnaît

[36] *ŚB* XI 5 1 13: *taṃ (= agnim) ca ha kumāraṃ cādāyāvavrāja. so'ranya evāgniṃ nidhāya kumāreṇaiva grāmam eyāya. punar aimīty. et tirobhūtaṃ. yo 'gnir aśvatthaṃ taṃ / yā sthālī śamīṃ tām.*

[37] *ŚB* VI 1 3 8 sv.: *sa saṃvatsare kumāro 'jāyata. so 'rodīt. 9 taṃ (= Rudram) prajāpatir abravīt: kumāra kiṃ rodiṣi / yac chramāt tapaso 'dhi jāto 'sīti. so 'bravīd: anapahatapāpmā vā asmy ahitanāmā. nāma me dhehīti. tasmāt putrasya jātasya nāma kuryāt. pāpmānam evāsya tad apahanti… 10 tam abravīd: rudro 'sīti… 18 tāny etāny aṣṭāv agnirūpāṇi / kumāro navamaḥ… 19 so 'yaṃ kumāro rūpāṇy anuprāviśan. na vā agniṃ kumāram iva paśyanty. etāny evāsya rūpāṇi paśyanty. etāni hi rūpāṇy anuprāviśat.*

[38] Sur cette habitude, voir e.a. GONDA, *Religions de l'Inde* I, p. 227 (Paris, Payot, 1962).

[39] Pour toute cette théorie sociologique, voir J. DEPPERT, *Rudra* (cf. supra note 2), pp. 21, 36, 38, 48, 51, 86, 90, 115, 138, 153, 249 etc.

dans la «communication» et le refus de celle-ci une polarité explicative de la pensée védique.

Or Rudra-Agni appartient d'une part à la génération des dieux libre-échangistes, dédaigneux des barrières de caste et favorables à la communication sociale et matrimoniale. Rudra-Agni élimine les barrières; d'où l'usage à son propos de *anupraVIŚ* «pénétrer, envahir». A ce titre, il s'oppose aux dieux autarciques dont le type est son père. Ceux-ci répugnent aux contacts qui mettent leur pureté en péril. Ils multiplient les interdits et pratiquent l'inceste pour éviter de déchoir par mésalliance.

D'autre part, les dieux libre-échangistes (Indra, Rudra-Agni) sont jeunes. Les dieux anciens (Varuṇa, Prajāpati) voient leur autorité contestée par eux. Ici encore on invoquera le mythe du *ŚB*. En conférant un nom au plus jeune de ses enfants, Prajāpati donne une personnalité légale au *kumāra* qui, un jour, le détrônera. Ayant signé ainsi son arrêt de mort, il est saisi de remords et se lance à la poursuite de Rudra-Agni. Mais celui-ci endosse une forme qui lui permet d'échapper[40]. C'est en justicier qu'il reviendra vers Prajāpati, étant chargé par les dieux de punir celui qui est à la fois son père et son grand-père de l'inceste auquel il doit l'existence (*AB* III 33-34).

Index des noms propres. (Chiffres renvoyant aux §)

[40] *ŚB* VI 2 1 1: *prajāpatir agnirūpāṇy abhyadhyāyat. sa yo 'yaṃ kumāro rūpāṇy anupraviṣṭa āsīt. tam anvaicchat. so 'gnir aved: anu vai mā pitā prajāpatir icchati, hanta tad rūpam asāni / yan ma eṣa na vedeti.*

Virocana 7b
Viśvāmitra 5
Vr̥śa Jāna 6 10
Vr̥saśuṣma 4
Vyaśva 5
Śaryāta Mānava 8
Śunaḥpucha 5
Śunaḥśepa 5
Śunolāṅgūla 5
Śvetaketu Āruneya 4
Saṃkirti Gaurīvita 7
Sākamaśva 5
Sudīti 7
Sukanyā 8
Hariścandra 5

L'ENFANT DANS LES INSTITUTIONS PHARAONIQUES

par ARISTIDE THÉODORIDÈS

Nous allons au point de départ rappeler un passage significatif du conte de «Vérité-Mensonge»[1]. Un conte par définition contient des éléments de fiction, mais d'autres parties en sont tellement vivantes dans leur état de description concrète, qu'on ne peut s'empêcher de les considérer comme pouvant refléter une réalité vécue[2].

Un enfant est né beau et paré de toutes les vertus, mais il est né dans des conditions irrégulières[3]. Le moment venu,

> «on le mit à l'école; il apprit à écrire excellemment; il pratiqua tous les exercices de lutte, et il l'emportait sur ses compagnons plus âgés, qui étaient à l'école avec lui.
>
> Mais ses compagnons lui dirent:
>
> — 'Toi, de qui es-tu le fils? Tu n'as pas de père!' Et ils l'injuriaient et le tourmentaient: 'Vraiment tu n'as pas de père!'
>
> Le garçon dit alors à sa mère: «Quel est le nom de mon père, pour que (je) le dise (à) mes compagnons, car lorsqu'ils causent avec moi: "où est ton père"?, me disent-ils, en me tourmentant'.
>
> Sa mère lui dit: 'Tu vois cet aveugle qui est assis à côté de la porte: c'est ton père!'. Voilà ce qu'elle lui dit en lui parlant. Il lui répondit: 'Cela mérite qu'on rassemble les membres de ta famille, et qu'on fasse appeler un crocodile'.
>
> Le garçon emmena son père; il le fit asseoir sur une chaise, et lui mit un tabouret sous les pieds; il déposa du pain devant lui; il le fit manger et il le fit boire.

[1] *Pap. Chester-Beatty II* (= Pap. Brit. Mus. 10682): A. GARDINER, *The Story of the Blinding and Subsequent Vindication of Truth*, dans *Hieratische Papyri in the British Museum*, Thid Series (1935), pp. 3-6, et pls. I-IV; *Late-Egyptian Stories*, pp. 30 sqq.; G. LEFEBVRE, *Romans et Contes*, pp. 159 sqq. Cf. Max PIEPER, *Das Märchen von Wahrheit und Lüge und seine Stellung unter den ägyptischen Märchen*, dans *Z. äg. Spr.*, LXX (1934), pp. 92 sqq.; G. ROEDER, *Die äg. Religion in Texten und Bildern*, II (1960), pp. 74-84; Edward F. WENTE, *The Late Egyptian Conjunctive as a Past Continuative*, dans *J. Near Eastern St.*, XXI (1962), p. 310; A. THÉODORIDÈS, *Le serment terminal de « Vérité-Mensonge», dans R. d'Egyptol.*, XXI (1960), pp. 85-105; *Le droit matrimonial dans l'Égypte pharaonique*, dans *R. Int. Droits Ant.*, 1976, p. 23; Miriam LICHTHEIM, *Ancient Egyptian Literature*, II (1976), pp. 211 sqq.

[2] A. THÉODORIDÈS, *L'Enfant dans le droit de l'Égypte ancienne*, dans Rec. Jean Bodin, XXXV (1975), pp. 81-82, avec référence à Jacques PIRENNE, *L'importance de la méthode historique pour l'étude de l'Antiquité orientale*, dans *Correspondance d'Orient*, X (1966), p. 165.

[3] *Vérité-Mensonge*, IV,7-VI,6.

Le garçon demanda alors à son père : 'Qui t'a rendu aveugle, pour que je te venge'? ...».

C'est sur des textes de cette espèce et sur des documents (en réalité peu nombreux) de la pratique, que nous devons nous baser pour obtenir une représentation quelque peu cohérente des institutions de l'Egypte ancienne. Diodore de Sicile nous fournit sans doute en ce domaine un exposé plus théoriquement élaboré, mais il convient de s'en servir avec prudence. C'est ainsi que, comme ce fut rappelé il y a deux ans, lorsque nous avons traité de la femme en Orient, il écrit que la femme égyptienne «exerçait l'autorité sur son conjoint» (κυριεύειν τὴν γυναῖκα τἀνδρός)[4]. Celui-ci se serait d'ailleurs engagé dans le contrat de mariage[5] à obéir en toute chose à sa femme (ἅπαντα πειθαρχήσειν τῇ γαμουμένῃ)[6].

Diodore a été troublé par les droits dont jouissait la femme dans la vallée du Nil, au point d'en donner un aperçu erroné par son amplification. La femme était en Egypte titulaire de droits comme l'homme, mais pas plus! Au contraire, il y a toujours eu des privilèges de masculinité, dont nous avons fait mention antérieurement[7].

Mais de toute façon, un père de famille en Egypte n'était pas pourvu d'une «potestas» telle qu'elle lui eût permis, par exemple, d'accepter

[4] Diodore, I, 27, 2; cf. Anne BURTON, *Diodorus Siculus, Book I, A Commentary* (Leyde, 1972), pp. 112-114.

[5] Nous avons synthétisé ce qu'on sait du mariage en Égypte, en ces termes (*R. Int. Droits Ant.*, 3ᵉ S./XXIII (1976), pp. 54-55) : «Aucune mention d'une cérémonie (religieuse ou autre), qui eût consacré le mariage dans l'Égypte ancienne, n'a été conservée. Bien que d'autre part la documentation ne nous ait transmis aucun code, ni aucune théorie juridique, nous n'en sommes pas moins fondés à parler de mariage et de «droit matrimonial», car il est patent qu'il avait pas que des pratiques empiriques. Nous apercevons qu'il y avait des règles à suivre, des formes à respecter, pour dresser en particulier le contrat de mariage qui rendait l'homme et la femme «époux» et «épouse», et que la filiation était patrilinéaire. Ce contrat apparaît rédigé d'après un modèle qui devait résulter d'une prescription légale uniformément appliquée (du moins sous le Nouvel Empire) : l'homme et la femme contribuaient à la constitution de l'avoir conjugal, respectivement pour deux et un tiers. Ce même contrat engendrait, entre autres effets de droit, la légitimité des enfants; et cette légitimité engendrait à son tour la capacité de recueillir l'héritage. Les enfants venaient par parts égales à la succession de leur père et de leur mère, sauf dispositions contraires prises par ceux-ci. Les parents pouvaient effectivement avantager des enfants, ou déshériter ceux qui leur paraissaient ingrats».

[6] Diodore, *loc. cit.*

[7] A. THÉODORIDÈS, dans *R. Int. Droits Ant.*, 1964, p. 56; 1965, p. 85; 1966, p. 48; 1976, pp. 29-31, sans oublier que c'est l'homme qui administre les biens de la communauté conjugale (*R. Int. Droits Ant.*, 1964, p. 69, et 76, n.; 1965, p. 104; 1966, p. 57; 1970, pp. 205-206; 1976, p. 46).

(reconnaître) ou de ne pas accepter (reconnaître) un enfant à sa naissance.

Cette fois, Diodore nous donne avec raison un avis dans le même sens[8], qui est au surplus renforcé par un passage de Strabon[9] : «une pratique parmi celles auxquelles ils sont le plus fermement attachés est de nourrir tous les enfants qui leur naissent» (καὶ τοῦτο δὲ τῶν μάλιστα ζηλουμένων παρ' αὐτοῖς τὸ πάντα τρέφειν τὰ γεννώμενα παιδία). L'exposition des enfants nouveau-nés était ignorée dans l'Egypte ancienne[10]. On était au contraire très attaché aux enfants, comme à la vie de famille, bien que la société égyptienne eût atteint le stade de l'individualisme juridique depuis la haute époque[11] :

> «Si la cohésion familiale s'est effacée, la famille n'en reste pas moins la cellule morale sur laquelle repose toute la société égyptienne. C'est sur l'éducation familiale qu'est bâtie la société individualiste de l'Ancien Empire; elle ne résulte point d'une solidarité imposée par la loi; elle repose sur une tradition librement acceptée, basée sur l'autorité morale du père. ... Le devoir essentiel d'un fils est, en effet, de respecter ses parents. ... La grande affaire de la vie d'un homme, c'est son mariage. Tout homme doit fonder un foyer s'il veut être considéré. ... Le mariage est une association à la fois d'affection et d'intérêts. Il ne peut être heureux que par le maintien entre les époux non seulement de la bonne entente, mais de l'amour compréhensif, bienveillant et fidèle que le mari témoignera à sa femme sur laquelle reposent tous les soucis du ménage. ... Le bonheur du foyer ne peut donc s'obtenir que par une aimable concorde. Elle ne se maintiendra que grâce à la pureté des mœurs du mari. C'est là une conception propre à l'Égypte. L'amour conjugal, la femme mariée, jouent dans la morale et dans la vie égyptienne un rôle plus grand que dans toute autre civilisation antique. N'est-ce pas le seul peuple méditerranéen pour lequel la déesse de l'Amour, Isis, fut aussi la déesse du foyer conjugal, à la fois épouse et mère?».

Si l'union conjugale n'avait pas produit d'enfant, il s'imposait d'en adopter[12] un, comme un scribe le prescrit avec vigueur à un confrère égoïste et avare[13] :

[8] Diodore, I, 80, 3; BURTON, *op. cit.*, pp. 235-236.

[9] Strabon, 17, 2, 5; cf. P. MONTET, *La vie quotidienne en Égypte au temps des Ramsès* (1946), p. 61.

[10] Cf. Louis GERMAIN, *L'exposition des enfants nouveau-nés dans la Grèce ancienne*, dans Rec. Jean Bodin, XXXV (1975), p. 214.

[11] Jacques PIRENNE, *Histoire de la Civilisation de l'Égypte ancienne*, I (1961), pp. 187-188.

[12] Voir sur l'adoption en Égypte : Schafik ALLAM, dans *Oriens Antiques, XI (1972)*, pp. 280 sqq.

[13] *Ostracon Berlin P 10627* (= *Hieratische Papyrus Berlin*, III, pl. XXXIII). Cf. A. ERMAN, *Aus dem Volksleben des Neuen Reiches*, dans *Z. äg. Spr.*, XLII (1905), pp. 100-102; Max GUILMOT, dans *Chr. d'Eg.* XL/80 (1965), pp. 235-248; sur le

«Que signifie donc que tu te sois laissé tomber dans ce pénible état dans lequel tu te trouves, sans avoir aucunement prêté attention aux conseils des gens, par suite de ton caractère hautain (ou têtu)? Tu n'es pas du tout un homme [14], puisque tu n'as pas rendu tes femmes [15] enceintes, à la manière de ton compagnon. Au surplus, tu es riche à l'extrême, mais tu n'as pas été capable de donner un rien à quelqu'un.

«Quant à celui qui n'a pas d'enfants, qu'il s'en procure un autre, un orphelin, pour l'élever. C'est lui (cet enfant) qui lui versera(?) de l'eau sur les mains, en tant que fils aîné de sa chair (qu'il sera devenu par la fiction de l'adoption)».

Diodore écrit aussi à propos des enfants qu'il n'y a «pas de bâtard» en Égypte (νόθον οὐδένα), alors même que l'enfant serait né d'une mère esclave [16]. Eugène Revillout a fait sienne cette opinion de l'auteur grec [17] :

«... tous les enfants étaient censés légitimes, même ceux nés de la femme esclave : Diodore de Sicile l'a dit et les papyrus le prouvent. Même dans les documents grecs provenant d'Égypte, on ne trouve jamais le mot bâtard (νόθος), mais seulement parfois le mot «sans père», ἀπάτωρ. La légitimation par mariage subséquent, ou plutôt par mariage subséquemment indiqué, avait donc seulement pour but de rendre un père au fils sans père, en lui assurant en même temps tous ses droits héréditaires».

Il y a lieu d'introduire dans ce commentaire quelques précisions en rapport avec le statut de la femme qui a donné naissance à l'enfant.

Dans un ménage sans descendance, une esclave qui avait été acquise dans la communauté conjugale avait eu trois enfants, des œuvres du mari [18]. Après la mort de celui-ci, sa femme, qu'il avait instituée sa légataire universelle, adopte les trois enfants en déclarant devant le Conseil local (le groupe de personnes habilitées à authentifier la

caractère hautain ou mauvais («biat âat») : Georges Posener, dans *R. d'Égyptol.*, XVI (1964), pp. 37-43.

[14] Au sens moral : tu as esquivé tes responsabilités. Cf. sur la notion d'«homme» au figuré, la n. 48.

[15] Le terme désigne sûrement des épouses successives, les Égyptiens étant monogames, exception faite pour le Roi et les familles princières (du moins, à certaines époques). Voir *R. Int. Droits Ant.*, XXIII (1976), pp. 25-26.

[16] Diodore, I, 80, 3.

[17] *Précis du droit égyptien* (Paris, 1903), p. 888.

[18] Comme nous le présumons, car le texte est muet sur ce point. Voir *Pap. Ashmolean Museum 1945.96* : A. Gardiner, *Adoption Extraordinary*, dans *J. Eg. Arch.*, XXVI (1940), pp. 23-29; pll. V-VII[a]; I. M. Lourie, *Esquisses de droit égyptien ancien* (en russe, Leningrad, 1960), pp. 166-168; W. Helck, *Materialien zur Wirtschaftsgeschichte des Neuen Reichs*, III (1963), pp. 331-332; A. Théodoridès, *Le Papyrus des Adoptions*, dans *R. Int. Droits Ant.* (1965), pp. 79-142; dans *Rec. Jean Bodin*, XXXV (1975), pp. 31-35; Schafik Allam, *Hieratische Ostraka und Papyri aus der Ramessidenzeit* (1973), pp. 258-267.

déclaration) qu'elle «les fait en tant qu'enfants pour elle», ce qui signifie qu'elle les adopte.

Depuis cet instant, ils sont ses enfants, et ils sont appelés à être ses héritiers, ce qu'ils n'étaient pas, pas plus qu'ils ne l'étaient de son mari à elle, c'est-à-dire de leur père physique, mais non juridique : l'esclave, leur mère, n'était pas l'épouse du père.

L'assertion de Diodore ne se vérifie donc pas à première vue, puisque tout en étant nés d'un père libre, ils n'en avaient pas moins suivi la condition de la mère esclave, quel qu'ait pu être le statut d'une esclave à cette époque [19].

Mais dans le conte de «Vérité-Mensonge», la mère est une personne libre; ainsi l'enfant, quoique «sans père», l'est-il aussi.

Le conte rend manifeste que c'est la filiation patrilinéaire qui est normale, mais un enfant libre qui ne peut pas se prévaloir de cette filiation légitime, n'est pas mis au ban de la société; il est enfant à part entière si ce n'est qu'il est «sans père». Il s'insère dans la société des enfants et des grands, pourvu de droits : il va, d'après les données du conte, saisir la justice pour «venger» son père outragé, alors que les autorités ne sont pas censées savoir qu'il a retrouvé ce père. Il n'a pas fallu de la part du père un acte de reconnaissance pour engendrer la capacité du fils. Seul le facteur de l'âge a pu intervenir : le fils a dû pour agir avoir atteint sa majorité, être devenu «fort de bras», comme le laisse entendre un autre document, de nature mythologique cette fois [20].

Isis a élevé dans la clandestinité, avec toute la sollicitude désirable, Horus, le fils posthume d'Osiris. Elle l'a surtout protégé d'éventuelles interventions violentes de l'oncle Seth, qui veut usurper les droits d'Horus à la couronne.

Mais «son bras étant devenu fort», Horus a été conduit par sa mère dans la «Grande Salle de Geb» où s'est réuni le Conseil de Justice (la Haute Cour), qui comprend le Collège des dieux présidé par le «Maître Universel», le dieu solaire en personne. Ils sont tous «maîtres de *Maât*» (Vérité-Justice), c'est-à-dire, à ce qu'explique le texte lui-même à la manière d'une glose, «indissolublement unis à elle», et comme tels, garants d'une parfaite objectivité, d'un respect absolu du droit :

[19] Cf. Abd EL-MOHSEN BAKIR, *Slavery in Pharaonic Egypt* (1952).

[20] *Stèle Louvre C 286*, surtout ligne 16 : A. MORET, *La légende d'Osiris à l'époque thébaine d'après l'Hymne à Osiris du Louvre*, dans *BIFAO*, XXX (1930), pp. 725 sqq.; A. DE BUCK, *Egyptian Readingbook*, pp. 111-112; G. ROEDER, *Urkunden zur Religion des alten Aegypten* (1915), p. 24.

«on a siégé afin de remettre la fonction à son *maître* (= à qui elle devait régulièrement revenir) à savoir (comme l'explique une nouvelle fois le texte) : la royauté à qui elle devait être offerte, lorsqu'on eut constaté qu'Horus avait la *voix juste*», que sa prétention était jugée juridiquement fondée. Il avait donc dû défendre sa cause [21].

L'expression «avoir *le bras fort*» ne désigne pas uniquement un état de développement physique, mais vise les conséquences sociales et juridiques entraînées par cet état. C'est ce que montre l'emploi de la même formule dans un passage des textes de Siout [22], où l'on apprend que «la fille du nomarque a exercé le pouvoir jusqu'à ce que son fils fût devenu majeur» (littéralement «fort de bras»). Il s'agit sans conteste de la fin d'une régence. L'expression «fort de bras» y est complétée par le «rouleau de papyrus» qui indique qu'on la prend au figuré en envisageant les droits reconnus pour son âge au Prince héritier.

Lorsque, en effet, l'enfant est placé par l'autorité dans la plénitude de ses droits, il est apte à recueillir la succession paternelle — il n'est plus «sans père» — et la succession inclut, même dans la vie courante, la fonction du père, aux époques où les charges sont patrimonialisées [23].

L'extrait du conte de «Vérité-Mensonge» nous a, par ailleurs, fait apparaître avec une remarquable netteté qu'il est tout à fait naturel que l'enfant aille à l'école pour apprendre à lire et s'adonner à des exercices sportifs; et qu'il est par conséquent tout aussi naturel qu'il y ait des écoles et que les enfants les fréquentent.

Dans un passage des *Late-Ramesside Letters* [24], un fonctionnaire donne des instructions à un inférieur dont il ressort que celui-ci aura à

[21] Hans GOEDICKE explique en ces termes le fond juridique du problème, en se basant sur le conte d'*Horus et Seth* (*J. Eg. Arch.*, XLVII (1961), p. 154, n. 3) : «It demonstrates the maturity of Horus who claims the right of succession as an infant against his grown-up relative. Normally, the latter would be the heir and legal successor of his brother if there were no mature son. ... it is the legal succession of the deceased by his brother in the absence of a mature descendant. The institution of the *sn-ḏt* in the Old Kingdom as found in the regulations of *Ṯntỉ* (*Urk.* I, 163-165) points in the same direction».

[22] *Siût*, V, 29 [= Hellmut BRUNNER, *Die Texte aus den Gräbern der Herakleopolitenzeit von Siut* (1937), pp. 12; 15, n. 37; 68]. Voir J.H. BREASTED, *Anc. Rec.*, I, §414; H.J. POLOTSKY, dans *J. Eg. Arch.*, XVI (1930), p. 199 et n. 3; G. LEFEBVRE, *Grammaire*², §719; A. GARDINER, *Grammar*³, p. 120, n. 1. Cf. J. PIRENNE, *Hist. des Institutions et du Droit Privé dans l'Ancienne Égypte*, III (1935), pp. 332; 361.

[23] Cf. *Pap. Kahoun VII, 1* (= SETHE, *Lesestücke*, 90, 1-12) : J. PIRENNE-A. THÉODORIDÈS, *Droit égyptien* (1966), pp. 106-107; A. THÉODORIDÈS, dans *R. Int. Droits Ant.*, 1970, pp. 125 sqq.; 1972, pp. 129-148; 1977, pp. 58-61.

[24] *Pap. Leiden I 370*, V°, 3 sq. (= J. ČERNÝ, *Late Ramesside Letters*, pp. 10-11; Edward F. WENTE, *Late Ramesside Letters*, p. 28); cf. A. THÉODORIDÈS, dans *R. d'Egyptol.*, XXII (1970), p. 151.

s'occuper des soldats de l'endroit, à porter son attention sur les gens qui sont aux champs, de façon qu'ils remplissent leurs charges agricoles avec soin, «et tu empêcheras, est-il indiqué ensuite, que les petits enfants qui sont à l'école ne s'arrêtent d'écrire», tout à fait comme si l'administration avait à organiser et à surveiller l'enseignement primaire.

Ce qui nous fait d'emblée penser au passage bien connu des *Maximes d'Any*[25] :

> «... lorsque tu fus enfanté, après tes mois, elle (= ta mère) s'est encore assujettie (à tenir) son sein dans ta bouche pendant trois ans. Le dégoût de tes excréments fut durable, mais son cœur ne se dégoûta pas au point de dire 'Que ferai-je?'. Elle t'a mis à l'école lorsque tu eus appris à écrire, et elle restait (là), à cause de toi, chaque jour, avec du pain et de la bière de sa maison».

Le texte est clair : c'est «après» que tu eus été formé aux lettres (*m-ḫt śbꜣ.tw.k r sš*) que ta mère t'a fait faire d'autres études, celles de scribe, vu que c'est aux scribes en formation qu'Any destine ses instructions et recommandations[26].

Il y avait — cela va de soi — une école supérieure à celle du premier degré; nous est avis que celle-ci a dû être plus généralisée qu'on ne serait disposé à l'admettre. Quant à l'école de fonctionnaires, son existence est confirmée par d'autres sources, comme par exemple le *Papyrus Anastasi* V, 22, 7 : «Je t'ai mis à l'école avec les enfants des fonctionnaires, afin de t'instruire et t'informer sur cette fonction qui rend *grand*»[27].

Jusqu'où peut aller la grandeur et qui, socialement parlant, peut y accéder? Ces deux questions constituent des compléments essentiels à ce qui vient d'être dit.

Commençons par la seconde interrogation : à qui est réservée la «grandeur» dans l'État pharaonique? Disons d'un mot que le fameux «fais-toi scribe»[28] (dans la littérature didactique ressortissant au genre «Satire des Métiers») serait vain et inopérant si les fonctions étaient

[25] *Any* (*Pap. Boulaq IV*), VII, 18-VIII, 1 : Emile SUYS, *La Sagesse d'Ani* (1935), pp. 75-76; J.A. WILSON, dans *Ancient Near Eastern Texts*, pp. 420-421; Miriam LICHTHEIM, *Ancient Egyptian Literature*, II (1976), p. 141.

[26] Contrairement, par ex., aux maximes d'Amenemopé destinées aux jeunes *scribes* qui doivent acquérir les qualités indispensables pour s'élever et parvenir à devenir des Conseillers royaux (A. THÉODORIDÈS, *L'art de trouver une fonction après la vieillesse*, dans *Annuaire Inst. Or.*, XXI (1977), pp. 89-90).

[27] Hellmut BRUNNER, *Altägyptische Erziehung* (1957), p. 173; A. THÉODORIDÈS, dans *R. Int. Droits Ant.*, 1973, p. 83; *Annuaire Inst. Or.* XXI (1977), p. 68, n. 7.

[28] A. THÉODORIDÈS, *Les Égyptiens anciens, «citoyens» ou «sujets de Pharaon»?* dans *R. Int. Droits Ant.*, 1973, pp. 82-97.

héréditaires, et si on avait affaire à des classes [29] fermées, comme l'ont cru les classiques.

C'est tout le contraire qui nous est affirmé [30] :

> «On fait tout ce que tu dis quand tu es instruit dans les écrits (ou livres). Rends-toi les livres familiers; mets les dans ton cœur : tout ce que tu diras deviendra excellent».
>
> «À quelque dignité que soit promu un scribe, il lui faut consulter des livres»,

et puis, sans transition, tellement la chose paraît aller de soi, car le scribe est fait, s'il le mérite, pour n'importe quelle dignité :

> «Il n'y a pas de fils [31] pour (devenir) Chef du Trésor, il n'y a pas d'héritier pour (succéder au) Chef de la Chancellerie».

Devient fonctionnaire-magistrat celui qui est habile de sa main et qui se distingue dans l'exercice de sa fonction.

> «Les fonctions (en elles-mêmes) n'ont pas d'enfants» [32] : c'est le mérite personnel qui permet d'accéder aux charges supérieures.

Le style est imagé mais expressif, il dit sans ambages ce qu'il a à dire; comme d'ailleurs aussi cet autre texte [33] :

> «Vois, je t'instruis ... afin de te faire prendre le calame librement, afin de te faire devenir un confident royal [34], afin de te permettre d'ouvrir les trésors et les greniers, ... Tu seras en possession d'une fonction rendue puissante (ou riche) par ce que te donnera le Roi [35]; ... Mets (donc) les écrits dans ton cœur (= décide-toi à te faire scribe)».

La carrière est ouverte à quiconque parvient à se mettre en exergue par ses qualités techniques et morales. Du moins en est-il ainsi en principe.

Voici à cet égard les appréciations de quelqu'un qui a réussi, tout en étant originaire d'un milieu compagnard [36] :

[29] Cf. E. DRIOTON-J. VANDIER, *L'Égypte* (Coll. *Clio*, 4e éd., 1962), p. 561.

[30] *Any*, VII, 4-7 (E. SUYS, pp. 66-67); M. LICHTHEIM, *op. cit.*, II, p. 140.

[31] Ce qui signifie que les charges ne reviennent pas d'office aux enfants de leurs titulaires.

[32] «Les fonctions n'ont pas d'enfants»: trad. d'A. ERMAN, *Neuägyptische Grammatik* (1933), § 624; Axel VOLTEN, *Studien zum Weisheitsbuch des Anii* (1937-1938), p. 98; M. LICHTHEIM, *Anc. Eg. Lit.*, II, p. 140.

[33] *Pap. Lansing*, 8, 8-9; 9, 1-4 (GARDINER, *Miscellanies*, p. 107; CAMINOS, *Miscellanies*, pp. 400-401); cf. A. THÉODORIDÈS, dans *R. Int. Droits Ant.*, 1973, pp. 93-94.

[34] C'est-à-dire de te permettre de monter jusqu'aux hauts degrés de la hiérarchie et trouver place dans l'entourage immédiat du Souverain.

[35] Il s'agit des libéralités royales qui s'ajoutent à la rémunération prévue.

[36] *Pap. Anastasi V*, 18, 1-4 (GARDINER, *Miscellanies*, pp. 65-66; CAMINOS, *Miscellanies*, pp. 250 sqq.); cf. A. DE BUCK, dans *JEOL*, V, p. 294; H. BRUNNER, *Altägyptische Erziehung* (1957), pp. 57; 173.

«... Lorsque j'étais de ton âge, j'ai passé mon existence dans l'entrave: c'est elle qui apprivoisa mes membres».

Nous avons la conviction qu'il faut prendre le texte au figuré, mais même alors il n'en révèle pas moins l'existence d'une stricte discipline qui régissait les études. Les maîtres en avaient conscience, et ils attendaient de leurs élèves une réelle ascèse, avec une maîtrise exemplaire de soi, qu'ils s'efforçaient d'inculquer aux jeunes. L'importance d'être scribe est supérieure à tout: aussi les études valent-elles un renoncement non seulement aux plaisirs des sens, mais encore aux choses matérielles, y compris la nourriture et toute recherche de toilette et autres raffinements [37].

Le jeune scribe à l'entrave qui est ainsi parvenu à se discipliner, poursuit en appuyant sur les avantages qu'il en a tirés [38] :

«(L'entrave) demeura trois mois sur moi, tandis que j'étais enfermé et que mon père et ma mère étaient aux champs, et (mes) frères et sœurs semblablement. Elle me quitta lorsque mes mains furent expertes, et que j'eus dépassé ceux qui étaient avant (moi): je fus le premier de tous mes compagnons, après les avoir dépassés dans les livres».

Et cela, bien qu'il émanât donc d'un milieu paysan.

On lit ailleurs:

«Ne fais pas l'homme insensé qui n'a pas d'instruction» [39] ...

«On me dit que tu as abandonné les lettres (ou les écrits), que tu t'adonnes aux plaisirs et que (même) tu t'appliques à travailler aux champs! Ne te souviens-tu (donc) pas de la condition du cultivateur? ...» [40].

On en retire l'indiscutable impression que les petits pouvaient, en Égypte, s'extraire de la condition de paysan.

On fait miroiter une magnifique carrière aux scribes qui font la preuve de leurs qualités intellectuelles et de leurs aptitudes morales (ce qui implique entre autres la loyauté) [41]. Mais jusqu'où, jusqu'à

[37] *Pap. Lansing*, 1, 8-2, 3 (GARDINER, *Miscellanies*, p. 100; CAMINOS, *Miscellanies*, p. 374).

[38] Suite du *Pap. Anastasi V* indiqué.

[39] *Pap. Bologne 1094*, 3, 6-7 (GARDINER, *Miscellanies*, p. 3; CAMINOS, *Miscellanies*, pp. 13-14).

[40] *Pap. Sallier I*, 6, 1-2 (GARDINER, *Miscellanies*, p. 83; CAMINOS, *Miscellanies*, pp. 315-316); cf. Hermann KEES, *Aegypten* (*Kulturgeschichte*), p. 47; A. MORET, *Le Nil et la Civilisation égyptienne*, pp. 310-311.

[41] On rencontre volontiers dans les textes l'adjectif *ἰḳr* s'appliquant à ces attitudes et à la loyauté qui leur est inhérente. Comme l'a clairement montré Joachim SPIEGEL (*Die Idee vom Totengericht in der ägyptischen Religion* (1935), pp. 12-13), *ἰḳr* qu'on rend généralement par «excellent» couvrirait plutôt les sens de «tüchtig», «brauchbar»: un fonctionnaire *ἰḳr* serait utile à son maître, en ce sens qu'il est «jemand der das er-

quel niveau de la hiérarchie, peut s'élever le scribe devenu fonctionnaire qui se qualifie pour les hauts postes?

Dans son récent article sur la stèle de Setaou, le fils Royal de Koush (époque de Ramsès II), le Professeur Wolfgang HELCK[42] étudie, entre autres, le terme «kenebet» qu'il rend par «Conseil d'État» (Staatsrat).

Ḳnbt désigne un groupement, un Collège, une Assemblée qui peut n'être que locale, ou sert à désigner un tribunal ou une Cour de Justice, foncièrement distincte du «Conseil d'État», ou, comme nous l'appellerions de préférence, du Conseil de la Couronne ou encore du Conseil Royal.

Il résulte de nos recherches dans ce domaine que contrairement à ce que pense HELCK, ce n'est pas le Vizir qui en occupe nécessairement la tête. Il ne faut précisément pas confondre le Conseil d'État avec la Cour de Justice que préside de droit le Vizir.

D'autre part, pas mal de textes qui se réfèrent à la *ḳnbt* spécifiquement royale n'ont pas été cités par HELCK, et parmi eux nous jugeons comme fondamental celui de la «Satire des Métiers» (du début du

füllt was man von ihm erwartet». Il est à noter que des témoins *ìḳr* sont des témoins qualifiés, qui ont les qualités requises attendues d'eux dans les situations envisagées, ce qui signifie comme l'explique le texte du *Pap. Berlin 9010* (K. SETHE, dans *Z. äg. Spr.*, LXI (1926), p. 75) ... *ìḳrw nw nḫt ḥr.śn*, «qui font autorité, qui sont tels qu'on puisse s'appuyer, faire fond, sur eux», ou encore: «... les trois témoins qualifiés qui doivent faire foi» (*R. Int. Droits Ant.*, XXIV (1977), p. 50). Il est attendu des gardes qui veilleront sur le nain qu'a ramené Hirkhouf, qu'ils soient *ìḳr*: ils devront inspirer confiance (*Urk.*, I, 130, 11). Un mort bienheureux qui a toutes les qualités est un esprit *ìḳr*, ce qui dans cette acception a été traduit «parfait». Qu'il faille opter de préférence pour ce sens général nous est confirmé par l'exemple du synonyme *nfr* dans l'expression parallèle *bìȝt nfrt*: «(Le scribe) monte alors pas à pas jusqu'à ce qu'il ait atteint la charge de fonctionnaire-magistrat (*śr*) dans les louanges (ou les faveurs) en raison de son caractère parfait» (à la fois *capable* et *loyal*, la capacité impliquant la loyauté à l'égard du supérieur) (*Pap. Chester-Beatty IV*, V° 4, 3-6). Un autre assure (*Urk.* IV, 133, 1-2) que le Roi l'a récompensé «en raison de la *perfection* de (son) caractère (*ḥr ìḳr bìȝt.ì*) et de l'efficacité de (ses) conseils» (*ḥr mnḫ śḫrw.ì*).

[42] Wolfgang HELCK, *Die grosse Stele des Vizekönigs Śtȝw aus Wadi es-Sabua*, dans *SAK*, III (1975), pp. 85 sqq.; spécialement p. 102 (avec la note n. 35 indiquant: «Sicherlich war auch der Vorsitzende dieses «Staatsrates» der Vezir): «Es sind hier natürlich die Hofränge und nicht die Amtstitel der Beamten genannt, die die «*qnb.t* des ganzen Landes» darstellen. Ihre Beratertätigkeit geht aber auch aus diesen Stellen hervor, da sie wieder den König «begrüssen», was wohl eine sprachregelnde Umschreibung der Beratung ist, wie sie sowohl bei *Nfr.tj* wie bei der Einsetzung des Vezirs *Wśr* deutlich geschildert wird. Dieses Gremium, das man danach wohl als «Staatsrat» bezeichnen kann, wurde, wie unser Text zeigt, durch Berufung durch den König errichtet, wobei anzunehmen ist, dass so wichtige Beamte wie die Vezire immer dazugehörten».

Moyen-Empire)[43] où manifestement, *in fine*, c'est au Conseil de la Couronne qu'il est fait allusion.

A ce Conseil, quiconque qui fait ses preuves peut accéder, et avec un surcroît de chance, en conquérir la Présidence. Voici le thème de ce texte[44] :

«Je te fais aimer les lettres plus que ta mère, je t'en fais apprécier la beauté. Elle (= la profession de scribe) est assurément plus grande que toutes les autres professions, et rien ne lui est pareil dans le pays...».

Et sa conclusion :

«Vois, je t'ai placé sur la voie *royale*[45].

«La Rénénoutet (la Fortune) du scribe est sur son épaule le jour de sa naissance[46]; et il parvient jusqu'à l'Administration (centrale), et jusqu'au Conseil[47], lorsqu'il est devenu un 'homme'[48] (*ỉr.n.f rmṯ*).

«Sache qu'il n'existe pas de scribe dépourvu de nourriture[49] ni de biens du Palais Royal.

«Quant à la Meskhenet[50] propre au scribe, c'est à la Présidence du Conseil qu'elle le place ...».

[43] Hellmut BRUNNER, *Die Lehre des Cheti, Sohnes des Duauf* (1944); J.A. WILSON, dans J.B. PRITCHARD, *Ancient Near Eastern Texts* (1950), pp. 432-434; G. POSENER, *Littérature et Politique dans l'Égypte de la XIIe dynastie* (1956), pp. 4-7; 17-19; 64; 72; 109; W. HELCK, *Die Lehre des Dwꜣ-Ḫtjj* (1970); W.K. SIMPSON, *The Literature of Ancient Egypt* (1973), pp. 329 sqq.

[44] *Pap. Sallier II*, 4, 5 (BRUNNER, p. 22).

[45] *Wꜣt nṯr* : leçon de la *Tablette du Louvre* (BRUNNER, pp. 84 et 204). Littéralement : «sur la voie du dieu», mais ce texte de nature scolaire et administrative ne contient rien d'inspiration religieuse ou métaphysique, en dehors de termes mythologiques comme Rénenoutet et Meskhenet, qui, en fonction du contexte, doivent être compris au figuré. Cf. *R. Int. Droits Ant.*, XX (1973), pp. 83 sqq.

[46] Dès qu'il entre dans la carrière administrative, le scribe qui fait ses preuves est destiné à en retirer des avantages.

[47] Le texte contient *ḳnbt* précédé de l'article *tꜣ*, qui sert à mettre le terme en relief : il s'agit *du* Conseil par excellence, qui est celui du «Palais» comme l'indique le texte. On envisage donc une progression suprême dans le *cursus honorum*.

[48] H. BRUNNER a traduit (p. 24) : «Er gelangt in die Halle des Gerichtshofes, wenn er ein (erwachsener) Mensch geworden ist». Il ne s'agit pas d'une question d'âge, mais de la qualité d'«homme», celle qui définit un être humain dans sa perfection administrative (et partant sociale et morale). Plusieurs textes en témoignent. Ainsi le *Pap. Chester-Beatty V*, 5, 11 : «Mets mes paroles dans tes oreilles, de sorte que tu deviennes *un homme* (*ỉry.k rmṯ*), et que tu sois considéré comme quelqu'un de capable». Dans les *Instructions au Vizir*, si celui-ci ne montre pas las qualités attendues d'un chef intègre et juste, «les gens ne peuvent dire de lui 'C'est un homme' (ligne 16)»; enfin, le *Pap. Anastasi IV*, 11, 10, enseigne que la bière qui fait perdre la raison «écarte de l'état d'*homme*» (*rwỉ m rmṯ*).

[49] La rémunération avec d'autres avantages.

[50] Cette entité qui est une autre forme de la chance, assure un renforcement de faveur. Cf. Jan QUAEGEBEUR, *Le dieu égyptien Shaï* (1975), p. 328, s.v.

Le but suprême est donc de s'élever jusqu'à la Présidence du Conseil de la Couronne. Voilà ce qu'on offre comme fin de carrière possible aux jeunes gens qui ayant commencé par acquérir leur diplôme de scribe sont devenus des fonctionnaires de valeur.

Une étude tout à fait approfondie dans ce sens en établissant la compétence dudit Conseil ne pourrait qu'apporter des lumières sur ce que nous pourrions appeler les droits politiques des «citoyens» dans l'État égyptien [51].

Pour l'instant, nous savons donc ce que peut atteindre un enfant qui se cultive. Mais il n'y a pas que le développement de l'esprit qui le caractérise.

L'enfant a crû physiquement; il s'est formé intellectuellement; il s'est préparé à la vie active telle qu'elle était conçue dans l'État pharaonique. Mais voici qu'il a atteint l'adolescence, et avec elle, aussi, la phase affective de son développement.

Dans ce domaine, les textes de poésie amoureuse nous livrent des détails charmants dont l'essentiel pour notre propos est de saisir que les rapports entre les jeunes gens ne sont pas impérieusement commandés ni sanctionnés par une inexorable «potestas» des parents, qui en Égypte n'existe pas comme telle.

On aperçoit au contraire que les mères de famille s'efforcent d'accorder les jouvenceaux dont on respecte les propensions émotives [52].

L'exemple que nous allons prendre ne le sera pas au hasard bien qu'il ne fasse pas apparaître d'interventions autres que les sentiments librement éclos des jeunes gens; mais les parents n'y sont pas moins présents en filigrane, vu que sans eux la scène ne produirait pas la guérison miraculeuse de fondement psychique à laquelle nous assistons.

[51] Cf. dans ce sens notre étude «Les Egyptiens anciens *citoyens* ou *sujets de Pharaon*»? dans *R. Int. Droits Ant.*, 1973, pp. 51-112.

[52] «Cette strophe, exquise de sentiments et de dessin, se compose tout entière autour du regard échangé par les amants. D'un côté, un tableau d'intimité: le jeune homme retenu par l'atmosphère calme de la famille. De l'autre côté, la rue où la jeune fille passe, s'arrête un instant, embrasse d'un coup d'œil le groupe autour du foyer et se sent touchée par le regard de l'ami silencieux qui guettait dans l'espoir de la voir apparaître, ou du moins qui laissait errer sa pensée vers le chemin où elle aurait pu venir. Cette rencontre des yeux apparaît à la belle un tel signe d'amour partagé qu'elle laisse éclater sa joie. Elle était seule heureusement! Elle s'éloigne, riche de ce regard d'entente. Ah! si sa mère savait combien son amour est profond, elle irait parler à la mère de l'ami! Ces dames s'entendraient, le mariage serait arrangé; plus de dissimulation, ni de prudence à garder, bientôt viendrait la nuit où les amants seraient l'un à l'autre ...» (Pierre GILBERT, *La poésie égyptienne*, Bruxelles, 1943, pp. 76-77).

Le jeune homme a le mal d'amour et ce mal a une source secrète que ne peuvent déceler les praticiens [53] :

> «Si viennent à moi les maîtres médecins, mon *cœur* n'est pas sensible [54] à leurs remèdes» (mon mal n'a pas une origine uniquement physiologique ou fonctionnelle).
>
> «Les exorcistes? Il n'y a pas de voie (de salut) à obtenir d'eux (et cela pour la raison que) mon mal n'a pas été défini (littéralement : tranché).
>
> «Mais le fait de me dire «*la* voici» c'est ce qui me redonne vie» [55].

Le remède, c'est donc la jeune fille. Et le texte de le préciser :

> «Mon salut : c'est qu'elle entre ici (dans la maison).
> «Je la verrai et je serai guéri;
> elle ouvrira ses yeux et mes membres seront rajeunis;
> elle me parlera et je serai vigoureux;
> je l'embrasserai et elle écartera de moi le mal, ...».

Ce qui ne peut se faire sans l'attitude compréhensive et affectueuse des parents, au moins de la mère.

Au même titre qu'une position bien en vue dans l'organisation administrative pharaonique [56] vaut plus que l'amour maternel (qui était haut placé), plus qu'un héritage en Égypte (auquel on ne manquait pas de s'intéresser), plus qu'une tombe à l'Occident (et on sait toute l'importance qu'a eue le culte funéraire en Égypte) [57], la venue de la jeune fille paraît pour notre malade beaucoup plus efficace que n'importe quel remède et que toute la «somme [58] médicale»!

[53] A. GARDINER, *The Library of A Chester-Beatty*, *The Chester-Beatty Papyri*, *n° I* (1931), p. 34 (V°, C, 4-5); pll. XXV-XXVI; P. GILBERT, *La poésie égyptienne* (1943), pp. 77-78; W. K. SIMPSON, *The Literature of Ancient Egypt* (1973), pp. 320-321; Miriam LICHTHEIM, *Ancient Egyptian Literature*, II (1976), p. 185; John B. WHITE, *A Study of the Language of Love in the Songs of Love and Ancient Egyptian Poetry* (1978), p. 121.

[54] Le verbe *hrw* signifie «être satisfait», mais avec la valeur plus précise de «être en accord avec» («mit etwas einverstand sein»: *Wört.*, II, 497, 5), comme lors de la passation de contrats.

[55] Il y a là une allusion évidente à ce que nous appellerions des phénomènes «psychosomatiques».

[56] *Pap. Lansing*, 2, 2-3; 3, 2 (GARDINER, *Miscellanies*, pp. 100-101; CAMINOS, *Miscellanies*, pp. 274; 378).

[57] Les anthologies scolaires s'efforcent de trouver des termes de comparaison expressifs. Leur étude attentive fournit des éléments d'une théorie des valeurs (morales et sociales), puisqu'on y apprend à quoi l'opinion publique attachait de l'importance.

[58] C. A. GARDINER, *The Chester Beatty Papyri*, N° 1 (1931), p. 34, n. 2: «The word for '*entire compendium of medecine*' is literally '*collection*', 'united (book)', and occurs only in this technical sense in the titles of extensive sections of the medical papyri».

Evidemment, dans le climat qui nous est décrit, la science ne l'emportera pas sur les ressorts sentimentaux des amoureux, mais on reconnaît l'existence de cette science, et nous apprenons même de la sorte que cette science aurait été codifiée (à tout le moins réunie en une ... encyclopédie (?)).

Qu'en était-il exactement?

Qu'était donc cette science médicale qui se différenciait des pratiques d'exorcistes comme le texte le signale?

De même que nous avons vu les enfants se préparer à l'âge adulte, nous avons, nous, à préparer l'avenir des Journées des Orientalistes Belges : nous allons les mener à un niveau toujours plus élevé.

D'après le plan qui se dessine et dont nous devons l'initiative au Professeur NASTER, c'est la «science» qui sera mise à l'ordre du jour de nos «Journées» de 1979. Nous sommes convaincu que les participants donneront tout un éventail d'aperçus qui offriront d'enrichissantes et passionnantes mises au point sur le savoir et les conceptions des anciens.

LA NAISSANCE DE L'ENFANT CHEZ LES ISRAÉLITES DE L'ANCIEN TESTAMENT

par CHARLES FONTINOY

Parce que les problèmes éthiques sont à l'ordre du jour, j'ai été amené, au cours de l'année écoulée, à me demander quelle avait été l'attitude des anciens Hébreux devant des questions telles que la limitation des naissances ou l'avortement. Les Israélites avaient une mentalité juridico-religieuse qui leur a fait formuler beaucoup de règles, et notamment beaucoup d'interdits, mais ils nous donnent fort peu de détails de caractère physiologique ou médical. De surcroît, les savants modernes, quand ils se sont intéressés à ces problèmes, les ont étudiés, eux aussi, dans leurs aspects juridiques beaucoup plus souvent que dans leurs aspects médicaux. C'est pourquoi je me suis surtout senti attiré par le côté médical des problèmes et ma curiosité s'est étendue à tout ce qui entourait la naissance de l'enfant. J'ai tenté d'effectuer un relevé des renseignements que la Bible peut nous donner à ce sujet, depuis la conception jusqu'à l'allaitement. Ce n'est pas grand-chose. On ne peut d'ailleurs faire ce relevé sans citer bon nombre de textes juridiques : ce sont bien souvent les seuls que l'on possède. On ne connaît quelquefois l'existence d'une pratique sexuelle que parce que la Bible l'interdit.

C'est essentiellement l'Ancien Testament qui a retenu mon attention. Je me suis néanmoins demandé si les pays voisins, notamment la Mésopotamie et l'Égypte, nous offraient des points de comparaison; et même, pour certaines questions du moins, si le judaïsme ultérieur, particulièrement celui qui s'exprime dans le Talmud, était resté dans la ligne de la Bible.

Comme je ne suis pas le premier, tant s'en faut, à me poser ces questions, ou des questions connexes, j'ai tâché, dans la mesure du possible, de consulter et de comparer tout ce qui avait déjà été écrit sur le sujet.

Il m'a paru, alors, que cet essai de synthèse pourrait peut-être intéresser les participants aux journées orientalistes.

J'envisagerai successivement, dans mon exposé, la limitation des naissances, l'avortement, la grossesse, l'enfantement et l'allaitement.

1. *La limitation des naissances*

Le premier problème avec lequel on se trouve confronté est celui de la limitation des naissances. Sur cette question il n'existe pas, à ma connaissance, d'étude systématique pour l'Antiquité. On n'en parle qu'occasionnellement [1].

A vrai dire, à l'époque de la Bible, ce problème ne se pose pas du tout de la même manière que maintenant. Dans une famille nombreuse, nous voyons des bouches à nourrir. Mais dans une société pastorale ou agricole, les enfants apparaissent comme une richesse. Les anciens Hébreux désiraient donc en avoir le plus possible. Dieu avait dit à Adam et Ève : «Fructifiez et multipliez-vous» [2]. Fréquemment Il promet une descendance abondante. Il dit à Abram : «je rendrai ta race comme la poussière de la terre, en sorte que, si l'on pouvait compter la poussière de la terre, on pourrait aussi compter ta race» [3]. Il lui dit aussi : «je multiplierai ta race comme les étoiles des cieux et comme le sable qui est sur le rivage de la mer» [4]. Pour consoler Hagar, chassée et malheureuse, l'ange de Iahvé lui dit : «je multiplierai ta race au point qu'on ne pourra la dénombrer, tant elle sera nombreuse» [5]. Il est certain que le commandement relatif à la fécondité, que les promesses de Dieu vont dans le sens de ce que souhaite le peuple hébreu. Un autre motif s'y ajouta bientôt : le désir de multiplier les chances que l'on pouvait avoir de compter parmi ses enfants un ancêtre du futur Messie. Tout cela explique beaucoup de choses. La stérilité était un grand malheur, qui rendait les femmes tristes et jalouses. Une épouse stérile n'hésitait pas à pousser son mari vers une concubine afin d'adopter les enfants qui en naîtraient. Saraï, stérile, engage Abram à aller vers sa servante Hagar [6]. Rachel, qui n'a pas d'enfant, propose à Jacob sa servante Bilhah [7]. L'Ancien Testament interdit l'inceste. Il est dit dans le Lévitique qu'un homme ne peut coucher avec sa tante. S'il le fait, quel sera leur châtiment? Ils mourront sans enfants [8] ! Dans l'Ancien Testament, le célibat n'était pas

[1] Dr. W. EBSTEIN, *Die Medizin im Alten Testament*, Stuttgart, 1901, p. 54, n. 1, renvoie, pour le cas d'Onan, à FERDY, Hans, *Die Mittel zur Verhütung der Conception*, 7e éd., Leipzig, 1899, p. 23.

[2] *Gn.*, 1, 28. — En principe, les traductions sont citées d'après *La Bible*, Bibl. de la Pléiade, Paris, Gallimard, t. 1, 1956, t. 2, 1959.

[3] *Gn.*, 13, 16.

[4] *Gn.*, 22, 17.

[5] *Gn.*, 16, 10.

[6] *Gn.*, 16, 1-4.

[7] *Gn.*, 30, 1-6.

[8] *Lév.*, 20, 20.

en honneur, et le judaïsme compte un certain nombre de rabbins qui considèrent tout célibataire comme coupable de l'être. Étant donné cet état d'esprit, une étude sur la limitation des naissances chez les Israélites ne peut être que réduite. Pourtant la tradition juive mentionne le *birth control* comme ayant caractérisé les générations dépravées qui ont précédé le Déluge[9]. Le célèbre rabbin français Rachi assure qu'à cette époque, certaines femmes, volontairement rendues stériles, n'existaient que pour le plaisir[10]. Mais on ne sait pas comment elles s'étaient rendues stériles.

Il y a pourtant, dans la Bible, un passage qui fait mention d'un procédé anticonceptionnel : c'est l'histoire d'Onan, fils de Juda. Une loi juive, la loi du lévirat, obligeait un homme, si sa belle-sœur devenait veuve sans enfants, à l'épouser, afin de donner à son frère défunt une postérité. Or Er, le frère aîné d'Onan, étant mort sans enfant, Onan fut obligé d'épouser sa veuve Tamar. «Mais, dit le texte[11], Onan savait que le rejeton ne serait pas à lui. Aussi quand il lui arrivait de venir vers la femme de son frère, il fraudait par terre, afin de ne pas donner de rejeton à son frère». Rachi, commentant ce passage, dit qu'il avait avec elle des rapports incomplets. Il s'agit donc du *coitus interruptus*. Si j'en crois le Dr I. Simon, le Talmud utilise à ce propos une expression pittoresque : «il a battu le blé à l'intérieur et a vanné dehors»[12]. Mais on remarquera que ce n'est pas pour limiter les naissances, c'est pour ne pas assumer une postérité qui appartiendrait à un autre.

En Mésopotamie, le problème de la limitation des naissances s'est posé aussi[13]. Il y existait une sorte de prêtresse appelée *nadītum*, qui pouvait se marier, mais qui ne pouvait pas avoir d'enfants[14]. Il en est déjà question dans le Code de Ḫammu-rapi[15]. Anne Draffkorn Kilmer pense que la limitation des naissances en Mésopotamie a ses origines dans la mythologie. Les dieux, effrayés par l'explosion démographique, auraient renoncé à détruire l'humanité, à condition que

[9] *Gen. Rab.* 23 : 2, 4, cité par Dr R. J. Zwi WERBLOWSKY et Dr Geoffrey WIGODER, *The Encyclopedia of the Jewish Religion*, Londres [1967], p. 71, s.v. *Birth Control.*

[10] Comment. à la Genèse, 4, 19-23.

[11] *Gn.*, 38, 9.

[12] Dr I. SIMON, *La médecine légale dans la Bible et le Talmud*, dans *Rev. d'hist. de la Médecine hébraïque*, nº 3 (mai 1949), p. 43.

[13] Je remercie très vivement mon collègue et ami Monsieur H. LIMET pour les renseignements qu'il a eu la gentillesse de me fournir à ce sujet.

[14] Rivkah HARRIS, *The Nadītu Woman*, dans *Studies presented to A. Leo Oppenheim*, Chicago, 1964, p. 106-135.

[15] Paragr. 178 et suiv.

des mesures fussent prises pour enrayer cette explosion, et notamment l'institution de catégories de prêtresses qui ne pourraient pas avoir d'enfants[16]. Comment faisaient-elles? On n'a guère de détails à ce sujet. Un texte mentionne explicitement le *coitus per anum*[17]. Un autre texte, qui concerne plutôt des prêtresses élamites, parle de ceintures de chasteté, où des objets auraient été dissimulés[18].

En Égypte, certaines femmes semblent ne pas avoir désiré d'enfant. D'après le Dr Leca, on a retrouvé dans un papyrus égyptien, la mention d'un pessaire à base de fiente de crocodile mêlée à une suspension mucilagineuse, et celle d'une mixture de miel et de natron, dont il fallait enduire les lèvres et le vagin. Ces procédés diminuaient peut-être la mobilité des spermatozoïdes[19]. Un autre papyrus parle d'une application qui contient différents produits et notamment de la gomme d'acacia. Celle-ci, en fermentant, donne de l'acide lactique, qui a un pouvoir spermaticide[20].

Le Talmud, quant à lui, connaît d'autres procédés anticonceptionnels. La mineure mariée, la femme enceinte et la femme qui allaite sont autorisées à utiliser un tampon contraceptif, le *môχ*[21]. Il existe également des breuvages spéciaux, mais, d'après le Dr I. Simon, l'utilisation d'un médicament anticonceptionnel est interdite[22]. Enfin certains mouvements (le «renversement») peuvent avoir un effet analogue[23].

Il convient d'ajouter, comme je le signalerai plus loin, que, chez ces peuples orientaux, l'allaitement durait longtemps, quelquefois plusieurs années, et que cette longue durée était elle-même de nature à contrecarrer la répétition d'une grossesse.

[16] A. D. KILMER, *The Mesopotamian Concept of Overpopulation and Its Solution as Reflected in the Mythology*, dans *Orientalia*, t. 41 (1972), p. 160-177.

[17] *CAD* E p. 325 b : *entu aššum lā erēša qinnassa ušnâk* «the high priestess will permit intercourse *per anum* in order to avoid pregnancy», texte cité et traduit par A. D. KILMER, *op. cit.*, p. 172, n. 50.

[18] Walther HINZ, *Das Reich Elam*, Stuttgart [1964], p. 53.

[19] Dr Ange-Pierre LECA, *La médecine égyptienne au temps des Pharaons*, Paris [1971], p. 328. Il s'agit là des énoncés incomplets n° 21 et n° 22 du papyrus Kahoun. C'est la manière dont on les interprète habituellement. Ils sont groupés sous l'intitulé «Pour éviter...» suivis du signe du phallus.

[20] Dr A.-P. LECA, *ibid.* Il s'agit ici du papyrus Ebers n° 783. Cfr aussi Paul GHALIOUNGUI, *Magic and Medical Science in Ancient Egypt*, Hodder and Stoughton [1963], p. 49 et 123, et H. GRAPOW, *Grundriss der Medizin der alten Ägypter*, Berlin, 9 vols, 1954-1973, *passim* (cfr l'index).

[21] Dr I. SIMON, *La médecine légale dans la Bible et le Talmud*, p. 53, qui cite des références.

[22] Dr I. SIMON, *La gynécologie, l'obstétrique, l'embryologie et la puériculture dans la Bible et le Talmud*, dans *Rev. d'hist. de la Médecine hébraïque*, n° 4 (sept.-déc. 1949), p. 50.

[23] *Talmud de Babylone*, Traité *Yebamoth*, 35a.

2. *L'avortement*

L'avortement est l'expulsion d'un fœtus avant terme, mais cette expulsion peut être naturelle, — il s'agit alors d'une fausse couche, — ou provoquée, — par exemple, par quelqu'un qui donne un coup à la femme enceinte, — ou délibérément voulue par la femme enceinte elle-même. L'histoire de l'avortement provoqué a fait l'objet de plusieurs travaux[24].

La Bible possède un terme pour désigner la femme qui perd son fruit : *mešakkēlāh*[25], qui est en fait le participe *pi'ēl* féminin de la racine *ŠKL* «être privé d'enfant», et un terme pour désigner l'avorton : *nēφεl*[26], de la racine *NPL* «tomber». Job regrette de n'être pas mort dès le ventre de sa mère[27].

Cependant, pour ce qui est de l'avortement provoqué, la Bible et plusieurs législations anciennes du Proche-Orient ne paraissent avoir connu que l'avortement réellement accidentel.

L'Exode dit : «Quand des hommes se disputent et heurtent une femme enceinte, si son foetus sort et qu'il n'y a pas d'accident, une amende sera exigée d'après ce qu'imposera le mari de la femme, et le coupable paiera au taux des magistrats. Mais s'il y a accident, tu paieras âme pour âme, ...»[28]. A vrai dire, le mot *'āsôn* «accident» n'est pas clair. S'agit-il d'un accident arrivé à l'enfant, ou à la mère? On comprend généralement qu'il s'agit de la mère : si on la fait avorter, on paiera une amende, si on la tue, on mourra. C'est ainsi notamment qu'a compris le Talmud. Mais la traduction grecque des Septante interprète le texte autrement et applique le mot «accident» au foetus : si celui-ci n'est pas complètement formé, on paiera une amende, s'il est complètement formé, on mourra. Et c'est aussi la manière de comprendre du *targum* samaritain et de bon nombre de commentateurs juifs de la tendance qaraïte[29].

D'autres législations de l'Ancien Orient envisagent également ce

24 Raymond-André MONPIN, *L'avortement provoqué dans l'Antiquité* (thèse pour le doctorat en médecine), Paris, 1918. — Jacques D. ZANCAROL, *L'évolution des idées sur l'avortement provoqué (étude morale et juridique)*, Paris, 1934. — Prof. LAIGNEL-LAVASTINE, *Histoire de l'avortement provoqué des origines à 1810*, dans *Mémoires de la Société française d'histoire de la Médecine et de ses filiales*, t. 1 (1945), p. 1-16.

25 *Ex.*, 23, 26.

26 *Ps.*, 58, 9; *Job*, 3, 16; *Eccl.*, 6, 3.

27 *Job*, 3, 11.

28 *Ex.*, 21, 22-23.

29 Menachem ELON, dans *Encyclopaedia Judaica*, s.v. *Abortion* (t. 2, col. 98 et suiv.).

même cas de la femme enceinte victime de coups. Le code de Ḫammu-rapi en parle aux articles 209-214. Si quelqu'un frappe la fille d'un homme libre et la fait avorter, il paiera 10 sicles d'argent. Si cette femme meurt, on tuera la fille de l'agresseur. Pour celui qui provoque un avortement, les lois sumériennes, assyriennes et hittites prévoient également des peines plus ou moins sévères. Il convient de noter que la loi assyrienne (§§ 50-52) fait varier la somme à payer d'après la condition sociale de la personne lésée, tandis que la loi hittite (§§ 17-18) tient compte de l'âge de l'embryon[30].

On peut raisonnablement supposer que, dans les cas envisagés par ces différentes législations, ce n'est pas le fœtus lui-même que l'agresseur voulait frapper : c'est la femme enceinte qui était victime d'un coup, volontaire ou involontaire. Pourtant Jérémie fait peut-être allusion au massacre, par une tierce personne, d'un enfant dans le sein maternel, lorsqu'il regrette que quelqu'un ne l'ait pas tué à ce moment, afin que sa mère fût son tombeau[31]. Un cas particulièrement odieux de ce genre de massacre se produisait dans les guerres, où, nous dit la Bible dans plusieurs passages, les vainqueurs fendaient le ventre des femmes enceintes[32].

L'autre type d'avortement, celui que la femme enceinte provoque sur elle-même, il n'en est pas question dans la Bible. Le code de Ḫammu-rapi n'en parle pas non plus. Et le Dr Leca signale également qu'en Égypte, l'avortement n'est mentionné dans aucun texte[33]. On en conclut habituellement que ce type d'avortement n'était pas connu. Cependant R.-A. Monpin estime que, l'avortement n'étant interdit ni dans le code de Ḫammu-rapi ni dans la législation mosaïque, «nous n'avons aucune raison de supposer qu'il le fût»[34]. J. D. Zancarol pense que, chez les peuples de l'Antiquité, les droits de famille se rattachent à une idée de propriété : les enfants appartiennent au père. La légitimité de l'avortement serait donc à ses yeux un corollaire du droit de vie et de

[30] Cfr Menachem Elon, *loc. cit.*; W. Kornfeld, dans *S.D.B.*, s.v. *Parenté* (t. 6, col. 1276). Je remercie également Madame Th. Urbin-Choffray pour les détails qu'elle a bien voulu m'envoyer concernant la législation hittite.

[31] *Jér.*, 20, 17.

[32] 2 *R.*, 8, 12; 15, 16; *Am.*, 1, 13. — On s'étonne de lire sous la plume du Dr D. Schapiro, *Obstétrique des Anciens Hébreux, d'après la Bible, les Talmuds et les autres sources rabbiniques, comparée avec la tocologie gréco-romaine*, Paris, 1904, p. 96, qui cite précisément 2 *R.*, 15, 16 : «Il semble que, pendant les guerres civiles des Hébreux, les femmes enceintes étaient habituellement respectées par l'ennemi».

[33] Dr A.-P. Leca, *op. cit.*, p. 328.

[34] R.-A. Monpin, *op. cit.*, p. 28.

mort, d'une manière générale[35] et plus particulièrement chez les anciens Israélites[36]. Concernant le silence gardé à ce sujet par le code de Ḫammu-rapi, il dit : «il faut en conclure que cet acte ne constitue pas un délit. En effet, la nature de la peine imposée pour l'avortement commis par un tiers et surtout la faiblesse de cette peine nous montre suffisamment que, dans la pensée sémitique, la vie embryonnaire n'est pas quelque chose de comparable à la vie humaine»[37]. Enfin, il arrive à une conclusion identique pour l'ancienne Égypte. D'après Diodore de Sicile, le parricide était condamné à mort après avoir dû subir un supplice cruel. L'infanticide, au contraire, était simplement condamné à tenir embrassé pendant trois jours et trois nuits le cadavre de son enfant[38]. J. D. Zancarol en conclut donc que la loi devait être plus indulgente encore pour celui qui faisait disparaître un embryon[39]. Le Prof. Laignel-Lavastine fait siennes, dans son article, toutes les opinions exprimées par J. D. Zancarol[40].

D'autres savants se montrent pourtant d'un avis totalement différent, en tout cas en ce qui concerne les anciens Israélites. René Voeltzel écrit : «On ne trouve pas trace d'une réprobation ou d'une approbation de l'avortement dans l'Ancien Testament, mais la mentalité d'ensemble va sûrement dans le sens de la réprobation»[41]. Et c'est aussi l'opinion de W. Kornfeld : «Nulle part l'A.T. ne proscrit expressément l'avortement, mais on était certainement gravement châtié pour l'avoir provoqué»[42]. Tel serait aussi mon sentiment sur ce problème. D'ailleurs, Flavius Josèphe, qui fait l'apologie du judaïsme dans le «Contre Apion», y dit que «la loi a ordonné de nourrir tous ses enfants et a défendu aux femmes de se faire avorter ou de détruire par un autre moyen la semence vitale : car ce serait un infanticide de supprimer une

[35] J. D. ZANCAROL, *op. cit.*, p. 13 : «Etant donné ce droit des parents de tuer un être déjà venu au monde, il faut en conclure qu'ils avaient à plus forte raison le droit d'anéantir un être qui n'avait pas encore vu le jour; c'est-à-dire de prévenir une naissance par des manœuvres abortives».

[36] J. D. ZANCAROL, *op. cit.*, p. 33. — Chez les Israélites, ce droit de vie et de mort ne doit avoir existé qu'à une époque très ancienne : cfr R. de VAUX, *Les institutions de l'Ancien Testament*, t. 1, Paris, 1958, p. 39.

[37] J. D. ZANCAROL, *op. cit.*, p. 20.

[38] DIOD. SIC., I, 77.

[39] J. D. ZANCAROL, *op. cit.*, p. 16 et suiv. — P. GHALIOUNGUI, *op. cit.*, p. 123, se demande, lui aussi, si l'avortement n'était pas quelquefois autorisé par la loi.

[40] Prof. LAIGNEL-LAVASTINE, *op. cit.*

[41] René VOELTZEL, *L'enfant chez les Hébreux*, dans *Recueils de la Société Jean BODIN*, t. 35 (1975), p. 138.

[42] W. KORNFELD, dans *S.D.B.*, s.v. *Parenté* (t. 6, col. 1276).

âme et d'amoindrir la race»[43]. Mais Zancarol me paraît minimiser la portée de ce texte.

Ce type d'avortement volontaire semble d'ailleurs avoir existé en Assyrie, puisque la loi assyrienne, § 53, punissait du supplice du pal et de la privation de sépulture la femme qui se faisait elle-même avorter. Zancarol se montre étonné d'une telle sévérité chez un peuple qui, dans l'ensemble, a laissé une réputation de cruauté plus grande que les Babyloniens. Il explique cette sévérité en disant que les lois assyriennes nous ramènent à un état social moins avancé que la législation babylonienne et qu'elles visent à protéger les droits absolus du père de famille[44]. Il importe de remarquer que ce paragraphe de la loi assyrienne vise toute femme, et pas seulement la femme mariée; qu'en outre, si la femme coupable d'avortement provoqué en meurt elle-même, son cadavre doit être empalé et privé de sépulture. Il s'agit donc, dit G. Cardascia, d'un crime particulièrement grave, auquel ne semble pas s'étendre la juridiction du mari; par ailleurs, la privation de sépulture et le caractère exécratoire du supplice *post mortem* montrent que c'est également un crime d'après le droit religieux. G. Cardascia explique cette sévérité en disant que l'avortement lèse la communauté tout entière en menaçant son existence même[45].

Si les talmudistes ont admis certains types d'avortements que nous qualifierions de thérapeutiques, en revanche ils croyaient tellement à l'amour maternel qu'ils n'ont pas songé à l'avortement provoqué. «Ce n'est qu'une folle qui tue son enfant (dans son sein)»[46].

La Bible ne mentionne pas d'autre forme d'infanticide, à moins que l'on ne voie une allusion à l'exposition d'enfants dans le passage où Ezéchiel dit: «Tu es restée exposée à la surface de la campagne, à cause du dégoût pour ta personne, le jour où l'on t'enfanta»[47], mais ce n'est pas sûr, car le passage est allégorique, le prophète s'adressant à la ville de Jérusalem.

C'est donc presque certainement en pensant à des avortons provenant de fausses couches que la Bible compare à leur sort des sorts très misérables[48].

[43] FLAV. JOS., *Contre Apion*, Livre II, chap. 24, § 202, cité par J.D. ZANCAROL, *op. cit.*, p. 37.

[44] J.D. ZANCAROL, *op. cit.*, p. 26-28.

[45] G. CARDASCIA, *Les lois assyriennes*, Paris [1969], p. 245 et suiv.

[46] *Nidd.* 25 b, cité par Dr I. SIMON, *La médecine légale dans la Bible et le Talmud*, p. 53.

[47] *Ezéch.*, 16, 5.

[48] *Ps.*, 58, 9; *Job*, 3, 16; *Eccl.*, 6, 3.

3. *La grossesse*

Le troisième volet de mon enquête concerne la grossesse[49].

Peut-être convient-il de remarquer tout d'abord que l'Ancien Orient semble avoir vu clairement les rapports de cause à effet entre les relations sexuelles et la grossesse, entre les règles de la femme et la fécondité, ce qui n'est pas le cas de tous les peuples[50]. Cela ressort de ce que j'ai dit des pratiques anticonceptionnelles, notamment, pour la Bible, de l'histoire d'Onan. On peut y ajouter un passage de la Genèse, où Sarai ne croit pas qu'elle pourra avoir un enfant, parce qu'elle a cessé «d'avoir ce qui arrive aux femmes»[51]. Lorsque la mère des Maccabées dit à ses fils: «Je ne sais de quelle façon vous êtes apparus dans mes entrailles»[52], elle fait évidemment allusion au mystère de l'intervention divine dans la création.

Les Hébreux n'avaient qu'une idée très vague de la manière dont l'embryon se développait dans le corps de la mère. L'Ecclésiaste semble voir là un domaine mystérieux, qui est réservé à Dieu : «De même que tu ne sais pas quel est le cheminement du souffle selon les os dans le sein de la femme enceinte, de même tu ne connaîtras pas l'œuvre de Dieu qui fait tout»[53]. Dieu lui-même dit au prophète Jérémie: «Avant même que je te forme dans le ventre, je te connaissais»[54]. Lorsqu'ils se hasardent à donner une description de ce phénomène, c'est toujours sous une forme très poétique, c'est-à-dire très peu scientifique. Job, accablé par son malheur, s'adresse à Dieu en ces termes: «Tes mains m'ont façonné et fabriqué, ... Souviens-toi donc que tu m'as fait comme avec de l'argile... Ne m'as-tu pas versé comme du lait? Et comme le fromage ne m'as-tu point caillé? De peau et de chair tu me vêtis, et d'os et de nerfs tu me tissas...»[55]. L'auteur du psaume 139 dit de même en s'adressant à Dieu: «C'est toi qui as créé mes reins, qui m'as tissé dans le ventre de ma mère. Je te rends

[49] Les problèmes soulevés par la grossesse, l'enfantement et l'allaitement ont déjà fait l'objet d'un certain nombre d'études, souvent anciennes. J'en cite plusieurs. Comme l'Ancien Testament donne fort peu de détails sur ces problèmes, elles parlent surtout du Talmud, beaucoup plus riche de renseignements divers. La meilleure me paraît être celle du Dr D. SCHAPIRO, *Obstétrique des Anciens Hébreux* (voir la référ. complète à la n. 32).

[50] Les indigènes du nord-ouest de la Mélanésie semblent ignorer totalement la nature du processus de la procréation (Malinowski).

[51] *Gn.*, 18, 11.

[52] 2 *Macc.*, 7, 22.

[53] *Eccl.*, 11, 5.

[54] *Jér.*, 1, 5.

grâce de ce que tu as accompli des prodiges merveilleux... Mes os ne t'étaient point cachés, quand j'étais fait dans le secret...»[56]. Les textes égyptiens ne sont pas plus explicites[57].

Par ailleurs, les Hébreux avaient remarqué que les enfants pouvaient remuer dans le sein de leur mère: lorsque Rebecca, épouse d'Isaac, est enceinte et attend des jumeaux, on dit que «les fils s'entrechoquaient dans son sein»[58]. On peut en rapprocher ce passage de saint Luc, où Elisabeth, qui attend la naissance de Jean-Baptiste, reçoit la visite de Marie: «Or, quand Elisabeth entendit la salutation de Marie, l'enfant tressaillit dans son sein»[59].

Ils avaient également été frappés par les rêveries ou par les envies des femmes enceintes. L'Ecclésiastique compare les divinations, les augures et les songes, qui sont choses vaines, aux imaginations du cœur d'une femme enceinte[60]. Ils croyaient même que les animaux qui attendaient des petits pouvaient avoir des envies de ce genre, comme on le voit pour les brebis de Jacob[61]. Le Talmud recommande de satisfaire les envies des femmes enceintes, même quand elles désirent des aliments prohibés[62].

La Bible paraît avoir hésité sur la durée exacte de la grossesse. La mère des Maccabées dit au plus jeune de ses fils: «je t'ai porté dans mon sein pendant neuf mois»[63], mais l'auteur de la Sagesse dit qu'il est resté dix mois dans le sein de sa mère[64]. On trouve la même hésitation dans les textes égyptiens[65]. Pour le Talmud, la grossesse dure 271-273 jours, soit neuf mois entiers[66]. En fait, beaucoup d'auteurs anciens ont attribué dix mois à la grossesse. Il en est encore ainsi dans la 4e églogue de Virgile, v. 61. C'est parce qu'ils comptaient par mois lunaires de 29 et de 30 jours alternativement, si bien qu'alors,

55 *Job*, 10, 8-11.

56 *Ps.*, 139, 13-15.

57 Dans le Coran, Sour. 22, v. 5, on lit: «Nous vous avons créés de poussière, puis d'une éjaculation, puis d'une adhérence, puis d'une masse flasque élaborée (?) ou non élaborée (?)» (trad. de R. BLACHERE).

58 *Gn.*, 25, 22.

59 *Luc*, 1, 41.

60 *Sir.*, 34, 5. Littéralement: «d'une femme en travail».

61 *Gn.*, 30, 39.

62 Dr I. SIMON, *La gynécologie, l'obstétrique...*, p. 38.

63 2 *Macc.*, 7, 27.

64 *Sag.*, 7, 2.

65 Dr A.-P. LECA, *op. cit.*, p. 329. — P. GHALIOUNGUI, *Magic and Medical Science in Ancient Egypt*, p. 123, assure qu'en Egypte la durée de la grossesse était bien connue, qu'elle variait entre 275 et 294 jours.

66 Dr I. SIMON, *La médecine légale dans la Bible et le Talmud*, p. 52.

au moment de la naissance, le dixième mois est entamé. Leur erreur est donc peut-être plus apparente que réelle.

Enfin, je n'ai trouvé nulle part la description des signes extérieurs qui marquent chez la femme les étapes de la grossesse. Le Docteur Leca s'étonne aussi de ne pas les trouver dans les textes égyptiens, si ce n'est cette phrase dans le conte de Satni : «Lorsque son temps vint et qu'elle eut les signes des femmes enceintes»[67]. Pourtant P. Ghalioungui parle d'indications relatives à l'état des seins, à leur fermeté, à la couleur du visage et des yeux[68]. Certains signes sont mentionnés dans le Talmud : il s'agit de l'arrêt des règles, de l'augmentation des seins et du ventre, du ballottement du foetus, quelquefois d'une démarche spéciale[69]. Il n'empêche qu'à l'époque biblique, on savait diagnostiquer une grossesse, puisque celle de Tamar avait été reconnue d'une manière positive[70].

4. *L'enfantement*

De même que c'est Dieu qui a formé l'enfant dans le sein de sa mère, c'est Lui qui l'en fait sortir au moment voulu. L'auteur du ps. 22 et celui du ps. 71 disent à Dieu : «C'est toi qui m'as tiré du ventre»[71].

Remarquons toutefois que, indépendamment de l'action divine, une émotion peut amener un accouchement prématuré. Apprenant que l'arche de Dieu avait été prise, que son beau-père et son mari venaient de mourir, l'épouse de Pinekhas enfanta prématurément et en mourut[72].

L'enfantement est douloureux. La Genèse nous dit que c'est un châtiment infligé à la femme comme punition de la faute originelle[73]. Rachel, nous dit-on, eut un enfantement laborieux[74]. Quand la Bible veut décrire une chose éprouvante, elle la compare souvent aux douleurs de l'enfantement. Isaïe parle de gens en détresse qui se tiennent devant Iahvé «comme une femme enceinte qui s'apprête à enfanter, qui est en travail et pousse des cris de douleur»[75]. Lorsque le malheur menace

[67] Dr A.-P. LECA, *op. cit.*, p. 328 et suiv.

[68] P. GHALIOUNGUI, *op. cit.*, p. 49. Cfr aussi, du même auteur, *The House of Life*, Amsterdam [1973], p. 112.

[69] Dr I. SIMON, *La médecine légale dans la Bible et le Talmud*, p. 51.

[70] *Gn.*, 38, 24.

[71] *Ps.*, 22, 10; 71, 6.

[72] 1 *Sam.*, 4, 19.

[73] *Gn.*, 3, 16.

[74] *Gn.*, 35, 16.

[75] *Is.*, 26, 17.

le pays d'Edom, le cœur des guerriers d'Edom est comme le cœur d'une femme en travail[76]. L'Ecclésiastique dit même avec ironie: «Pour une parole [à garder], l'insensé est dans les douleurs, comme l'est pour son enfant la femme en travail»[77].

Ils ont remarqué que, chez les primipares, les douleurs sont plus fortes. Jérémie entend «une voix comme d'une femme en travail, une angoisse comme d'une primipare». Une femme primipare se dit *maβkîrāh*, qui est le participe hifîl féminin de la racine *BKR* «être matinal»[78]. Le docteur D. Schapiro pense que les douleurs devaient être plus fortes dans la parturition des mâles et il cite à l'appui de cette opinion *Gn.*, 35, 17; *Is.*, 66, 7 et *Jér.*, 30, 6; mais ces passages ne me paraissent pas probants[79]. Les douleurs se feraient surtout sentir dans les reins, comme le montrent une comparaison d'Isaïe (21, 3), qui utilise le terme *moθnay*, et une autre de Jérémie (30, 6), qui emploie l'expression *ʿal-ḫalāṣāyw*. Ces douleurs peuvent d'ailleurs se présenter sous forme de sensations différentes, d'où la variété des termes qui les concernent[80]: *ʿεṣεβ* «travail pénible», «douleur» (*Gn.*, 3, 16); *ṣîrîm* «crampes» (*Is.*, 13, 8; 21, 3); *ḫîl* «tremblement» (*Jér.*, 6, 24; *Ps.*, 48, 7); *ṣārāh* «détresse», «angoisse» (*Jér.*, 4, 31; 6, 24; 49, 24) et surtout *ḫaβālîm* «douleurs», «douleurs d'une femme qui enfante» (*Is.*, 13, 8; 26, 17; *Os.*, 13, 13)[81].

Cependant, dans l'Exode, on semble bien dire que les femmes des Hébreux, plus vigoureuses que les Égyptiennes, accouchaient plus facilement que ces dernières[82]. Il n'empêche que certaines sont mortes en couches. J'ai déjà cité le cas de l'épouse de Pinekhas. Ce fut aussi le cas de Rachel, qui mourut en mettant Benjamin au monde[83].

Dans quelle position les femmes des Hébreux accouchaient-elles? Nous n'avons presque rien comme textes à ce sujet. Parlant de la femme de Pinekhas, sur le point d'accoucher, la Bible dit: *wattikraʿ*[84]. A.

[76] *Jér.*, 49, 22.

[77] *Sir.*, 19, 11.

[78] *Jér.*, 4, 31.

[79] Dr D. SCHAPIRO, *Obstétrique des Anciens Hébreux*, p. 98 et suiv.

[80] Dr D. SCHAPIRO, *op. cit.*, p. 99 et suiv.

[81] W. GESENIUS, *Hebräisches und aramäisches Handwörterbuch*, s.v. *ḫēβεl*, ne donne pas à ce mot une nuance particulière; il le rattache à la racine *ḪBL* «concevoir». Mais D. SCHAPIRO, *loc. cit.*, y voit des «constrictions»; il le rattache certainement à une racine homonyme *ḪBL* «lier», «tordre».

[82] *Ex.*, 1, 19.

[83] *Gn.*, 35, 16-19.

[84] 1 *Sam.*, 4, 19.

Crampon traduit : «elle se courba»[85]; E. Dhorme : «elle s'accroupit»[86]. Le verbe hébreu peut en effet se comprendre des deux manières. On pourrait même penser à : «elle s'agenouilla». Il y a des peuples où les femmes accouchent à genoux : les Polynésiennes de la Nouvelle-Zélande, qui appuient leurs mains sur un arbre ou sur un bâton fiché en terre, les Pensylvaniennes, aidées par une sage-femme qui se place derrière elles, les femmes tartares et d'autres[87]. Il n'y a guère, les femmes arabes de Palestine accouchaient encore dans la position accroupie[88]. On pense aussi à la femme égyptienne qui s'accroupissait sur ses talons, soit sur une natte, soit sur deux ou quatre briques séparées. Des hiéroglyphes nous la montrent dans cette position, agenouillée ou accroupie. Quelquefois, mais c'était, paraît-il, plus rare, la femme égyptienne utilisait un siège d'accouchement. Un exemplaire unique de ce siège a été retrouvé à Gournah, et le Musée du Caire l'avait d'abord pris pour un siège de latrine, mais les femmes des fellahs utilisent encore aujourd'hui des sièges obstétricaux[89].

Or la Bible nous rapporte que le pharaon, ayant décidé d'exterminer les fils des Hébreux, dit à leurs sages-femmes : «Quand vous accoucherez les femmes des Hébreux et que vous verrez, *ʿal-hāʾoβnāyim*, que c'est un fils, vous le ferez mourir; mais si c'est une fille, elle pourra vivre»[90]. On a discuté à perte de vue sur le sens de l'expression *ʿal-hāʾoβnāyim*, que l'on ne trouve que dans ce passage, qui est un duel et qui pourrait signifier «sur les deux pierres». Beaucoup ont pensé au sexe du nouveau-né, notamment aux deux testicules. Mais c'est D. Schapiro qui donne, à mon sens, la meilleure interprétation de cette expression : les *ʾoβnāyim* sont les deux pierres sur lesquelles s'appuie la parturiente agenouillée. La sage-femme se trouve derrière. Cette position est la seule qui permette l'assassinat des enfants mâles ordonné par le pharaon. En effet, avant l'expulsion, le sexe de l'enfant n'est pas connu. Après l'expulsion, le crime ne peut plus passer inaperçu. Ce crime n'est

[85] *La Sainte Bible*, trad. par le chan. A. CRAMPON, Paris, 1939, p. 295.

[86] *La Bible, L'Ancien Testament*, Bibl. de la Pléiade, t. 1, p. 825.

[87] Dr D. SCHAPIRO, *Les attitudes obstétricales chez les Hébreux d'après la Bible et le Talmud*, dans *Revue des Etudes Juives*, t. 40 (1900), p. 45.

[88] Cfr A.-G. BARROIS, *Manuel d'archéologie biblique*, t. 2, Paris, 1953, p. 19.

[89] Dr A.-P. LECA, *op. cit.*, p. 331 et suiv. — P. GHALIOUNGUI, *The House of Life*, p. 115 et suiv. — Le Dr L. GOGUEL, *Accouchements chez les Hébreux et les Arabes*, dans *Gazette hebdomadaire de médecine et de chirurgie*, Paris, nº 23 (8 juin 1877), p. 363, raconte qu'il a été appelé auprès d'une femme tunisienne qui accouchait assise sur deux pierres plates écartées de 15 centimètres.

[90] *Ex.*, 1, 16.

possible qu'entre la rotation externe et le dégagement du tronc : à ce moment, la sage-femme peut glisser deux doigts sous le ventre de l'enfant, dans le vagin, et, si c'est un garçon, serrer entre ses deux doigts la tige funiculaire pour faire mourir l'enfant[91]. Il me paraît donc moins probable que les *'oβnāyim* puissent désigner un siège d'accouchement, tel que l'Egypte l'a sans doute connu. L'*Encyclopaedia Judaica*, qui opte pour cette interprétation, va jusqu'à dire que ce siège d'accouchement était souvent utilisé[92]. Ceci me paraît douteux. Néanmoins cet usage n'a peut-être pas été inconnu de l'ancienne Palestine à une certaine époque. En effet, le Talmud, comme certains milieux de l'Orient moderne, connaît une chaise obstétricale, le *mašbēr*. Or le terme *mašbēr* figure trois fois dans la Bible[93]. On y voit habituellement l'orifice de la matrice, mais il n'est nullement impossible qu'il s'agisse d'un siège obstétrical[94].

Il est possible aussi que l'accouchement ait eu lieu sur les genoux de quelqu'un. Rachel, qui n'a pas d'enfant, dit à Jacob, son époux : «Voici ma servante Bilhah, viens vers elle pour qu'elle enfante sur mes genoux»[95]. Ailleurs, on parle des enfants qui sont nés sur les genoux de Joseph[96]. Et Job, maudissant le jour de sa naissance, dit : «Pourquoi deux genoux m'ont-ils accueilli...?»[97]. Sans doute le P. R. de Vaux ne voit-il là qu'un rite d'adoption, qui consistait à mettre l'enfant «sur les genoux ou entre les genoux de celui ou de celle qui l'adoptait»[98]. Cependant D. Schapiro croit qu'il s'agit réellement d'une attitude obstétricale puisqu'on la retrouve chez beaucoup de peuples : les femmes mongoles, kalmoukes, péruviennes, finlandaises accouchent sur les genoux d'une autre personne, le plus souvent de leur mari[99].

L'accouchement paraît avoir exigé, d'une manière habituelle, l'aide d'une sage-femme[100]. Celle-ci ne manquait pas de compétence. Lorsque Tamar va mettre au monde ses deux jumeaux, le premier sort une main et la sage-femme y attache un fil écarlate pour le reconnaître ; elle avait donc prévu qu'il s'agissait d'une grossesse gémellaire[101].

[91] Dr D. SCHAPIRO, *Les attitudes obstétricales chez les Hébreux*, p. 45 et suiv.
[92] *Encycl. Jud.*, s.v. *Birth* (t. 4, col. 1050).
[93] 2 *R.*, 19, 3 ; *Is.*, 37, 3 ; *Os.*, 13, 13.
[94] Dr D. SCHAPIRO, *op. cit.*, p. 46 et suiv.
[95] *Gn.*, 30, 3.
[96] *Gn.*, 50, 23.
[97] *Job*, 3, 12.
[98] R. DE VAUX, *op. cit.*, p. 86.
[99] Dr D. SCHAPIRO, *op. cit.*, p. 39 et suiv.
[100] *Gn.*, 35, 17 ; 38, 27-30 ; *Ex.*, 1, 15-21.
[101] *Gn.*, 38, 27-29.

Mais on ne trouve dans la Bible aucun renseignement sur les accouchements anormaux, pathologiques. Il doit y en avoir eu cependant, puisque le premier des deux jumeaux de Tamar a ouvert, en naissant, une brèche, — *pεrεṣ*, — anormale, ce qui lui vaut son nom de *Pεrεṣ*. Tamar pourrait donc avoir subi une déchirure du périnée [102]. Si Rachel et l'épouse de Pinekhas sont mortes en couches, c'est que l'accouchement n'avait pas été normal. En Égypte, certaines momies portent les traces d'accouchements particulièrement difficiles [103]. Par ailleurs, pour trouver, chez les Juifs, une allusion à la césarienne ou à l'embryotomie, il faut attendre le Talmud.

Le Deutéronome mentionne l'arrière-faix, **šilyāh*, de la racine *ŠLH* «tirer dehors», à l'occasion d'une famine si grande que la femme sera contrainte de le manger [104]. On connaît peu de choses des soins prodigués après la naissance, sinon, par un passage du prophète Ezéchiel, qu'on coupait le cordon ombilical, qu'on lavait l'enfant pour le purifier, qu'on le frottait de sel et qu'on l'enveloppait de langes [105].

Enfin, pas plus en Israël qu'en Egypte, la présence du père ne semble avoir été souhaitée lors de l'accouchement [106].

5. *L'allaitement*

On ne peut terminer ce tour d'horizon sans dire un mot de l'allaitement.

Celui-ci était la règle à l'époque de la Bible [107]. La femme qui refusait d'allaiter son enfant passait pour cruelle [108].

Il arrivait quelquefois que l'on confiât l'enfant à une nourrice, mais le fait apparaît plutôt comme exceptionnel, par exemple lorsque la mère était morte ou malade [109]. Il existe deux termes pour désigner la nourrice : *mênεqεθ* [110], qui est le partic. hifîl féminin de *YNQ* «sucer»,

[102] SLEVOGT, *De partu Thamaris difficili et de perineo inde rupto*, Gen., 1700, cité par Dr D. SCHAPIRO, *Obstétrique des Anciens Hébreux*, p. 151, n. 1.

[103] Dr A.-P. LECA, *op. cit.*, p. 334 et suiv.

[104] *Deut.*, 28, 57.

[105] *Ezéch.*, 16, 4. — L'emploi du sel est diversement expliqué : pour tonifier, pour faire disparaître l'enduit sébacé, pour lutter contre l'eczéma.

[106] Cfr *Jér.*, 20, 15; *Job*, 3, 3. — R. DE VAUX, *op. cit.*, p. 74. — Dr A.-P. LECA, *op. cit.*, p. 332.

[107] *Gn.*, 21, 7-8; 1 *Sam.*, 1, 22-23; 1 *R.*, 3, 21; *Is.*, 11, 8; *Os.*, 1, 8; *Ps.*, 131, 2; *Job*, 3, 12; et même 1 *Thess.*, 2, 7.

[108] *Lam.*, 4, 3.

[109] *Ex.*, 2, 7-9.

[110] *Gn.*, 24, 59; 35, 8.

et *'ōmεnεθ*[111], qui est le partic. qal féminin de *'MN* et qui signifie en réalité «éducatrice». On s'est parfois demandé, surtout dans le cas où c'est ce dernier terme qui était utilisé, si, en réalité, il ne s'agissait pas souvent d'une simple éducatrice, d'une nourrice sèche[112].

L'allaitement durait longtemps, de deux à trois ans et peut-être davantage. Dans l'Exode, la mère de Moïse, qui joue le rôle d'une nourrice, ne rend l'enfant que quand il a grandi[113]. La mère des Maccabées a nourri son fils cadet pendant trois ans[114]. Les mères égyptiennes, elles aussi, allaitaient pendant trois ans et cette longue durée est signalée dans les maximes d'Ani et dans un papyrus funéraire du Louvre[115]. A l'époque talmudique, la durée habituelle de l'allaitement variait entre 18 mois et deux ans[116]. Aujourd'hui encore, en Orient, les mères allaitent leurs enfants longtemps, quelquefois trois ans.

Le Dr Amin Gemayel pense que cet allaitement prolongé est parfaitement indiqué pour combattre la mortalité infantile : le lait maternel est d'une digestibilité idéale, il ne contient ni germes ni parasites, il est riche en vitamines[117]. D'autre part, comme je l'ai déjà fait remarquer, l'allaitement prolongé peut contribuer à espacer les naissances.

[111] 2 *Sam.*, 4, 4.

[112] Dr D. SCHAPIRO, *Obstétrique des Anciens Hébreux*, p. 130. — E. MANGENOT, dans *D.B.*, s.v. *Enfant* (t. 2, col. 1787).

[113] *Ex.*, 2, 10.

[114] 2 *Macc.*, 7, 27.

[115] Dr A.-P. LECA, *op. cit.*, p. 341.

[116] Dr D. SCHAPIRO, *op. cit.*, p. 131.

[117] Dr A. GEMAYEL, *L'hygiène et la médecine à travers la Bible*, Paris, 1932, p. 17.

DE ETHIOPISCHE VERSIE VAN HET KINDSHEIDSEVANGELIE VOLGENS THOMAS DE ISRAËLIET

door LUCAS VAN ROMPAY

Het apokriefe evangelie dat aan Thomas de Israëliet wordt toegeschreven verhaalt een aantal gebeurtenissen die zich tussen het vijfde en twaalfde levensjaar van Jezus hebben voorgedaan [1]. Het sluitstuk van deze verhalencyclus handelt over Jezus' wonderbaarlijk optreden in de tempel temidden van de leraren en is een vrije weergave van de overeenkomstige passus in het Lucasevangelie (Lc. 2, 41-52).

De overige verhalen hebben geen parallellen in de kanonieke evangeliën. Ze beschrijven ons het vaak overmoedige optreden van een zelfbewust Jezuskind, dat door bovennatuurlijke daden zijn wonderkracht ten toon spreidt, onverbiddelijk straft eenieder die hem hindert, de leraren van deze wereld beschaamt, en door mysterieuze uitspraken zijn bovenaardse herkomst benadrukt.

Bij de interpretatie van dit geschrift stellen zich talrijke problemen. Hiertoe draagt niet enkel de vreemdsoortige inhoud bij, doch evenzeer ook de bijzonder ingewikkelde tekstoverlevering. Dit Kindsheidsevangelie is immers bewaard in vele talen en de onderlinge afwijkingen zijn van die aard dat men gerust kan spreken van evenveel verschillende recensies. Zo beschikken wij over versies in het Grieks, het Latijn, het Syrisch, het Georgisch, het Ethiopisch, het Oud-Slavisch, het Armeens en het Arabisch [2]. Sommige versies bevatten een langere of een kortere kollektie; vaak zijn moeilijk te begrijpen gedeelten op een hopeloze manier bijgewerkt of verbeterd zodat men een totaal andere inhoud bekomt; tenslotte schijnen er in de loop van de tekstoverlevering pogingen te zijn ondernomen om de al te onaanvaardbare kanten van de Jezusfiguur weg te werken. Daarnaast zijn er ook de talrijke

[1] De toeschrijving aan Thomas is slechts aanwezig in enkele Griekse, Latijnse en Oud-Slavische handschriften en is naar alle waarschijnlijkheid van latere datum. Daar echter de benaming met deze toeschrijving algemeen gebruikt is, geef ik er de voorkeur aan ze als dusdanig te behouden in deze uiteenzetting.

[2] Cf. O. CULLMANN, in E. HENNECKE-W. SCHNEEMELCHER, *Neutestamentliche Apokryphen in deutscher Uebersetzung*, I, 4e ed., Tübingen, 1968, p. 290-299.

gevallen van onjuiste of onhandige vertaling, die op hun beurt weer aanleiding hebben gegeven tot verder tekstbederf. Het handschriftelijke materiaal, dat zich over vijftien eeuwen uitspreidt, is nog in een onvoldoende mate uitgegeven en bestudeerd. De meest elementaire vragen als die naar de ontstaansdatum, naar de oorspronkelijke taal en naar het auteurschap zijn daarom ook nog ver van een oplossing.

Aan deze tekst heeft S. Gero in 1971 een artikel gewijd dat een goede samenvatting en een konfrontatie inhoudt van de tot dusver bereikte resultaten in het onderzoek[3]. Voornamelijk vindt men hier een overzicht van het handschriftelijke materiaal in de diverse talen en enkele — zij het meestal vage — aanduidingen over de onderlinge verwantschap van de versies[4].

De belangrijkste plaats kent S. Gero toe aan de Syrische versie, die W. Wright in 1865 gepubliceerd heeft op basis van één handschrift, vermoedelijk uit de 6e eeuw[5]. Nauw verwant met deze Syrische versie is een gedeeltelijk bewaarde Georgische versie, die overgeleverd is in één enkel handschrift uit de 11e eeuw[6]. Hiervan heeft G. Garitte in 1956 een woordelijke Latijnse vertaling uitgegeven[7]. Hij heeft gewezen op de archaïsche taal van de Georgische tekst die verscheidene eeuwen ouder zou kunnen zijn dan het handschrift waarin hij is tot ons

[3] S. GERO, *The Infancy Gospel of Thomas. A Study of the Textual and Literary Problems*, in *Novum Testamentum*, 13, 1971, p. 46-80.

[4] Sedert het verschijnen van GERO's artikel zijn enkele nieuwe tekstgetuigen aan het licht gekomen en andere, reeds vroeger bekende, beter bestudeerd of uitgegeven. Voor de Griekse traditie, zie J. NORET, *Pour une édition de l'Évangile de l'Enfance selon Thomas*, in *Analecta Bollandiana*, 90, 1972, p. 412. De belangrijke fragmenten van de Latijnse palimpsest van Wenen (cf. S. GERO, *art. cit.*, p. 50) werden uitgegeven door G. PHILIPPART, *Fragments palimpsestes latins du Vindobonensis 563 (Ve siècle?). Évangile selon S. Matthieu, Évangile de l'Enfance selon Thomas, Évangile de Nicodème*, in *Analecta Bollandiana*, 90, 1972, p. 391-411. Het Arabische handschrift van Firenze (cf. S. GERO, *art. cit.*, p. 52) werd uitgegeven, vertaald en bestudeerd door M.E. PROVERA, *Il Vangelo arabo dell'Infanzia secondo il ms. Laurenziano Orientale (n. 387)* (Quaderni de «La Terra Santa»), Jeruzalem, 1973. Hierin komen echter de verhalen van ons Thomasevangelie niet voor. Enkele uittreksels schijnen wel aanwezig te zijn in een handschrift van de Ambrosiana (G 11 sup.), cf. O. LÖFGREN-R. TRAINI, *Catalogue of the Arabic Manuscripts in the Biblioteca Ambrosiana*, I, Vicenza, 1975, p. 15 (ms. XVI, 3). Voor een verdere overzicht van de Arabische handschriften, zie G. GRAF, *Geschichte der christlichen arabischen Literatur*, I (Studi e Testi, 118), Vatikaanstad, 1944, p. 226.

[5] W. WRIGHT, *Contributions to the Apocryphal Literature of the New Testament*, Londen, 1865, Syrische tekst: p. 11-16; vertaling: p. 6-11. Voor de overige Syrische handschriften, zie S. GERO, *art. cit.*, p. 51-52.

[6] Ed. A. ŠANIDZE, in *Travaux de l'Université d'État Stalinine à Tiflis*, 18, 1941, p. 29-40 (met begeleidende tekst in het Georgisch).

[7] G. GARITTE, *Le fragment géorgien de l'«Évangile de Thomas»*, in *Revue d'histoire ecclésiastique*, 51, 1956, p. 513-520.

gekomen. Naast dit oude tekstbeeld, dat dus in de Syrische en Georgische versies — weliswaar in een verschillende mate — weerspiegeld wordt[8], staat de groep van de Griekse en Oud-Slavische versies, die een verder stadium in de tekstontwikkeling zou vertegenwoordigen[9]. De overige versies, met name het Latijnse Evangelie van Pseudo-Mattheüs, de Armeense en Arabische Kindsheidsevangeliën en de Ethiopische versie van het Thomasevangelie, beschouwt S. Gero als «parafrasen», die bij de tekstkonstitutie als «secundaire getuigen» moeten behandeld worden[10].

Deze vier versies hebben inderdaad enkele gemeenschappelijke kenmerken. Zo is de beperkte cyclus van het Thomasevangelie opgenomen in meer omvattende werken, die grotere gedeelten van Jezus' leven tot voorwerp hebben en op diverse bronnen berusten[11]. Het vermoeden dat de samenstellers van deze werken tamelijk vrij met hun bronnen zijn omgegaan, en de vaststelling dat inderdaad ons Thomasevangelie in sommige van deze werken verschijnt in een bewerkte vorm, nu eens ingekort, dan weer uitgebreid en vaak tekstueel ver verwijderd van de «oude» Syrische en Georgische teksten, schijnt de bewering te rechtvaardigen dat het in deze gevallen gaat om «secundaire getuigen».

[8] De Bollandist P. PEETERS heeft het vermoeden uitgesproken dat de Latijnse tekst van de Weense palimpsest, die hem onvolledig bekend was, zou vertaald zijn uit het Syrisch, cf. *Évangiles apocryphes*, II. *L'Évangile de l'Enfance* (Textes et documents pour l'étude historique du christianisme), Parijs, 1914, p. XXI. Hoewel na de publikatie van de Latijnse fragmenten door G. PHILIPPART (zie noot 4) dit probleem nog niet terdege is bestudeerd, is er inderdaad een nauwe verwantschap tussen de Syrische en Latijnse teksten aan het licht gekomen. Ik durf echter vooralsnog niet de stelling onderschrijven dat het hier om een rechtstreekse vertaling uit het Syrisch gaat.

[9] Verwant met de Griekse versie schijnt ook het Latijnse Kindsheidsevangelie te zijn dat C. TISCHENDORF heeft uitgegeven onder de titel „Tractatus de pueritia Iesu secundum Thomam": *Evangelia apocrypha*, 2e ed., Leipzig, 1876, p. 164-180.

[10] „*Ps-Matt Arm Arab Eth* are paraphrases which however do incorporate incidents that belong to the TE tradition; but they should be treated as secondary witnesses". (*art. cit.*, p. 55).

[11] Over de onderlinge verhouding van de Armeense en Arabische Kindsheidsevangeliën bestaat nog weinig duidelijkheid, cf. P. PEETERS, in de inleiding van *Évangiles apocryphes*, II; O. CULLMANN, in E. HENNECKE-W. SCHNEEMELCHER, *Neutestamentliche Apokryphen*, p. 302-303; S. GERO, *art. cit.*, p. 52-53. Punten van overeenkomst bestaan ook met een Syrisch verzamelwerk dat uitgegeven is door E.A. WALLIS BUDGE, *The History of the Blessed Virgin Mary and the History of the Likeness of Christ which the Jews of Tiberias made to mock at*, 2 vol., Londen, 1899. Hier, zoals in het Armeense Kindsheidsevangelie (en in een bewerkte vorm ook in het Arabische Kindsheidsevangelie) vindt men naast het materiaal uit het Thomasevangelie ook heel wat elementen uit het Protevangelie van Jacobus, cf. E. DE STRYCKER, *La forme la plus ancienne du Protévangile de Jacques* (Subsidia hagiographica, 33), Brussel, 1961, p. 43 en p. 371-372.

Doch geldt dit wel in dezelfde mate voor de vier werken die hier onder één noemer worden geplaatst? Het ligt in mijn bedoeling deze vraag nader te onderzoeken met betrekking tot de Ethiopische versie.

Het Ethiopische Thomasevangelie is overgeleverd als onderdeel van een omvangrijk werk dat de titel draagt «Mirakelen van Jezus» (*Ta'āmra Iyasus*) en dat een uitgebreide reeks verhalen bevat van diverse oorsprong, gewijd aan het leven van Jezus. Dit werk, waarvan slechts de helft is uitgegeven[12], is bewaard in talrijke handschriften[13].

De Ethiopische kollektie van de Mirakelen van Jezus is geen eigen Ethiopisch produkt, doch een vertaling uit het Arabisch[14]. De Arabische versie — wel te onderscheiden uiteraard van het Arabische Kindsheidsevangelie — werd in 1957 op basis van één handschrift uit de Ambrosiana (A.D. 1342) uitgegeven door I. Galbiati[15]. Onlangs heeft de Bollandist M. van Esbroeck temidden van de Arabische Sinaï-handschriften een tweede codex ontdekt (*Sinai, ar. 441*, A.D. 1196),

[12] S. GRÉBAUT, *Les Miracles de Jésus*, in *Patrologia Orientalis*, 12, 1919, p. 551-652; 14, 1920, p. 767-844; 17, 1923, p. 783-857; ID., *La légende du parfum de Marie-Madeleine*, in *Revue de l'Orient chrétien*, 21, 1918-1919, p. 100-103; *La Pentecôte et la mission des apôtres*, *ibid.*, p. 204-213 en 22, 1920-1922, p. 57-64; *Les relations entre Abgar et Jésus*, *ibid.*, 21, 1918-1919, p. 73-87 en p. 190-203. Voor een overzicht van het gehele werk, zie ID., *Aperçu sur les Miracles de Notre-Seigneur*, in hetzelfde tijdschrift, 16, 1911, p. 255-265 en p. 356-367; 21, 1918-1919, p. 94-99.

[13] Cf. V. ARRAS-L. VAN ROMPAY, *Les manuscrits éthiopiens des„Miracles de Jésus" (comprenant l'Évangile apocryphe de Jean et l'Évangile de l'Enfance selon Thomas l'Israélite)*, in *Analecta Bollandiana*, 93, 1975, p. 133-146. Het Ethiopisch-Amerikaanse projekt ter mikrofilmering van handschriften in Ethiopië heeft talrijke nieuwe getuigen aan het licht gebracht: W. F. MACOMBER, *A Catalogue of Ethiopian Manuscripts Microfilmed for the Ethiopian Manuscript Microfilm Library, Addis Ababa and for the Monastic Manuscript Microfilm Library, Collegeville*, I, Collegeville, 1975 (7 volledige handschriften); II, 1976 (9 volledige handschriften), cf. L. VAN ROMPAY, in *Orientalia Lovaniensia Periodica*, 8, 1977, p. 220 en 222.

[14] S. GERO is blijkbaar niet op de hoogte van de Arabische oorsprong van het werk. Zijn datering (15e eeuw) stamt uit de tijd dat de Arabische tekst nog niet bekend was, en men geneigd was het Ethiopische geschrift te beschouwen als een autochtoon produkt uit de tijd van Zar'a Ya'qob (1434-1468), cf. I. GUIDI, *Storia della letteratura etiopica*, Rome, 1932, p. 63, en zo ook nog A. VÖÖBUS, *Ta'āmera Iyasus. Zeuge eines älteren äthiopischen Evangelientypus*, in *Orientalia Christiana Periodica*, 17, 1951, p. 462-467. Na de uitgave en de studie van de Arabische grondtekst kan deze opvatting niet langer verdedigd worden, cf. O. LÖFGREN, *Ergänzendes zum apokryphen Johannesevangelium*, in *Orientalia Suecana*, 10, 1961, p. 139-140. Als *terminus ante quem* voor het ontstaan van het Arabische werk dient de dagtekening van het oudste handschrift, nl. 1196. O. LÖFGREN wil het geschrift situeren rond het jaar 1000 of kort daarna, cf. *Zur Charakteristik des apokryphen Johannesevangeliums*, in *Orientalia Suecana*, 9, 1960 (Studia Orientalia memoriae E. Gren dedicata), p. 129-130.

[15] I. GALBIATI, *Iohannis evangelium apocryphum arabice*, Milaan, 1957.

ouder en volllediger dan de Ambrosianus[16]. Welnu, in de Arabische versie, en ook in een belangrijk aantal Ethiopische handschriften ontbreekt ons Kindsheidsevangelie. Men mag dus aannemen dat het oorspronkelijk niet tot dit werk behoorde en er pas in een later stadium van de overlevering werd aan toegevoegd. Een belangrijke aanduiding in dezelfde richting leveren ons de overige Ethiopische handschriften. Het Kindsheidsevangelie heeft er immers geen vaste plaats. In sommige gevallen is het toegevoegd aan het einde van het werk en fungeert als een appendix, in andere gevallen is het ingelast op de plaats waar het chronologisch thuishoort, maar ook dan doen er zich schommelingen voor : soms staat het onmiddellijk na het verhaal over de terugkeer van de heilige familie uit Egypte, dan weer bevindt het zich op een verdere plaats[17].

Deze gegevens tonen aan dat het Kindsheidsevangelie van Thomas oorspronkelijk niet tot de kollektie van de Mirakelen van Jezus behoorde. Het is er later[18] als een vreemd element aan toegevoegd, en deze toevoeging heeft niet kunnen beletten dat daarnaast ook de kollektie zonder de kindsheidsverhalen een verdere overlevering kende. Het Kindsheidsevangelie is dan ook niet bewerkt door de samensteller van de kollektie : het heeft geen vormelijke of tekstuele wijzigingen ondergaan die erop gericht zouden zijn het aan te passen aan een ruimere kontekst en het daarmee in overeenstemming te brengen.

Het Ethiopische Kindsheidsevangelie[19], dat doorheen de talrijke handschriften als een tamelijk vastliggend geheel verschijnt, bestaat uit 18 opeenvolgende stukjes of korte verhaaltjes die soms inhoudelijk

[16] M. VAN ESBROECK, *À propos de l'Évangile apocryphe arabe attribué à Saint-Jean*, in *Mélanges de l'Université Saint-Joseph*, 49, 1975-1976 (Mélanges H. Fleisch), p. 597-603.

[17] Cf. V. ARRAS-L. VAN ROMPAY, *Les manuscrits*, p. 143-144. Naast het Kindsheidsevangelie van Thomas bevatten sommige handschriften enkele verhaaltjes die zouden kunnen stammen uit een tweede kindsheidscyclus, die los staat van de vorige en waarschijnlijk van latere datum is, cf. *ibid.*, p. 145-146.

[18] Daar al onze handschriften van vrij recente datum zijn, beschikken wij niet over aanduidingen omtrent de tijd waarin de toevoeging is gebeurd. In de 17e eeuw bestaan alleszins de beide teksttypen (met en zonder Kindsheidsevangelie) naast elkaar, cf. *art. cit.*, p. 144.

[19] Ed. S. GRÉBAUT, in *Patrologia Orientalis*, 12, 1919, p. 625-642. Deze uitgave steunt op 3 handschriften (verbeter V, ARRAS-L. VAN ROMPAY, *art. cit.*, p. 145 en S. GERO, *art. cit.*, p. 53), nl. *Paris, Bibl. Nat., Abb. 168* en *226* en *Brit. Mus. Or. 712.* Van de twee overige handschriften die voor de rest van de uitgave gebruikt werden (*Brit. Mus. Or. 623* en *624*) zegt S. GRÉBAUT dat ze het Kindsheidsevangelie niet bevatten (*o.c.*, p. 625, krit. app.). In feite bevat *Brit. Mus. Or. 624* wel het Kindsheidsevangelie, doch op het einde van de kollektie (f. 148r-154r).

bij elkaar aansluiten, doch vaak ook los staan van elkaar[20]. Deze kompositie nu vindt men vrij nauwkeurig terug in de Syrische versie. Slechts één kort verhaaltje, het voorlaatste van de Ethiopische kollektie, ontbreekt in het Syrisch[21], en het laatste verhaaltje in het Ethiopisch heeft een andere plaats in de Syrische kollektie[22]. Ook zijn er nog enkele verschillen in het negende verhaaltje[23]. De overige stukjes vallen nagenoeg volledig samen, zowel wat betreft de omvang als wat betreft de inhoud.

Deze overeenkomsten gelden ook voor het bewaarde fragment van de Georgische versie. De negen verhaaltjes die hierin aanwezig zijn vallen samen met het overeenkomstige gedeelte in de Syrische en in de Ethiopische teksten. De kompositie van de andere versies is in meerdere of in mindere mate verschillend: sommige verhaaltjes zijn weggelaten of toegevoegd, andere zijn ingekort of uitgebreid, nog andere zijn van plaats veranderd[24]. In dit opzicht sluit de Ethiopische versie dus reeds aan bij de voornaamste tak van de overlevering, bestaande uit de Syrische en Georgische versies.

Bij de gedetailleerde vergelijking van de teksten zelf ontstaat geen andere indruk. Hoewel er verscheidene plaatsen zijn waar de Ethiopische versie afwijkt van de Syrische, en hoewel de Ethiopische zeker niet steeds als een getrouwe vertaling van de Syrische kan worden beschouwd, treedt uit een groot gedeelte van de tekst toch een nauwe verwantschap tussen de beide versies naar voren, terwijl ook hier weer de Georgische versie deelt in deze verwantschap. Men kan stellen dat de groep van de Syrische, Ethiopische en Georgische teksten sterkere onderlinge

[20] Men kan het geheel ook enigszins anders indelen. Ik volg echter de indeling van GRÉBAUT's uitgave.

[21] Het handelt over Jezus die rijdt op een zonnestraal (ed. GRÉBAUT, p. 641, 3-5). In deze beknopte vorm komt het verhaal in geen enkele andere versie voor. Wel is er een zekere verwantschap met een passus uit het Armeense Kindsheidsevangelie (P. PEETERS, *o.c.*, p. 248 en p. 258-259), vgl. ook een verhaaltje uit de tweede kindsheidscyclus in sommige Ethiopische handschriften: V. ARRAS-L. VAN ROMPAY, *art. cit.*, p. 145.

[22] Het handelt over Jezus' wonderbare graanoogst (ed. GRÉBAUT, p. 641, 6-7). De Syrische versie is enigszins verschillend en bevindt zich tussen de verhaaltjes die beantwoorden aan Ethiop. 11 en 12 (ed. WRIGHT, p. 15, 3-5). Een uitgebreidere versie bevindt zich in de Griekse versie A (ed. TISCHENDORF, p. 151, cap. XII), op de plaats die overeenkomt met het Syrisch. In het Syrische Maria-apokrief staat het beknopte verhaaltje achteraan in de kollektie (ed. BUDGE, p. 69, 24-25), net zoals in het Ethiopisch.

[23] Zie verder p. 128-131.

[24] Zoals in de Syrische tekst ontbreken ook in het Ethiopisch verscheidene stukken die aanwezig zijn in de overige versies (of in sommige hiervan), nl. de nrs. 7, 12, 13, 15, 16, 17, 18 en 19 van GERO's lijst (*art. cit.*, p. 57-58).

overeenstemmingen vertoont dan dat één van deze versies dit doet met enige andere recensie[25]. Vele van de gemeenschappelijke punten van deze drie versies vindt men niet, of althans niet in dezelfde vorm terug in de overige vertalingen.

Graag zou ik de zopas geschetste verhoudingen illustreren aan de hand van twee uittreksels, die me tevens zullen toelaten enkele preciseringen aan te brengen. Ik vestig hierbij vooral de aandacht op de uitspraken van Jezus, die meestal duister van inhoud zijn, sterk uiteenlopen en het probleem van de onderlinge verwantschap in alle scherpte stellen.

1. *Het gesprek tussen Jezus en Jozef*

In het vierde verhaaltje wordt beschreven hoe Jezus een jongen die tegen hem aanloopt, uit woede dood laat neervallen. De omstaanders zijn hierover verontwaardigd en Jozef wil Jezus terechtwijzen. Het gesprek tussen Jezus en Jozef is de inhoud van het vijfde verhaaltje, waarvan ik het eerste gedeelte citeer[26].

Syrisch (ed. Wright, p. 12, 12-18)

a. Appropinquavit autem ad puerum et docebat eum et dicebat: «Ad quid haec facis tu et propter quid loqueris tu haec? Et considerant (*potius* dolent)[27] hi et oderunt te».
b. Dicit Iesus: «Si non sapientia essent verba patris mei, non filios sciret castigare (*vel* docere)».
c. Et iterum dixit: «Si filii thalami[28] essent hi, maledictiones non acciperent. Hi non videbunt cruciatum».
d. Et eadem hora obcaecati sunt hi qui vituperabant eum.

[25] Uit de geciteerde passages zal blijken dat ook de tekst van de Latijnse palimpsest een nauwe samenhang vertoont met de groep van de Syrische, Georgische en Ethiopische versies.

[26] Voor de Georgische tekst geef ik de vertaling weer van G. GARITTE. Mijn eigen vertaling van de Syrische en Ethiopische teksten is, zoals deze van GARITTE, zo letterlijk mogelijk.

[27] Ms.: *ḥāšbin* «considerant»; WRIGHT suggereert de lezing *ḥāššin* «patiuntur *vel* dolent», wat goed beantwoordt aan de lezing van de Latijnse palimpsest (ed. PHILIPPART: dolent) en van de Griekse versie A (ed. TISCHENDORF: πάσχουσιν).

[28] Ms.: *bnay gnōnā* «filii thalami». De tekst is duister en wellicht korrupt. P. PEETERS (*o.c.*, p. 292) stelt voor te lezen: *bnay gēhannā* «filii gehennae» (vgl. Mt., 23, 15). Zelf denk ik eerder aan de lezing *bnay gnōsis* «filii γνώσεως *vel* participes sapientiae». Het thema van kennis en onwetendheid speelt een grote rol in onze tekst, en ook op drie andere plaatsen richten Jezus' woorden zich tegen de onwetenheid der mensen (ed. WRIGHT, p. 12,21; 13,12-13; 16,18).

Georgisch (vert. Garitte, p. 518, 6-12)

a. Tum exstitit Ioseph, docebat eum et ei-loquebatur : «Propter quid malum loqueris (*fut.*), quia his hominibus odio-sumus nos?».
b. Coepit loqui Iesus puer ille et ei-dixit : «Satis sapientia sunt verba ista tua. Ego novi filios istos in-itinere statuere».
c. Et deinde coepit sic loqui : «Etsi maledictionem non accipient, supplicium quidem accipient».
d. Eadem hora (*vel* eodem tempore) qui ei-illudebant simul obcaecati sunt.

Ethiopisch (ed. Grébaut, p. 628, 8-629, 3)

a. Et reprehendit Ioseph puerum. Appropinquans ad eum dixit ei : «Ad quid tibi, mi puer, facis sicut hoc? Et hi homines igitur oderunt nos».
b. Et respondit Dominus Iesus Iosepho et dixit ei : «Si non homines novissent verbum sapientiae patris mei, non novissent homines reprehensionem liberorum suorum (*litt.* τὸ reprehendere liberos suos)».
c. Et iterum hanc quoque (rem) absconditam revelavit eis ut edoceret eos. Et hanc maledictionem qui non acceperunt (*litt.* assecuti sunt), hi quoque acceperunt (*litt.* assecuti sunt) iudicium (*vel* supplicium) suum eodem tempore.
d. Et qui obiurgabant eum obcaecati sunt.

Latijnse palimpsest (ed. Philippart, p. 407, f. 171v)

a. accessit ad infantem IHM et monebat illum dicens ut quid hec facis et dolent stict[29] odiunt nos
b. et dixit infans IHS si non sapientes erant sermo...

Grieks A (ed. Tischendorf, p. 143, 10-144, 4)

a. Καὶ προσκαλεσάμενος ὁ Ἰωσὴφ τὸ παιδίον κατ' ἰδίαν ἐνουθέτει αὐτὸν λέγων· ἱνατί τοιαῦτα κατεργάζει, καὶ πάσχουσιν οὗτοι καὶ μισοῦσιν ἡμᾶς καὶ διώκουσιν;
b. εἶπε δὲ ὁ Ἰησοῦς· ἐγὼ οἶδα ὅτι τὰ ῥήματά σου ταῦτα οὐκ εἰσὶ σά, ὅμως σιγήσω διὰ σέ·
c. ἐκεῖνοι δὲ οἴσουσιν τὴν κόλασιν αὐτῶν.
d. καὶ εὐθέως οἱ ἐγκαλοῦντες αὐτὸν ἀπετυφλώθησαν.

De verhalende gedeelten (a en d) zijn nagenoeg identiek in de vijf geciteerde versies. Van Jozef's dubbele vraag in het Syrisch (Ad quid haec facis tu et propter quid loqueris tu haec?) bevatten Ethiop., Lat. en Gr. A slechts het eerste gedeelte, terwijl Georg. schijnt te berusten op het tweede. Het wellicht korrupte «considerant» (Syr.) is achterwege gelaten in Georg. en Ethiop., terwijl Lat. en Gr. A de verbeterde vorm hebben.

De woorden van Jezus (b en c) stellen meer problemen. De eerste uitspraak (b) begint in het Syrisch met een voorwaardelijke zin. Deze

[29] Wellicht te lezen : isti et (vgl. Syr.).

konstruktie is bewaard in Ethiop. en Lat. Doch, terwijl Lat., voor het beperkte stukje dat ons behouden is, Syr. nauwkeurig volgt, gaat Ethiop. een andere richting uit. Hierbij valt het echter op dat er talrijke woordelijke overeenstemmingen zijn tussen Syr. en Ethiop. (si non; sapientia / sapientiae; verba / verbum; patris mei; non sciret / non novissent; filios / liberos suos; castigare / reprehendere). De obskure Georgische tekst wijkt hier meer af, terwijl Gr. A het resultaat schijnt te zijn van een nog meer ingrijpende bewerking.

Het tweede gedeelte (c) wordt slechts in Syr. en Georg. als een tweede uitspraak van Jezus beschouwd (Et iterum dixit / Et deinde coepit sic loqui). Gr. A heeft hiervan slechts een klein gedeelte en laat dit onmiddellijk aansluiten bij de vorige uitspraak. Ethiop. schrijft deze woorden niet aan Jezus toe.

De inleidende voorwaardelijke zin van Syr. (Si filii thalami essent hi) is in geen enkele andere versie aanwezig. Van het vervolg vindt men enige woorden terug in Georg. (maledictionem; accipient; cruciatum / supplicium). Ook Ethiop. heeft niet de obskure inleidende zin, doch het is niet onmogelijk dat de woorden «Et iterum hanc quoque (rem) absconditam revelavit eis ut edoceret eos» een verwijzing bevatten naar de duistere passus, die wellicht als onbegrijpelijk, of als ongepast, werd aangevoeld en daarom werd weggelaten. De weglating van dit gedeelte maakte het noodzakelijk aan de zin een nieuwe wending te geven. In dit opzicht zijn Georg. en Ethiop. parallel: naast woordelijke overeenstemmingen (maledictionem; twee maal accipient / acceperunt; supplicium), hebben beide versies geen ontkenning in het laatste gedeelte. Ook in Gr. A ontbreekt de ontkenning.

Uit de ontleding van deze korte passus is gebleken dat, door alle afwijkingen heen, de struktuur van Syr. vrij getrouw bewaard is in Georg., Ethiop. en, voor zover het fragment reikt, in de versie van de Latijnse palimpsest. Hoewel de betekenis op sommige plaatsen wel uiteenloopt, zijn er meermaals tussen deze versies woordelijke overeenstemmingen, die wijzen op een nauwe verwantschap. Indien men in dit verband de term «parafrase» wil gebruiken, past deze veeleer bij de Griekse versie dan bij de Ethiopische. De afwijkingen die men in deze laatste versie aantreft schijnen mij — voor zover ze geen aanspraak kunnen maken op oorspronkelijkheid — in de meeste gevallen veel meer het gevolg te zijn van een ongelukkige vertaling en tekstoverlevering dan het resultaat van een bewuste poging om de tekst te „omschrijven" of te „herschrijven".

2. *Jezus in de school*

In het Kindsheidsevangelie worden drie ontmoetingen beschreven tussen Jezus en een leraar in de school (nrs. 6-9; 13; 14). De eerste is de meest uitgebreide. Na een inleidend gesprek tussen Jozef en de leraar (nr. 6) en de verbluffende woorden van Jezus hierop (nr. 7), waarover de omstaanders ten zeerste verbaasd zijn (nr. 8), begint het eigenlijke onderricht in de school (nr. 9). De leraar wil Jezus het alfabet aanleren, doch deze weigert de voorgezegde letters te herhalen. De leraar wordt boos en geeft Jezus een slag op het hoofd. De woorden van Jezus die hierop volgen citeer ik[30].

Syrisch (ed. Wright, p. 14, 6-9)

> Et dixit Iesus: «Incus fabrorum-ferrariorum dum tunditur docendo docet (*vel* castigando castigat) et ipse non sentit. Ego autem possum dicere ea quae a te dicuntur, in scientia et in intellegentia».

Georgisch (vert. Garitte, p. 520, 1-5)

> Respondit puer ille et ei-dixit: «Immensum miror docere indoctos. Ego potentior sum dicere quam tu quod tu loqueris sicut aes sonat et sicut cymbala tinniunt, quia non memorant vocem verbi notionis neque cogitationem ad intelligendam potestatem».

Ethiopisch (ed. Grébaut, p. 632, 8-10)

> Et dixit ei puer: «Incus dum tunditur (*litt.* dum tundunt eam) docebiturne[31]? Et tu loqueris sicut strepitus aeris et sicut campana quae tinnit sine strepitu vocis (*vel* verbi) et sapientiae et potestatis».

Ethiop. is naast Syr. de enige versie waarin de vergelijking met het aanbeeld aanwezig is. Georg. heeft hiervan geen spoor. In het vervolg wijken zowel Ethiop. als Georg. sterk af van Syr. Tussen Georg. en Ethiop. nu bestaat een belangrijke overeenkomst in Jezus' uitspraak over de woorden van de leraar, die blijkbaar geïnspireerd is door 1 Cor. 13, 1[32]. Ook voor het slot van dit stukje is er een duidelijke verwantschap tussen Georg. en Ethiop. (quia non memorant vocem verbi notionis neque cogitationem ad intelligendam potestatem / sine strepitu vocis (*vel* verbi) et sapientiae et potestatis).

[30] De geciteerde passus heeft geen parallel in Gr. A of in de Latijnse palimpsest.

[31] Ik vertaal de tekst overeenkomstig de variante van ms. E in de uitgave van GRÉBAUT (*masfeḥt*). Dit woord nu kan naast «incus» (aanbeeld) ook «malleus» (hamer) betekenen en een kopiist of lezer die het in deze laatste betekenis heeft begrepen heeft een voorzetsel toegevoegd (GRÉBAUT's *text. rec.*: *ba-masfeḥt*). Men moet dan vertalen: Cum malleo dum tunditur (*sc.* puer) docebiturne?

[32] Ten bewijze hiervan voor het Ethiopisch vertaal ik woordelijk het laatste versgedeelte volgens de Ethiopische versie: ... factus sum sicut strepitus aeris quod tinnit aut sicut tympanum quod tunditur.

In het vervolg van het negende verhaal hebben Georg. en Ethiop. een uitgebreidere tekst dan Syr. Hierin wordt verhaald hoe Jezus de leraar onderricht geeft en hem een raadselachtige beschrijving voorlegt van de letter alfa. De leraar is hierover ten zeerste verbaasd en jammert over zijn eigen dwaasheid. De teksten van Georg. en Ethiop. stemmen hier goed overeen. Daarnaast beschikken wij over een gedeeltelijke parallel in de Lat. palimpsest. Ik citeer de twee vergelijkbare passages.

Latijnse palimpsest (ed. Philippart, p. 408, f. 135rv en f. 132r)

a. ... uiuificatos[33] et didascalus Zaccias pauefactus ad santam[34] nominationem uerbi exclamauit dicens o mihi considere diu hinc uero d[.]ite[35] illum rogo uos non deuet hic super terra esse hic uero magne crucis dignus est hic potest enim ignem extinguere puto hic ante cataclismum ...
b. ... fructuosa uident caeci fructuosa iudicii et restituti sunt omnes qui sunt maledicti et nemo ei audebat uilem facere.

Georgisch (vert. Garitte, p. 520, 14-21)

a. Zacchaeus autem magister ille eius stetit admirans in tanta illa denominatione, scientia, pulchritudine, admirabilitate verborum; voce alta clamabat et loquebatur: «Vae mihi quia per-me ipsum huiusmodi rem (*litt.* opus) mihi-paravi. Eum-amovete a me, rogo vos, quia non oportet quidem istum super terram ambulare; vere dignus est hic magna illa cruce; hic ignem illum quoque poterit comburere. Ego sic cogito quoniam hic ante aquae (*litt.* per aquam) diluvium Noe (*Nove*) fuit»[36].

Ethiopisch (ed. Grébaut, p. 633, 7-634, 1 en p. 634, 7-10)

a. Et ille magister obstipuit et admiratus est tot nomina. Et deinde, cum admirabatur sermones (*vel* verba) eius, clamavit et lamentatus est et dixit: «Vae mihi, qui mihimet ipsi feci advenire maerorem. Et facite abire eum hinc mihi, rogo vos (*litt.* gratificamini mihi). Non dignum est (illum) esse super terra. Et vere dignus est magna cruce qui potest revelare (*vel* manifestum facere) hunc puerum et facere advenire eum. Opinor ego quidem, ante diluvium et dies Noe pono nativitatem eius ...».
b. «... Utrum Dominus sit (ille) an angelus sit nescio». Et deinde risit Dominus Iesus et dixit: «Fructificat (*vel* -abit) quod (*vel* qui) non fructificat (*vel* -abit) et vident (*vel* -ebunt) caeci fructum vitae qui aperuit[37]». Et eodem tempore viderunt[38] omnes qui maledicti sunt ab eo. Et non fuerunt igitur qui auderent irritare eum.

[33] Behoort dit woord nog tot de beschrijving van de letter alfa?

[34] Lees: tantam.

[35] Wellicht: ducite.

[36] Het tweede gedeelte is niet aanwezig in de Georgische versie, die immers afbreekt in het midden van het negende verhaal.

[37] Vgl. GRÉBAUT: «le Fruit de vie qui a ouvert (leurs yeux)». De vraag rijst of men i.p.v. *za-fatḥa* «qui aperuit» niet moet lezen: *za-feteḥ*, dat zou kunnen opgevat worden als een genitiefkonstruktie: „(fructum vitae) *iudicii*", vgl. Lat. «fructuosa iudicii". Syr. heeft „iudicis", doch dit woord (*dayyānā* „rechter") wordt in het schrift slechts door een diakritisch punt onderscheiden van *dinā* „oordeel".

[38] D.i. „werden ziende" en niet „comprirent" (GRÉBAUT).

In Syr. ontbreekt het grootste gedeelte van deze uiteenzetting. Na de passus die boven werd geciteerd (p. 128) volgt onmiddellijk het slot van het verhaal (ed. Wright, p. 14, 9-13):

> Respondit scriba ille et dixit: «Hic aliquid magnum est. Aut Deus est aut angelus, aut quid dicam nescio ego. Tunc risit puer Iesus et dixit: «Facient fructus ii in quibus non sunt fructus et videbunt caeci fructus vitae iudicis[39]».

In het eerste gedeelte van de geciteerde tekst is er een vrij grote overeenstemming tussen Lat., Georg. en Ethiop. In de aanhef van de woorden van de leraar hebben Georg. en Ethiop. echter een zin die ontbreekt in Lat. (Vae mihi ...). Verder vertonen Lat. en Georg. een nauwe overeenkomst in de zin: hic uero magne crucis dignus est / vere dignus est hic magna illa cruce, terwijl Ethiop. dit gegeven betrekt op Jezus' leraar. Wellicht gaat het hier om een latere uitbreiding in Ethiop.[40]. Het vervolg van deze zin ontbreekt in Ethiop.; de lezing van Georg. op deze plaats (hic ignem illum quoque poterit comburere) — tegenover Lat. «extinguere» — vindt men terug in het Syrische Maria-apokrief (ed. Budge, p. 69, 2-3: vere hic potest quoque ignem comburere)[41].

Voor het tweede gedeelte van de geciteerde tekst vindt men het Latijnse fragment vrij nauwkeurig terug in Ethiop. De tekst van Georg. is hier niet bewaard. Syr. heeft hiervan slechts een beperkt gedeelte.

Uit deze vergelijking van Lat., Georg. en Ethiop. treedt een tekstbeeld naar voren dat weliswaar in de aanvang en op het einde met Syr. een nauwe samenhang vertoont, doch zich in de loop van het verhaal zeer duidelijk van Syr. onderscheidt en een belangrijke uitbreiding bevat, die bestaat uit Jezus' mysterieuze beschrijving van de letter alfa en de reaktie van de leraar hierop[42].

De mogelijkheid bestaat dat deze uitgebreidere versie het resultaat

[39] Een sterk bewerkte versie van het uitgebreidere verhaal vindt men ook in Gr. A (ed. TISCHENDORF, p. 145-149) en een gedeelte ervan is eveneens aanwezig temidden van de excerpten van het Kindsheidsevangelie in het Syrische Maria-apokrief (ed. BUDGE, p. 68, 12-69, 14).

[40] Op een vroegere plaats in Ethiop. leest men (ed. GRÉBAUT, p. 630, 2-3): „... quia magna crux convenit huic puero".

[41] Vgl. ook Gr. A (ed. TISCHENDORF, p. 147, 8): πῦρ δαμάσαι. Ps.-Mt. heeft, zoals de Lat. palimpsest: ignem extinguere (ed. TISCHENDORF, p. 101, 12).

[42] Deze beschrijving bestaat uit een reeks adjektieven en participiumkonstrukties met duistere inhoud, die nagenoeg onvertaalbaar zijn (ed. GRÉBAUT, p. 633, 4-6; GARITTE, p. 520, 10-13; TISCHENDORF, p. 146, 1-5). Wanneer alle handschriftelijke getuigen zullen verzameld zijn, zal de studie van deze reeks woorden uiteraard zeer belangrijk zijn bij het bepalen van de onderlinge verwantschap der versies.

is van een ontwikkeling die moet gesitueerd worden na de tekstfase die in Syr. vertegenwoordigd is. Doch het is niet uitgesloten dat de uitgebreide tekst van Georg., Ethiop. en (gedeeltelijk) Lat., die ook in sommige latere versies sporen heeft nagelaten, oorspronkelijker zou zijn en dat in Syr. het gedeelte met de mysterieuze beschrijving van de letter alfa en de onmiddellijke kontekst ervan bewust is weggelaten. Hieromtrent dient vermeld te worden dat Irenaeus van Lyon over de volgelingen van de gnosticus Marcus schrijft dat zij in getallen en letters symbolische verklaringen zochten[43]. Het is derhalve niet onmogelijk dat Jezus' beschrijving van de letter alfa door sommigen in verband met deze gnostische spekulaties werd gebracht en om die reden uit de redaktie van het Kindsheidsevangelie werd geweerd[44].

Op dit probleem kan echter in de huidige stand van het onderzoek niet nader ingegaan worden. Het volstaat ons op dit ogenblik te hebben vastgesteld, enerzijds dat er tussen de Syrische, de Georgische, de oude Latijnse én de Ethiopische versie een nauwe samenhang bestaat, anderzijds dat de onderlinge overeenkomsten en verschillen, zowel de vormelijke als de inhoudelijke, van die aard zijn dat ieder van deze versies als een volwaardige getuige moet behandeld worden bij een poging tot rekonstruktie van de oorspronkelijke gedaante van dit apokrief[45].

Wat betreft de Ethiopische versie lijkt het mij onjuist deze te beschouwen als een «parafrase» en als een «secundaire getuige»[46]. Het is immers gebleken dat ze op verscheidene plaatsen zeer nauw bij

[43] W. W. HARVEY, *S. Irenaei Lugdunensis Libri quinque adversus haereses*, I, Cambridge, 1857, Cap. VIII (p. 127-157); cf. H. LEISEGANG, *Die Gnosis*, 4e ed. (Kröners Taschenausgabe, 32), Stuttgart, 1955, p. 326-349.

[44] Irenaeus citeert uit één van de door Marcus' volgelingen gebruikte apokriefen een gesprek tussen Jezus en een leraar (ed. HARVEY, p. 177-178), dat in een nagenoeg identieke vorm voorkomt in ons Kindsheidsevangelie (ed. WRIGHT, p. 15, 14-17; ed. PHILIPPART, p. 408, f. 142rv; enigszins verschillend in GRÉBAUT, p. 637, 5-7). Eén zin hieruit is eveneens aanwezig in (het slechts in het Ethiopisch overgeleverde gedeelte van) de *Epistula apostolorum* (ed. L. GUERRIER-S. GRÉBAUT, in *Patrologia Orientalis*, IX, 3, Parijs, 1913, p. 190, 8-11). Deze parallellen veronderstellen niet noodzakelijk het bestaan in deze vroege periode van een geschreven redaktie van ons Kindsheidsevangelie, cf. S. GERO, *art. cit.*, p. 56, n. 1

[45] Het is uiteraard mogelijk en waarschijnlijk dat ook de andere versies talrijke waardevolle elementen bevatten. Daar ze echter op een onvoldoende wijze zijn gepubliceerd en bestudeerd, en ook in dit overzicht niet systematisch konden worden betrokken, moet hier worden afgezien van een verdere waardebepaling.

[46] S. GERO, *art. cit.*, p. 55. Het belang van de Ethiopische versie is des te groter daar van de vier oude versies slechts Syr. en Ethiop. volledig zijn bewaard. De Georgische tekst bevat ruim de helft van het Kindsheidsevangelie; de Latijnse palimpsest biedt slechts enkele fragmenten.

de overige oude versies aansluit[47]. Het wil mij dan ook voorkomen dat uit een nadere studie van deze vertaling[48] zal blijken dat de Ethiopische literatuur, die aan talrijke apokriefe boeken, zowel oudtestamentische als nieuwtestamentische, een veilig onderkomen heeft geboden, ook het apokriefe Kindsheidsevangelie door de eeuwen heen in een weinig gewijzigde vorm heeft bewaard.

[47] De vraag naar de herkomst van de Ethiopische versie kan vooralsnog niet beantwoord worden. Mogelijk werd ze vertaald uit het Arabisch, hoewel tot op heden geen Arabische versie is aan het licht gekomen die de bron van de Ethiopische zou kunnen geweest zijn. Daarnaast is het niet uitgesloten dat onze tekst, in de vroegste periode van de Ethiopische literatuur (tot c. 700 n. C.), zou vertaald zijn uit het Grieks, doch ook hier ontbreekt iedere aanwijzing. S. GERO suggereert de mogelijkheid dat de Ethiopische versie uiteindelijk zou afhankelijk zijn van de Syrische, wellicht via een verloren Koptische vertaling (*art. cit.*, p. 53, n. 4). Het is echter zeer twijfelachtig of er ooit rechtstreeks uit het Koptisch in het Ethiopisch is vertaald en bovendien is er tot dusver in het Koptisch geen enkel spoor van ons Kindsheidsevangelie teruggevonden.

[48] De passages die S. GERO uit de Ethiopische versie vertaalt geven enkele malen een verkeerd beeld van de tekst, zo p. 68 : ... you have not known perfectly but you have forgotten (ed. GRÉBAUT, p. 629, 5), lees : ... et tu quidem perfecte non novisti et errorem commisisti (*vel* impie egisti) (*ras'a*, cf. A. DILLMANN, *Lex. ling. aethiop.*, col. 280), waardoor de tekst dichter komt bij Syr. (ed. WRIGHT, p. 12, 21) : tu autem in nescientia egisti ; p. 71 : S. GERO verwart twee passages : aan de geciteerde tekst van Syr. (ed. WRIGHT, p. 15, 16-17) beantwoordt Ethiop. (ed. GRÉBAUT, p. 637, 7) : dic mihi quid sit alpha et beta ; de geciteerde passus van Ethiop. (ed. GRÉBAUT, p. 633, 1-3) bevindt zich in het uitgebreidere negende verhaal, waarvoor in Syr. geen parallel bestaat, doch vgl. Georg. (vert. GARITTE, p. 520, 7-9).

ENFANCE ET JEUNESSE DE MANI À LA LUMIÈRE DES DOCUMENTS RÉCENTS

par JULIEN RIES

Mani, Manès, Manikhaïos, Manichaeus est né le 8 nisan de l'année 527 des astronomes de Babylone, la quatrième du règne d'Artaban V, le dernier roi arsacide, c'est-à-dire le 14 avril 216. Son père Patek, probablement originaire de Hamadan en Médie, l'ancienne Ecbatane, descendait d'une souche parthe, les Haskanîya de la dynastie des Arsacides. Sa mère Maryam appartenait à la famille des Kamsarakan de la même dynastie.

Au début du règne de Shâpûr Ier devenu roi à la mort d'Ardashir, Mani commence sa prédication en Perse, en Mésène, en Asôrestân, en Médie et dans le pays des Parthes. Protégé par Shâpûr il peut, trente ans durant, former ses disciples, rédiger ses *Écritures*, organiser son Église, envoyer ses missionnaires vers l'Orient et vers l'Occident. Après la mort de Shâpûr en 271-272, son fils Hôrmizd Ier continue la politique religieuse de son père. En avril 274, Bahrâm Ier, un autre fils de Shâpûr prend la direction du pays. Sous son règne le Grand Môbêd Kartîr, un ennemi farouche des cultes étrangers, tente de porter le mazdéisme au rang de religion d'État. À son instigation, Bahrâm fait arrêter Mani et au terme d'un court procès, il le fait jeter en prison à Gundêshâhpur (Bêlapat) en Susiane. Epuisé après 26 jours de souffrances, Mani meurt un lundi, probablement le 26 février 277. Son corps est décapité. Sa tête est exposée à une des portes de la ville [1].

[1] H. Ch. PUECH, *Le manichéisme, son fondateur, sa doctrine*, Paris, 1949. *Manichéisme*, dans Histoire générale des religions, III, Paris, 1952, p. 85-116. *Manichéisme* dans Encyclopaedia Universalis, X, Paris, 1971, p. 429-438. *Le manichéisme*, dans l'Encyclopédie de la Pléiade, *Histoire des religions*, II, Paris, 1973, p. 523-645. G. WIDENGREN, *Mani und der Manichäismus*, Stuttgart, 1961, éd. ang. Londres, 1965. L. J. ORT, *Mani A religio-historical Description of his Personality*, Leiden, 1967. F. DECRET, *Mani et la tradition manichéenne*, Paris, 1974. J. RIES, *Mani et le manichéisme*, dans Dictionnaire de spiritualité, X, Paris, 1977, col 198-216. *Mani*, dans Catholicisme hier, aujourd'hui, demain, VIII, Paris, 1977, col. 304-322.

I. La biographie traditionnelle de Mani

1. *Mani vu par les controversistes : un hérésiarque, un imposteur*

L'opposition au Prophète de Babylone ne s'est pas limitée au mazdéisme sassanide. Le 31 mars 297, à la suite d'une requête du proconsul Julianus, Dioclétien ordonne de brûler les élus de la secte en même temps que leurs livres, de confisquer les biens de tous les adhérents et de condamner ceux-ci à la déportation [2]. Malgré la vigilance des polices romaines, les missionnaires manichéens ont continué leur progression ; ils ont multiplié leurs adeptes jusqu'à l'intérieur des Églises chrétiennes. Les routes qui ont mené les élus depuis la Babylonie vers l'Occident sont balisées par les nombreux écrits des polémistes tant païens que chrétiens qui se sont attaqués au Prophète et à ses doctrines. Citons Ephrem de Syrie († 373), Titus évêque de Bostra dans la Décapole († 371), Jean Chrysostome (vers 390), Cyrille de Jérusalem (vers 350). En 376, Epiphane de Salamine en Chypre consacre aux enseignements de Mani la réfutation la plus étendue de son ouvrage *Contre les hérésies*. En Égypte, vers 325 déjà, Alexandre de Lycopolis converti du manichéisme au christianisme, réfute les doctrines du Prophète auxquelles il consacre vingt-six chapitres très durs. En Numidie, de 373 à 383 Augustin est un auditeur assidu des conventicules avant de se retourner contre la secte et de mener contre elle, pendant quinze ans, une lutte sans répit.

Cette controverse va nous laisser l'image d'un Mani hérésiarque et imposteur, image qui se maintiendra jusqu'à la fin du moyen âge. Aux origines de ce portrait de Mani nous trouvons un document qui s'intitule *Acta Archelai*, une somme antimanichéenne composée aux environs de 325. Selon les *Acta*, Mani est un esclave babylonien du nom de Corbicius. À l'âge de douze ans, il est devenu le fils adoptif d'une vieille femme qui lui lègue tous ses biens, y compris quatre livres rédigés par un certain Terebinthus-Buddha, lui-même disciple de Scythianus, un homme venu d'Égypte. L'esclave babylonien devenu libre étudie ces quatre livres : les *Mystères*, les *Chapitres*, l'*Évangile*, le *Trésor*. Après quoi, il change son nom et s'appelle Manès. Il se met à prêcher la doctrine inventée par Scythianus [3].

[2] K. Stade, *Der Politiker Diokletian und die letzte grosse Christenverfolgung*, Francfort, 1926. Texte p. 86-87. W. Seston, *Dioclétien et la Tétrachie*, Paris, 1946.

[3] C. H. Beeson, *Hegemonius, Acta Archelai*, coll. Die Griechischen Christlichen Schriftsteller, 16, Leipzig, 1906.

L'histoire de la tradition manuscrite des *Acta Archelai* est éloquente. Vers 400, à Rome et en Afrique circule une traduction latine du texte grec. Au VIe siècle, nous en trouvons une série de copies en Italie : c'est l'époque des condamnations prononcées par Gélase Ier et Grégoire Ier. À partir du IXe siècle, les manuscrits des *Acta Archelai* se multiplient en France. Ils doivent servir dans la lutte contre les albigeois et les cathares[4]. Chaque renaissance de l'hérésie dualiste confère au contenu des *Acta* une nouvelle actualité. Le dernier traité antimanichéen date de 1461 : c'est le *Symbolum pro informatione manichaeorum*, rédigé par le théologien Jean de Torquemada à l'occasion de la venue à Rome de trois Seigneurs de Bosnie décidés à abjurer le bogomilisme afin de rentrer dans l'Église romaine[5].

Durant le moyen âge, tout hérétique est appelé *manichaeus*. Faut-il dès lors s'étonner de voir à l'époque de la Réforme, les controversistes catholiques appeler Luther *Manichaeus redivivus*? Pareille attitude amène les réformateurs à montrer en Luther le dernier défenseur de l'Église contre le manichéisme. Aussi la polémique devient vive. Elle donne lieu à une abondante publication de travaux apologétiques et d'exposés doctrinaux : c'est la naissance des études manichéennes. Aux yeux des protestants, Mani est un hérétique contre lequel s'est vigoureusement défendue l'Église de Jésus-Christ. Pour les catholiques, cette hérésie des temps patristiques trouve ses derniers représentants chez les réformateurs.

2. *Mani, le fondateur d'une religion orientale*

En 1734, l'historien calviniste Isaac de Beausobre publie son *Histoire critique de Manichée et du manichéisme* dans laquelle il tente de montrer que le manichéisme n'est pas cette doctrine absurde que les controversistes chrétiens ont prétendu réfuter. Aussi s'attaque-t-il aux *Acta Archelai*, le document fondamental de l'information occidentale sur le manichéisme. Il le considère comme un faux composé par Hegemonius. Beausobre tente d'établir les origines de la secte d'après les sources orientales. Selon les données persanes, arabes et syriaques, la vie de Mani nous apparaît bien différente de celle que présentent les controversistes. Chez les Orientaux, il n'est pas question de condition

[4] L. TRAUBE, *Acta Archelai, Vorbemerkung zu einer neuen Ausgabe* dans Sitzungsberichte Akad. Wiss., phil. hist. Kl., Munich, 1903, p. 533-539.

[5] N. LOPEZ MARTINEZ et V. PROAÑO GIL, *Juan de Torquemada, Symbolum pro informatione manichaeorum*, Burgos, 1958.

servile. Mani est un homme intelligent et cultivé, versé dans les sciences en honneur à Babylone et en Iran, musicien et mathématicien, peintre et géographe, astronome et médecin. Beausobre trace un portrait flatteur de Mani en qui il voit un prophète qui a tenté de concilier l'Orient et l'Occident, la religion de Zarathoustra et celle de Jésus.

Les découvertes du XIXe siècle vont confirmer cette nouvelle orientation amorcée au XVIIIe siècle. L'étude de la pensée religieuse de l'Inde et de l'Iran va permettre de saisir certaines influences de Zarathoustra et du Bouddha. Mani n'est plus l'hérésiarque chrétien. Il se présente comme un grand fondateur religieux. Cette image est accentuée par la découverte des textes de grands historiens arabes, notamment de Chahrastâni (1086-1152) et d'An-Nadîm. En 987, ce dernier a terminé la rédaction du *Fihrist-al-ulûm.* Dans ce catalogue des connaissances, au livre neuvième consacré aux religions, An-Nadîm présente Mani comme fondateur d'une religion créée à partir des doctrines de Zarathoustra et du sabéisme des moughtasilas, doctrines coulées dans un moule biblique. La découverte des religions assyro-babyloniennes fait poser la question du syncrétisme de Mani et de l'originalité de sa création. Le Prophète de Babylone est-il un génie religieux ou simplement un compilateur réalisant un syncrétisme dans lequel se retrouvent des doctrines zoroastriennes, la morale bouddhique, le culte de Mithra et certains éléments chrétiens? Et déjà, à la fin du XIXe siècle on pose le problème du gnosticisme de Mani[6].

II. Mani à la lumière des documents de son Église

Depuis le début du XXe siècle, une importante documentation en provenance d'une part de l'oasis de Tourfan en Asie centrale et d'autre part du Fayoum et d'Oxyrhynchos nous permet de mieux situer la personnalité du Fondateur. Regrettons le retard apporté à la publication de ces documents dont certains sont perdus une nouvelle fois et à jamais. Les études partielles déjà faites permettent de conclure à l'existence de biographies de Mani précieusement conservées dans le patrimoine religieux de son Église.

1. *La biographie copte de Médînet Mâdi*

Dans le *Kephalaion I*, une introduction à la catéchèse, Mani se présente comme le sceau des messagers du salut[7]. Dans son évocation des

[6] J. Ries, *Introduction aux études manichéennes. Quatre siècles de recherches*, Eph. Theol. Lovan., 33, Louvain 1957, p. 454-482 et 35, Louvain, 1959, p. 362-409.

[7] C. Schmidt, *Kephalaia*, Stuttgart, 1940. Voir K 1, 12, 10-20.

grandes étapes du déroulement historique de la libération des hommes, il cite quelques uns de ses prédécesseurs : Sethel fils d'Adam, Enosch, Hénoch, Sem fils de Noé, le Bouddha et Zarathoustra. Après avoir résumé l'histoire religieuse de l'humanité depuis Adam jusqu'à Jésus le Fils de la Grandeur, Mani s'arrête à ce dernier, citant en huit articles les principaux évènements de sa vie. Ensuite il parle du courage des Apôtres, de la mission de Paul et de la crise de l'Église au lendemain de la prédication paulinienne, puis de deux justes, sans doute Marcion et Bardesane, qui ont tenté de redresser le monde. L'heure de Mani est venue. En vue de situer sa mission propre dans la lignée des grands Envoyés, il n'hésite pas à s'approprier les paroles de Jésus : «Lorsque l'Église du Sauveur se fut élevée en haut, alors s'accomplit mon apostolat au sujet duquel vous m'avez interrogé. À partir de ce moment fut envoyé le Paraclet, l'Esprit de Vérité qui est venu auprès de vous en cette génération, comme le Sauveur l'a dit : «Quand je m'en irai, je vous enverrai le Paraclet, et quand le Paraclet viendra, il blâmera le monde au sujet du péché et avec vous, il parlera de la justice ... et du jugement» (K 1, 14, 3-10, *Joa*, 16, 8-11). Présentée ainsi, l'œuvre de Mani est à la fois une restauration de l'Église de Jésus et la mission même de Paraclet annoncée par le Sauveur. En effet, l'insertion d'une perspective gnostique dans le texte de *Joa*, 16, 8-11, en modifie profondément le sens au point d'en faire l'annonce de la mission de Mani. Continuant sa réflexion, ce dernier évoque sa naissance sous le règne d'Artaban, roi des Parthes. Il souligne l'action du Paraclet formant son *eikôn*, c'est-à-dire son corps. Nous sommes en présence d'une allusion manifeste à la préexistence de Mani chargé de rendre présent sur terre le Paraclet céleste. Sous le règne d'Ardashir le roi des Perses, arrive la plénitude du temps. La Paraclet vivant descend sur Mani et lui révèle le mystère caché aux mondes et aux générations, le mystère de la profondeur et de la hauteur (K 1, 15, 1-3a).

Cette autobiographie de Mani, incrustée dans le double formulaire de foi gnostique du *Kephalaion 1* nous montre que le mystère fondamental est le dualisme universel et radical. Ce mystère a été révélé par le Paraclet qui l'a fait connaître par son jumeau, Mani. «De cette manière, tout ce qui est arrivé et tout ce qui arrivera m'a été révélé par le Paraclet» (K 1, 15, 19b-a). Dans la doxologie finale du *Kephalaion*, les disciples proclament leur foi en leur maître : «Tu es le Paraclet du Père, le Révélateur de tous les mystères». Aux yeux de son Église, Mani s'identifie au Paraclet.

2. *La Vita grecque d'Oxyrhynchos*

Tout récemment, parmi des papyri en provenance d'une tombe d'Oxyrhynchos, on a découvert une *Vita* de Mani. Il s'agit d'un papyrus daté paléographiquement du Ve siècle et qui se présente, selon l'expression des inventeurs A. Henrichs et L. Koenen, comme «*ein Pergament Codex in Taschenformat*»[8]. Le texte écrit (192 pages) a 3,5 cm de hauteur et 2,5 cm de largeur. Trois rédacteurs sont intervenus dans ce document. La perfection de l'écriture et le soin apportés à la rédaction du texte font penser à la meilleure des traditions manichéennes. Ce codex est du plus petit format connu à ce jour. L'expression «format de poche» lui convient parfaitement. Il s'agit probablement d'un «bréviaire» que les missionnaires de l'Église de Mani emportaient sur les routes au cours de leurs pérégrinations gnostiques. Le titre courant, repris de page en page est *peri tès gennès tou sômatos autou*, «au sujet du devenir de son corps». Nous sommes en plein contexte de la gnose : la chute de Mani dans la matière. De plus, le style est initiatique : *autou* désigne Mani. Seuls les initiés savent de qui il s'agit. Pareille formule avait l'avantage d'échapper à l'intelligence des regards indiscrets, notamment de la police romaine. Le document grec est la traduction d'un original syriaque. Des preuves philologiques nombreuses permettent cette assertion. Nous n'en donnons qu'une seule ici : la ville de Séleucie-Ktésiphon est appelée *poleis*, «les villes», comme c'est le cas en syriaque. Le *Codex* présente un intérêt tout particulier : la biographie de Mani s'attache spécialement aux années de sa formation, à savoir de quatre à vingt-quatre ans.

III. Jeunesse et formation de Mani selon le Codex

1. *Au milieu des elkhasaïtes*

Pour toutes les traditions, Mani est «le babylonien». Son père Patek avait émigré peut-être lors de la lutte décisive des Sassanides contre les Arsacides. Homme profondément religieux, il s'était joint à un groupe de baptiseurs que les documents arabes appellent *al-mughtasila*,

[8] A. Henrichs-L. Koenen, *Ein griechischer Mani-codex* (*P. Colon. inv. nr. 4780*) dans Zeitschrift für Papyrologie und Epigraphik, 5, Bonn, 1970, p. 97-216. A. Henrichs-L. Koenen, *Der Kölner Mani - Kodex* (*P. Colon. inv. nr. 4780*) dans Z.P.E., 19, Bonn, 1970, 1-85. Nous citons ce dernier document : CMC, sigle adopté par les éditeurs.

ceux qui prennent des bains. Dans la tradition syriaque, ils portent le nom de *menaqqedê*, ceux qui sont purifiés. On y trouve aussi l'expression *halle hewarê*, les vêtements blancs. Dans le *Codex*, Mani déclare qu'à l'âge de quatre ans, il est entré dans le groupe des baptiseurs dans lequel il a grandi sous la protection des anges de lumière et des puissances spéciales mises en place par Jésus la Splendeur[9]. Il raconte comment son enfance fut marquée par une suite d'interventions célestes, alors qu'il vivait au milieu des baptiseurs dont il cite le fondateur, Alchasaios[10].

Les elkhasaïtes sont une secte judéo-chrétienne dont parlent Epiphane (*Contra haer.* 53), Hippolyte (*Philos*, IX, 11) et Eusèbe (*Hist. ecclés.*, VI, 38), Elkhasaï aurait commencé sa mission en la troisième année de Trajan (en l'an 100). Nous savons que durant les trois premiers siècles de notre ère, le mouvement baptiste toucha de nombreuses sectes judéo-chrétiennes. Les elkhasaïtes accordaient une grande importance aux bains, à tous les rites de l'eau et plus spécialement à un «second baptême» destiné à remettre tous les péchés. Ils observaient certains rites juifs et s'adonnaient à l'astrologie. Au début du IIIe siècle, l'elkhasaïsme incorpora à ses propres doctrines des éléments tirés des dogmes chrétiens et s'installa même à Rome.

2. *L'évangile de l'enfance de Mani*

Les premières pages du *Codex* de Cologne contiennent quelques témoignages sur l'enfance de Mani depuis son entrée dans le groupe des elkhasaïtes à l'âge de quatre ans jusqu'à la première grande révélation[11]. Le *Codex* prétend recueillir ces témoignages de la bouche même de Mani. Durant cette période de sa vie, l'enfant reçoit la visite d'un ange et se trouve sous la protection céleste : «J'ai été protégé grâce à la force des anges et des puissances saintes chargés de me protéger. Ils m'ont aussi éduqué par des visions et par des miracles réduits en importance et en durée, selon que je pouvais les supporter»[12]. Ce texte introduit une série de détails au sujet de l'intervention de l'ange et de la protection céleste. Ainsi, la tradition manichéenne a retenu des traits de l'enfance merveilleuse du Prophète depuis l'âge de quatre ans. Il s'agit de montrer la prédestination à son œuvre de

[9] C.M.C., 11, 1-15; Z.P.E., 19, 1975, p. 13.
[10] Z.P.E., 5, 1970, p. 135.
[11] CMC, 2-12; Z.P.E., 19, 1975, p. 5-15.
[12] CMC, 2-4; Z.P.E., 19, 1975, p. 5.

messager gnostique. L'ange lui a présenté de nombreuses visions (*optasiai*) et des scènes grandioses (*themata megista*). Mais Mani se conduit avec sagesse et prudence, observant déjà le sceau des mains, se mêlant peu aux conversations des baptiseurs et essayant de se soustraire à leur loi[13]. Alors que Mani avait l'ordre secret de l'ange de ne pas arracher de légumes et de ne pas couper du bois, un frère du groupe des baptiseurs lui demande de l'accompagner en vue de prendre du bois. Ils se rendent près d'un palmier et le baptiseur y grimpe pour en couper des branches. Le palmier réagit en disant: «Si tu écartes de nous la souffrance, tu ne mourras pas avec les meurtriers». Saisi de frayeur, le baptiseur descend et se jette aux pieds de Mani disant: «Je ne savais pas que ce mystère ineffable est avec toi»[14]. Il finit par lui dire: «Garde ce secret, ne le dis à personne de peur que quelqu'un ne te tue par envie[15].

Les lacunes du texte nous empêchent de connaître tous les détails retenus par la tradition. Cependant les éléments essentiels de cette dernière semblent conservés. Prédestiné à une œuvre prophétique, Mani enfant s'est trouvé sous la garde d'un ange et d'êtres célestes. Par des visions adaptées à son âge, il a reçu un premier enseignement gnostique tournant autour du *signaculum manuum*: le respect de l'âme vivante, de la croix de lumière. D'où l'interdiction de couper des arbres, d'arracher des plantes, de souiller l'eau en se baignant afin de ne pas abîmer les parcelles de lumière prisonnières de la matière. Cette période de l'enfance protégée par l'ange céleste va durer jusqu'à l'âge de douze ans: «De cette manière depuis l'âge de quatre ans jusqu'au moment de la maturité de mon corps, j'ai été protégé par les mains des anges les plus saints et des puissances de sainteté»[16]. Cette étape des années merveilleuses protégées par les êtres célestes constitue comme l'évangile de l'enfance de Mani.

3. *La formation du Prophète*

À l'âge de douze ans, Mani reçoit une visite céleste. C'est l'heure de la première révélation à laquelle il a été préparé par les événements de son enfance. Selon le *Fihrist* d'An-Nadîm le messager de cette révélation était l'ange *at-Taum*, un mot nabatéen signifiant le jumeau[17].

[13] CMC, 4, 3-12 et 5, 3-12; Z.P.E., 19, 1975, p. 7.
[14] CMC, 6, 2-12; 7, 2-13; Z.P.E., 19, 1975, p. 9.
[15] CMC, 8, 11-14; Z.P.E., 19, 1975, p. 11.
[16] CMC, 12, 7-15; Z.P.E., 19, 1975, p. 15.
[17] A. Henrichs-L. Koenen, *Ein griechischer Mani-Codex*, Z.P.E. 5, 1970, p. 161-189.

Le *Codex* parle lui aussi du jumeau céleste, le *suzugos*, appelé *saïsh* dans les textes coptes. En fait, ce jumeau est le Paraclet céleste qui va former le Prophète et le préparer à sa mission. Selon les termes du *Codex*, Mani s'est trouvé sous la protection des anges jusqu'à la maturité de son corps, *akmaion tou sômatos*[18]. Il s'agit d'une expression qui désigne la puberté, à savoir l'âge de douze ans. Ici nous aurions peut-être une réminiscence du récit relatif à l'épisode de Jésus au Temple. Notre texte semble entendre qu'à partir de cette date, Mani jeune homme et prophète en formation, n'a plus eu besoin de la protection des anges car c'est le *suzugos*, le jumeau qui va s'occuper de lui. Puech situe l'événement de cette visite céleste le 8 Nisan 539 séleucide, donc le 1er avril 228. Le sens de l'événement s'exprime dans le message qui demande à Mani, âgé de douze ans, de se détacher de la communauté des baptiseurs. Selon le *Codex*, cette première révélation faite à Mani âgé de douze ans aurait eu lieu le 14 Nisan 539, c'est-à-dire le 7 avril 228[19].

À présent commence la véritable préparation de la mission prophétique. Le *suzugos* se charge de cette préparation. Il fait entendre sa voix : «Augmente ta force et rends plus fort ton entendement et accepte tout ce qui te sera révélé»[20]. Une autre fois cette voix céleste dit : «Augmente ta force et ouvre ton entendement et conforme-toi à tout ce qui te survient»[21]. C'est une période de probation pour Mani qui vit au milieu d'une communauté dont il ne partage plus l'esprit. Il vit sous leur loi mais n'est plus soumis à leur loi. «Avec la plus grande prudence et la plus grande habileté, je marchais dans cette loi gardant cette espérance en mon cœur sans que personne ne remarque qui est là ni quoi à mon sujet. Et moi-même, durant cette longue période je ne manifestais rien à personne. Cependant, je n'avais pas comme eux des façons de vivre selon la chair (...). Je n'ai rien manifesté de ce qui est arrivé ni de ce qui arrivera ni la nature de ce que j'ai appris à connaître ou de ce que j'ai reçu»[22]. Ce passage du *Codex* semble capital en vue de situer ce que Mani lui-même appelle «cette longue période», à savoir le déroulement de sa vie depuis la première révélation faite par le *suzugos* au futur Prophète le jour de ses douze ans,

[18] CMC, 12, 8-15. Voir note 25, p. 15.

[19] PUECH, *Le Manichéisme*, Histoire des religions, 2, p. 532. A. HENRICHS-L. KOENEN, *Ein griechischer*, ..., Z.P.E., 1970, p. 124.

[20] CMC, 13, 2-9; Z.P.E., 19, 1975, p. 15.

[21] CMC, 13, 10-14; Z.P.E., 19, 1975, p. 15.

[22] CMC, 25, 1-16; 26, 1-4; Z.P.E., 19, 1975, p. 27-28.

jusqu'à l'accomplissement définitif douze ans plus tard. Tout en continuant à vivre extérieurement selon la loi des baptiseurs, Mani garde son secret, écoute le Paraclet et «se détache progressivement de cette loi»[23]. Durant ce temps de réflexion, le Fondateur de demain scrute tout ce qui lui est révélé et finit par «se détacher des prescriptions de la secte» dans laquelle il a grandi, pour y devenir un étranger, un solitaire vivant au milieu d'eux jusqu'à l'événement de la séparation définitive[24]. Un passage du *Codex* parle de Mani qui vit au milieu de la secte comme un agneau au milieu d'un troupeau étranger ou comme un oiseau qui se trouve au milieu d'oiseaux qui n'ont pas le même langage[25].

Et voici l'événement décisif, la seconde révélation. «Au moment où mon corps avait atteint sa perfection, sur-le-champ est descendu sur moi et s'est montré devant moi cet Être de splendeur et de puissance, image de moi-même»[26]. Mani a vingt-quatre ans. C'est l'heure de la seconde révélation du message définitif transmis par le Paraclet qui a formé le corps du Prophète. L'heure du salut de la lumière est arrivée.

IV. Conclusions.

La découverte des textes manichéens de Médînet Mâdi et du *Codex* d'Oxyrhynchos nous a permis d'entrer en possession de documents autobiographiques de Mani conservés dans son Église. Les données des *Kephalaia* coptes et du *Codex* grec confirment d'une part l'exactitude des renseignements transmis par le *Fihrist* de l'historien arabe An-Nadîm qui avait eu l'occasion de consulter les documents manichéens eux-mêmes. D'autre part, le fait que Mani présente sa vie et sa mission comme l'accomplissement de la promesse de Jésus relative à l'œuvre du Paraclet, nous fait comprendre la raison pour laquelle les controversistes chrétiens ont considéré le Prophète de Babylone comme un hérésiarque et un imposteur.

Grâce au *Codex*, nous disposons à présent d'une série d'indications fort précieuses sur la vie et sur la formation de Mani dans la secte des elkhasaïtes, depuis l'âge de quatre ans jusqu'au début de sa mission publique à l'âge de vingt-quatre ans. La confrontation de ces données avec celles des autres documents connus antérieurement nous permet

[23] CMC, 30, 3-5; Z.P.E., 19, 1975, p. 31.
[24] CMC, 43, 8-10, 44, 1-11; Z.P.E., 19, 1975, p. 43-44.
[25] A. Henrichs-L. Koenen, *Ein griechischer* ..., Z.P.E., 1970, p. 117.
[26] CMC, 17, 9-16; Z.P.E., 19, 1975, p. 19.

de tracer une biographie plus précise de la jeunesse du Prophète. Sur la base de notre documentation actuelle, Henrichs et Koenen, les éditeurs du *Codex*, proposent les dates suivantes : le 8 Nisan-Pharmouthi 527 = 14 avril 216, la naissance de Mani ; le 8 Nisan-Pharmouthi 539 = le 1er avril 228, son douzième anniversaire ; le 8 Nisan-Pharmouti 551 = le 19 avril 240, le vingt-quatrième anniversaire de sa naissance. Étant donnée l'insistance du *Codex* sur l'importance des jours de la pleine lune — des événements cosmiques de premier plan dans la vie manichéenne — les deux révélations reçues par Mani se placeraient respectivement le 7 avril 228 et le 24 avril 240, les deux journées de pleine lune subséquentes au jour du douzième et du vingt-quatrième anniversaire[27].

L'enfance du Prophète au milieu des baptiseurs elkhasaites est nettement délimitée : elle va de quatre à douze ans. Elle est marquée par la protection des anges de lumière et des puissances célestes mises en place par Jésus la Splendeur, cinquième Grandeur du Royaume de la Lumière et quatrième messager, vie et salut des hommes, l'éveilleur d'Adam et le créateur de la Gnose. Grâce à des visions et à des miracles appropriés à son jeune âge, Mani apprend l'existence de la Croix de Lumière et s'initie au comportement à l'égard de cette âme vivante du monde. Dans cet évangile de l'enfance nous avons manifestement des traces d'une influence des évangiles gnostiques.

La jeunesse de Mani commence au lendemain de ses douze ans. Son début est marqué par la visite d'un messager céleste, le *suzugos*, le compagnon, le jumeau qui va jouer un rôle primordial durant les douze années qui suivent. Il introduit progressivement Mani dans les mystères célestes. Il le prépare à recevoir la plénitude de la révélation et lui apprend à garder le secret absolu sur ces événements tout en se détachant de la communauté des elkhasaïtes. Durant cette période de probation, Mani écoute cette voix céleste qui se fait entendre à diverses reprises et scrute tout ce qui lui est révélé. Au terme de sa vingt-quatrième année, il est confirmé dans sa mission de Prophète par la descente de l'Être de splendeur dont il est la réplique, le Paraclet céleste. C'est l'heure de la révélation définitive.

[27] A. Henrichs-L. Koenen, *Ein griechischer* ..., Z.P.E., 1970, p. 118-125.

ATTITUDE DES PÈRES DU DÉSERT VIS-À-VIS DES JEUNES

par Louis LELOIR, O.S.B.

1. *Vis-à-vis des enfants*

Il y a une dizaine d'années, j'ai participé, dans une abbaye belge, à un colloque sur la prière. Or, le premier jour, en pénétrant dans l'église du monastère, mon attention a été attirée par l'avis suivant, fixé bien en évidence sur la porte : « Si des bébés se mettent à crier durant l'office, leurs mamans sont invitées à les emmener en dehors de l'église ». Cet avis me gênait ... Mais il gêna plus encore, et choqua profondément un moine de Chèvetogne, le Père Théodore, qui, chargé d'une conférence au cours du colloque, attaqua fermement la petite affiche : « En franchissant la porte de l'église abbatiale, j'ai vu, dit-il, un avis typiquement occidental : « Si des bébés se mettent à crier durant l'office, leurs mamans sont invitées à les emmener en dehors de l'église ». En Orient, on n'aurait mis aucun avis de ce genre sur la porte par laquelle pénétrait le public, mais on aurait plutôt inscrit, sur la porte par laquelle les moines entrent dans l'église : « Si des bébés se mettent à crier durant l'office, les Frères sont invités à cesser de chanter et à se taire, en vue d'écouter les enfants » ...

Je reconnais sans difficulté que la mise à exécution de la recommandation du Père Théodore pose quelques problèmes pratiques, car elle expose à toute une désorganisation de la liturgie et de l'ordre du jour, à laquelle des Occidentaux sont plus sensibles que les Orientaux. Mieux vaudrait peut-être inviter les moines à continuer à chanter, tout en se réjouissant de l'accompagnement du cri des enfants ...

Il est exact toutefois que cette réaction d'un homme féru de spiritualité et mentalité orientales correspond bien à ce que pensaient, dès le quatrième siècle, les meilleurs des Pères des déserts d'Égypte. Des Frères voulaient quitter l'endroit où ils se trouvaient, en vue d'aller habiter dans un plus profond désert, parce qu'ils étaient, disaient-ils, incommodés par le gazouillis des bébés, qui venait jusqu'à eux. Le vieillard austère, mais aussi très sage qu'était Poemen, leur répondait, de manière charmante: «Pourquoi voulez-vous fuir la voix des anges?» [1]

Cette réponse de l'excellent Poemen nous renvoie à l'évangile où, dès son début, la nouvelle alliance est présentée comme une réalisation de la prophétie de Malachie d'un retour du «cœur des pères vers leurs enfants» (Lc 1, 17; Ml 3, 24), où le saint vieillard et prophète Syméon accueille avec enthousiasme le bébé Jésus dans ses bras, tandis que la prophétesse Anne, veuve de quatre-vingt-quatre ans, parle «de l'enfant à tous ceux qui attendent la libération de Jérusalem» (Lc 2, 25-38), et où Jésus gronde ses disciples et s'indigne, parce qu'ils rabrouent des petits enfants et veulent les empêcher de venir à lui (cfr Mc 10, 13-16).

Ce conflit pourtant de Jésus avec ses disciples, comme celui de Poemen avec les siens, ne sont que des échantillons d'un perpétuel débat, sur l'attitude à adopter à l'égard des enfants, entre vrais et faux spirituels.

Dans un fragment d'apocryphe éthiopien, que j'étudie en ce moment, et que j'espère éditer, il est raconté comment, à la manière d'Elqana et de Anne, offrant très tôt leur fils Samuel au Temple, et dès qu'il avait été sevré (cfr 1 Sm 1, 9-28), Joachim et Anne, parents de la Vierge Marie, avaient confié leur enfant aux prêtres du Temple de Jérusalem dès son âge le plus tendre, voulant la consacrer, elle aussi, au Seigneur. Elle aurait eu trois ans à son arrivée dans le Temple, douze ans au moment où les prêtres du Temple l'auraient confiée à Joseph, veuf et père de six enfants, dont un seul, plus jeune, Jacques, vivait encore au foyer de son père. Chargés de l'éducation de Marie, les prêtres du Temple avaient eu la fort bonne idée de la former très tôt à la prière, mais aussi la moins bonne de la faire jeûner «tous les jours», dit le texte éthiopien: «elle jeûnait et priait tous les jours; elle tissait la pourpre, et sa nourriture était des feuilles» (*qwaḍĕl*), c'est-à-dire, je suppose, de la salade, nourriture agréable certes, mais à la condition qu'il y ait quelque chose d'autre en même temps, surtout pour une fillette de moins de dix ans ... Cependant, un des trois prêtres qui avaient reçu Marie était Zacharie, le futur père de Jean-Baptiste. Lorsqu'il revenait chez lui, sa semaine de service terminée, il parlait

[1] *Arm* 10, 38 R: III, 98. Le signe *Arm* renvoie à l'ouvrage: Louis LELOIR, *Paterica armeniaca a PP. Mechitaristis edita (1855), nunc latine reddita*, t. I: Tractatus 1-4; t. II: Tractatus 5-9; t. III: Tractatus 10-15; t. IV: Tractatus 16-19. Louvain, 1974, 1975, 1976 (*Corpus Scriptorum Christianorum Orientalium*, 353, 361, 371, 377/Subsidia 42, 43, 47, 51. Les références indiquent le numéro du traité et de l'apophtegme à l'intérieur de celui-ci, le numéro du tome et sa page.

à sa femme Elisabeth de leur jeune cousine Marie, louait son comportement et, sans doute aussi, racontait le menu qu'on lui infligeait. Alors Elisabeth, en femme avisée, et vraiment dotée de la sagesse de Dieu, avait pris une corbeille, et l'avait remplie, dit le texte éthiopien, «de délices» (*ṭĕʿĕmātă*), c'est-à-dire, traduirions-nous en langage moderne, «de chocolat fourré, de caramels, de bonbons, de tarte aux fraises et aux abricots»; elle était partie pour Jérusalem et son Temple, y était restée de nombreux jours auprès de Marie, «la consolant» par, sans doute, des petits gâteaux et des paroles qui n'étaient pas que des sermons, et baisant fréquemment «ses yeux et sa tête».

Que ce récit exquis ait ou non un brin de vérité, son intérêt pour nous est le contraste qu'il établit entre deux attitudes, celle d'Elisabeth, qui sera celle du Christ, de Poemen et des meilleurs spirituels chrétiens, et celle des prêtres de Jérusalem, qui auront, eux aussi, de multiples imitateurs parmi les chrétiens, sans excepter les moines, mais dont la manière d'agir ne reflète pas l'enseignement évangélique.

2. *Vis-à-vis des jeunes moines*

Les Pères du Désert sont pourtant des célibataires, et qui vivent dans la solitude; il est dès lors exceptionnel qu'il soit question de petits enfants dans leurs apophtegmes et anecdotes. Les allusions aux jeunes gens, laïcs et surtout moines, sont plus fréquentes. Et, bien clairement, elles s'orientent dans un double sens, l'un d'exigence, l'autre d'indulgence.

a. *Exigence*

Les règles monastiques anciennes excluaient tout candidat imberbe ou eunuque[2]. On n'admettait donc dans les communautés monastiques ou les laures que des candidats pleinement virils, pour lesquels, par conséquent, la chasteté demandait un combat. Cela comportait certes des risques, et même entraînait quelques chutes, mais on pensait que les meilleurs moines ne sont pas ceux qui ignorent les plus fortes pulsions et les grands attachements de la nature; ce sont ceux qui, les expérimentant en eux-mêmes, savent, pour Dieu, les discipliner et en sacrifier quelques manifestations.

D'autre part, on faisait peu attention à la vie antérieure, et on ne demandait nullement que le candidat ait eu un passé immaculé.

[2] Cfr H. W. HAUSSIG, *Histoire de la civilisation antique*, traduction et notes de Jean DÉCARREAUX, Paris, 1971, p. 350.

Aussi les laures du Désert se sont-elles faites très accueillantes à des anciens chenapans, bien rôdés dans le crime, et qui s'étaient fait une réputation bien établie et solidement méritée de parfaites fripouilles. Tel Moïse, qu'au Désert, on désignait par son ancien métier, qu'on appelait donc Moïse le brigand, et qui était devenu un des moines les plus édifiants du Désert. Ou Apollos de Scété : après avoir passé ses quarante premières années sans dire aucune prière, adonné sans scrupule au vol et à d'autres méfaits, il avait couronné cette première phase sauvage de sa vie par un crime abominable : il avait éventré une femme enceinte, pour le seul plaisir de voir comment le foetus était dans son sein. Pris ensuite de remords, — et il y avait vraiment de quoi —, il était venu confesser sa faute aux Pères de Scété ; devenu l'un d'entre eux, il avait été dispensé de tout travail manuel, en vue de pouvoir prier sans cesse, répétant indéfiniment, nuit et jour, la même formule : «J'ai péché en homme ; pardonne-moi en Dieu»[3]. Tel encore David, voleur et assassin de grand chemin, chef de trente individus du même acabit ; touché un jour par une grâce de componction, il se présente comme candidat dans un monastère ; on le reconnaît, on se méfie, on ne veut pas l'admettre, jusqu'au moment où il jure par le Dieu du ciel que, s'il n'est pas admis, il va retourner à son ancien métier, et venir, avec sa bande, tuer tous les moines et détruire leur monastère. Alors, il est admis aussitôt, le Prieur étant pris d'une sainte frousse, et il dépasse bientôt tous les autres moines en austérité et humilité[4].

Cette vertu d'humilité paraît avoir été, en fait, la seule que les Pères du Désert aient absolument réclamée de leurs postulants. Ils pensaient qu'une prière et une humilité persévérantes pouvaient obtenir toutes les conversions ; ils étaient d'autant plus intransigeants à réclamer ces vertus qu'ils ne demandaient rien d'autre, et qu'il fallait certes une grande hardiesse pour admettre sans examen des candidats dont la vie antérieure était parfois fort peu rassurante. Du moment que ceux-ci avouaient sans détour leurs fautes et leurs pensées les moins reluisantes, qu'ils acceptaient volontiers les remarques, les dernières places et les travaux les moins intéressants, il y avait espoir que le reste suivrait, tôt au tard ...

Un Frère, arrivant au Désert et sollicitant d'y être admis à faire l'expérience de la vie monastique, en reçoit l'habit. Aussitôt, il s'enferme dans une cellule, en disant : «Je suis moine». Ayant appris qu'il avait

[3] *Arm* 3, 22 : I, 127-128.
[4] *Arm* 18, 28 : IV, 62-63.

dit cela, les anciens vinrent le trouver, le firent sortir de sa cellule et lui ordonnèrent de faire le tour de toutes les cellules de la laure, se prosternant successivement devant chacun des frères, et disant : « Pardonnez-moi ; je ne suis pas moine ; je ne suis qu'un débutant »[5].

Un père et son fils étaient venus ensemble au Désert, demandant à embrasser tous deux la vie solitaire. Or, le père y reçoit un charisme de chasser les démons qui n'est pas accordé à son fils. Celui-ci se demande si ce n'est pas là un signe qu'il manque de ferveur, et il va consulter un grand ancien. Il en reçoit cette réponse : « ... chasser les démons et guérir les malades n'est pas un (signe de) progrès ; ce n'est pas en effet l'homme qui réalise cela, mais la puissance de Dieu et la foi de celui qui se présente ; beaucoup d'ailleurs s'y sont trompés, sont tombés d'orgueil à cause de ces (dons) et ont péri. Mais, je te le dis, mon petit enfant : Si un homme parvient à l'humilité, et qu'il la possède à un haut degré, en même temps que la douceur, c'est là le plus haut des progrès, et qui épargne toute chute ; car celui qui s'humilie jusqu'à terre, où tombera-t-il et quelle chose pourra le faire tomber ? Or le signe de la parfaite humilité, c'est de se réjouir des injures »[6].

Cette anecdote complète fort heureusement la précédente, car elle nous montre à l'évidence que l'invitation à l'humilité, adressée par les anciens aux jeunes, ne poursuivait pas un but utilitaire. Il ne s'agissait nullement de vider les candidats de toute personnalité, ni de les empêcher de devenir contestataires. On désirait certes les rendre souples et malléables, mais, plus profondément, on voulait, dès le début, les centrer sur l'essentiel, qui était et qui demeure d'accepter l'effacement, la monotonie et l'apparente banalité de la vie monastique, et de croire, malgré ces aspects mortifiants pour la nature, à son efficacité : « Si tu veux être connu de Dieu, sois inconnu des hommes », disait Évagre[7].

Or, le dynamisme du jeune, la conscience qu'il a de sa vitalité, de ses énergies et possibilités, l'exposent à se mettre en avant trop volontiers : « Quand j'étais jeune », disait Matoès, je pensais faire quelque chose de bien. Mais, maintenant que je suis vieux, je me rends compte qu'il n'y a rien de bon en moi »[8].

La formation à l'humilité était, dès lors, considérée comme fondamentale par les Pères. En vision, un Père du Désert avait vu en

[5] *Arm* 10, 98 : III, 56.
[6] *Arm* 15, 70 B : III, 270-271.
[7] *Arm* 13, 19 R : III, 196.
[8] *Arm* 15, 32 Rb : III, 288.

enfer son neveu et jeune disciple, mort prématurément, et qu'il savait observant et fervent. Il s'en était affligé et avait interrogé Dieu, plaidant du reste la cause du jeune homme. Un ange lui avait répondu : «Ce jeune homme était certes plein de toute honnêteté, mais il était orgueilleux ... Et toi, tu as mal agi, en ne le morigénant pas tant qu'il était en ce corps, en vue de le guérir». «Et le vieillard, jusqu'à sa mort, passa tous ses jours dans les pleurs»[9].

Un apophtegme, piquant et original, pourra conclure et résumer cette partie : «Un ancien disait : 'Si tu vois un jeune moine montant vers les cieux par sa volonté (propre), saisis-le par les pieds et flanque-le par terre ; cela lui sera utile'»[10].

b. *Indulgence*

Il ne s'agit pourtant pas seulement d'exiger du jeune candicat. Il faut aussi le comprendre, l'accueillir, avec sa personnalité, son tempérament, sa richesse propre, son attente, ses requêtes, et l'interpellation qu'elles constituent pour tous ceux dont il désire devenir le frère. D'où un devoir d'écoute et de longue patience chez les anciens. Le Pape Jean XXIII avait, paraît-il, ce très joli mot : «Quand on atteint la soixantaine, on arrive au plus bel âge de la vie, car c'est celui de la miséricorde». Il faut forcément du temps pour permettre au jeune de trouver sa place, son «lieu» propre dans la laure ou le monastère, d'y demeurer lui-même tout en s'insérant franchement et pleinement dans son nouveau milieu, sans s'y marginaliser le moins du monde. Si le maître spirituel est trop pressé, il n'obtient rien, car l'insertion, pour être durable, sereine et joyeuse, doit devenir spontanée et partir d'une conviction.

Les Pères du Désert avaient, à cet égard, quelques principes solides et féconds : «Sois pour eux un exemple, et non un législateur»[11] ; au lieu de multiplier les règles, multiplie les bons exemples ; commence par conformer ta vie aux principes que tu veux inculquer ; sois une règle vivante. Autre principe : «La méchanceté ne dissipe pas la méchanceté»[12], et «un démon ne chasse pas un autre démon»[13]. On ne chasse pas les démons de l'orgueil et de la luxure — ceux dont il est question le plus souvent chez les Pères — par les démons de la

[9] *Arm* 10, 145 : III, 70-71.
[10] *Arm* 10, 100 B : III, 56-57.
[11] *Arm* 10, 112 R : III, 116.
[12] *Arm* 16, 7 R : IV, 10.
[13] *Arm* 5, 36 : II, 43.

dureté et du despotisme tyrannique. Soupçonner, surveiller ou menacer, est une méthode facile, mais qui ne donne guère de résultat. Et celui qui, ne sachant dompter ses nerfs, se fâche, se déconsidère. Comme toute éducation, l'éducation spirituelle demande le don du cœur ; on ne fait pas de bien à ceux qu'on n'aime pas vraiment. Elle exige aussi qu'on sache attendre le moment favorable pour inviter à un progrès ultérieur, et qu'on mette éventuellement à y exhorter une pointe d'humour. Quelques Pères d'Égypte ont excellé dans cet art. Je citerai ici une anecdote bien caractéristique des collections arméniennes, car elle intervient très peu en dehors d'elles :

Un moine prenait d'ordinaire son repas avec son jeune disciple, dont la cellule était contiguë à la sienne. Par malheur, ce frère avait l'habitude, quelque peu agaçante pour son compagnon et père spirituel, de mettre pour le repas un pied sur la table. Le vieillard ne lui faisait cependant aucune remarque et, longtemps, il supporta la chose en silence. Finalement, sans doute exaspéré, il alla se confier à un autre ancien, excellent et plein de finesse. Celui-ci lui répondit : « Envoie-le-moi », ce qui fut fait. Lorsque vint l'heure du repas, et que la table fut prête, l'ancien, très promptement et avant que le jeune ait pu esquisser le moindre mouvement, mit, lui, ses deux pieds sur la table. Le jeune fut très choqué, et il ne put s'empêcher de dire, avec indignation : « Père, c'est inconvenant ». L'ancien retira aussitôt ses deux pieds, fit la métanie et dit : « Tu as raison, mon frère ; j'ai commis là un grand péché ; j'ai offensé Dieu ». Revenu chez son père spirituel, le frère ne se laissa plus jamais aller à cette incongruité[14].

Plus connue, et presque aussi savoureuse est la réponse de Poemen à des vieillards qui lui demandent comment traiter les frères qu'on voit en train de dormir à l'office : « Si je voyais un frère dormant aux Vigiles », dit Poemen, « je mettrais mon coussin sur sa tête », pour qu'il puisse dormir plus commodément[15]. Un ancien devrait toujours se rappeler sa propre jeunesse, les difficultés qu'il a éprouvées à s'habituer à une observance austère. S'il les garde bien clairement dans sa mémoire, il sera nettement plus coulant.

Encore ici, avouons que les Pères du Désert n'ont pas eu tous ce que les *Paterica* arméniens appellent un « discernement de miséricorde »[16]. Il y a eu, parmi eux, des vieillards qui manquaient de compréhension,

[14] *Arm* 9, 18 : II, 233.
[15] *Arm* 10, 34 R : III, 96.
[16] *Arm* 5, 6 A : II, 6.

voire même avaient un caractère exécrable [17], et Poemen disait: «Beaucoup de nos Pères ont été vaillants dans l'ascèse, mais, dans la finesse, quelques-uns» [18]. Mais il importait de souligner que la manière d'agir et les directives des meilleurs et plus écoutés des Pères du Désert allaient, et on ne peut plus clairement, dans un sens d'indulgence, de patience, de bonté, d'affection. Le disciple, dans la version arménienne, est toujours appelé, non «ordi», (mon) fils, mais «ordeak», (mon) petit enfant. Les exigences des Pères du Désert étaient donc des exigences d'amour. Leur éducation était très positive, guidée par un préjugé favorable et un désir d'accueil; ils voulaient encourager, aider, favoriser, stimuler; ils désiraient certes corriger et assouplir les volontés rebelles, mais en vue de les épanouir; en chacune, ils cherchaient, en effet, à respecter le don particulier de Dieu.

Je voudrais terminer cet exposé par une remarque à l'éloge de S. Benoît. Alors que, dans l'ensemble de sa Règle, il dépend d'un prédécesseur, appelé le Maître, c'est à sa pensée et à sa main que nous devons les deux préceptes, unis l'un à l'autre, du chapitre IV de sa Règle : «Respecter les anciens», «Aimer les plus jeunes». En souhaitant la réunion de ces deux âges, S. Benoît se rattachait à la plus pure tradition du Désert.

[17] *Arm* 14, 18 R : III, 224.
[18] *Arm* 19, 12 B : IV, 147.

NAISSANCE ET ENFANCE DE THÉODORET

par ALICE LEROY-MOLINGHEN

Dans l'*Histoire Philothée* (Histoire des moines de Syrie)[1] Théodoret nous a fourni beaucoup de détails concernant sa famille et aussi les événements qui ont précédé ou entouré sa naissance et qui devaient conditionner tout son avenir. Les «Vies» de Pierre le Galate (IX) et de Macédonios (XIII) sont particulièrement riches en renseignements à ce sujet.

La famille de Théodoret était chrétienne, elle habitait Antioche et possédait des biens importants. Sa mère, mariée suivant l'usage vers l'âge de treize ans, menait une vie très mondaine, quand elle fut atteinte d'une grave ophtalmie devant laquelle la médecine se trouvait impuissante. C'est alors qu'elle apprit que la femme d'un gouverneur d'Orient avait été miraculeusement guérie d'un mal semblable par le moine Pierre le Galate[2]. Aussitôt elle courut le trouver. «Elle portait des pendants d'oreille, des colliers et d'autres bijoux en or, ainsi qu'une robe en tissu de soie brodé»[3]. En outre, elle était très maquillée. L'anachorète, avant de soigner son mal physique, lui tint tout un discours où fleurissent les lieux communs habituels à ce genre, pour la convaincre de renoncer aux artifices de la coquetterie. Ensuite, s'étant rendu compte qu'il l'avait persuadée, il la guérit de son mal par imposition des mains sur l'œil et par le signe de la croix[4]. Rentrée chez elle, elle renonça à ses onguents, à ses parfums, à ses bijoux, à ses vêtements somptueux, et elle se convertit à la vie ascétique[5]. Elle devait par la suite pousser si loin ses mortifications qu'un jour qu'elle était malade, le moine Macédonios vint chez elle pour la persuader d'obéir aux conseils des médecins et de considérer comme

[1] THEODORET DE CYR, *Histoire des moines de Syrie*. Introduction, texte critique, traduction, notes par P. CANIVET et A. LEROY-MOLINGHEN t. I, (Sources chrétiennes nº 234) Paris 1977 et t. II (Sources chrétiennes nº 257), Paris 1979. Voir aussi pour la vie de Théodoret : P. CANIVET, *Le monachisme syrien selon Théodoret de Cyr*, Paris 1977, et plus spécialement pp. 37-63.

[2] THEODORET DE CYR, *Histoire des moines de Syrie*, IX, 5.

[3] *Ibid.*, IX, 6.

[4] *Ibid.*

[5] *Ibid.*, IX, 8.

un remède la nourriture qu'ils lui prescrivaient de prendre[6]. Au moment de sa conversion à l'ascétisme, elle était âgée de vingt-deux ans et n'avait pas encore été mère[7]. Théodoret nous dit qu'elle était stérile, ce qui ne la chagrinait guère. Par contre, son mari supportait mal cette situation et souhaitait ardemment avoir un fils, aussi courait-il chez tous les ascètes de la région, pour qu'ils lui obtiennent par leurs prières l'héritier qu'il désirait. Alors que les autres lui prêchaient la résignation devant la volonté divine, Macédonios lui promit formellement qu'il serait exaucé. Il l'envoya chercher son épouse, lui donna sa bénédiction et lui promit un enfant qu'il faudrait vouer à Dieu. A quoi elle répondit «qu'elle ne tenait qu'à sauver son âme et à échapper à la géhenne». Quatre ans plus tard, vers 393, la promesse du saint s'accomplit enfin et elle fut enceinte[8]. Au cinquième mois de sa grossesse, elle risqua une fausse couche, envoya un messager à Macédonios pour lui rappeler «qu'elle n'avait pas désiré devenir mère» et le faire souvenir de sa promesse[9].

Sauvée grâce à son intercession, elle mit au monde un fils, qui, en témoignage de sa naissance miraculeuse reçut le nom de Théodoretos. Atteinte alors de la fièvre puerpuérale, la mère de Théodoret fut sauvée de la mort par la présence et les prières de Pierre le Galate[10]. L'enfant promis à Dieu dès avant sa naissance[11] reçut une éducation «appropriée». Il subit très fortement l'influence maternelle. Tout petit il allait rendre visite aux anachorètes de la région d'Antioche. Chaque semaine il recevait la bénédiction de Pierre le Galate et une scène charmante nous le montre assis sur les genoux de l'ascète qui lui donnait à manger du pain et du raisin[12]. Macédonios, de son côté, ne manquait pas de lui rappeler souvent les circonstances de sa naissance : «Tu as donné bien de la peine pour naître, mon petit. J'ai passé bien des nuits à faire à Dieu cette unique prière pour que tes parents reçoivent cette appellation qu'ils n'ont reçue qu'après ta naissance. Aussi faut-il que tu mènes une vie digne de leurs peines. Avant ta naissance tu as été promis en offrande. Or, les offrandes qu'on fait à Dieu sont sacrées pour tous et le vulgaire ne peut y toucher. Il ne faut donc pas, toi non plus, accepter les mauvais mouvements de ton âme, mais

[6] *Ibid.*, XIII, 3.
[7] *Ibid.*, IX, 8.
[8] *Ibid.*, XIII, 16.
[9] *Ibid.*, XIII, 17.
[10] *Ibid.*, IX, 14.
[11] *Ibid.*, XIII, 17.
[12] *Ibid.*, IX, 4.

ne faire et dire et désirer que ce qui est au service de Dieu, le législateur de la vertu». Et Théodoret de conclure : «Tels étaient les conseils que l'homme de Dieu ne cessait de me donner. Et moi, je me suis souvenu de ses paroles et j'ai appris à connaître le don de Dieu...»[13]. De ses maîtres et de l'instruction qu'il reçut, Théodoret ne souffle mot, mais il est clair qu'il bénéficia d'une éducation très soignée, car sa culture est très étendue. Ses œuvres témoignent qu'il connaissait à fond, outre les textes scripturaires, aussi la littérature antique. Il maniait d'ailleurs le grec avec une maîtrise et une élégance magistrales, bien que la langue de son pays fût le syriaque. Si toutes ses œuvres sont écrites en grec, la population du pays parlait le syriaque et il n'est pas douteux qu'il ait prononcé ses sermons en cette langue quand il était évêque de la petite ville de Cyr. Il fréquentait des ascètes qui ne parlaient que le syriaque, tel Macédonios[14]. Et il a raconté l'histoire plaisante d'une nuit où le démon aurait lancé contre lui en syriaque, à haute et intelligible voix, des menaces qui auraient été entendues non seulement par lui, mais encore par ses compagnons[15].

Son enfance et son adolescence, nous le savons par ses écrits, furent heureuses et entourées d'affection. Un jour que Pierre le Galate conversait avec un de ses compagnons qui prédisait la future carrière ascétique de Théodoret, l'ermite objecta que cela ne pouvait se faire à cause de l'attachement que ses parents avaient pour lui[16]. Et, de fait, si du vivant de ses parents, il fut lecteur à l'église d'Antioche[17], son engagement ne semble pas avoir été plus loin. Mais, après leur mort, entre 413 et 416, il vendit tous les biens dont il avait hérité et embrassa la vie cénobitique dans un monastère de Nikertai, à six ou sept km au nord d'Apamée, où il lui était possible de se livrer aux activités intellectuelles qui lui étaient chères. En 423 il devenait évêque de Cyr contre son gré, car ses goûts personnels le portaient vers la prière et l'étude.

Dans les confidences qu'a faites Théodoret sur les siens et sur son enfance, on retrouve des traits qui ne sont pas particuliers à sa famille, mais qui caractérisent l'époque et le milieu où il a vécu. La conversion de sa mère à une vie austère, le fait qu'elle ne désirait guère avoir un enfant, son attitude à l'égard du mariage sont marqués par les

[13] *Ibid., XIII, 18.*
[14] *Ibid.*, XIII, 7.
[15] *Ibid.*, XXI, 15.
[16] *Ibid.*, IX, 4.
[17] *Ibid.*, XII, 4.

idées qui régnaient dans les milieux ascétiques de son temps et qui exaltaient la virginité. Grégoire de Nysse a écrit tout un livre pour faire l'éloge de la virginité[18]. Outre le fait que les enfants sont conçus dans le péché[19], il y énumère toute une série de griefs contre le mariage[20] : la mère court de grands risques lors de l'accouchement[21], les parents vivent toujours dans l'inquiétude pour leurs enfants[22]; bref le mariage est la source de tous les maux, de toutes les afflictions, de toutes les absurdités[23]. Dans ces conditions mieux vaut de ne pas se marier, et, si on l'est déjà, il est préférable d'observer la chasteté. Si la mère de Théodoret était imprégnée de telles idées, d'après ce que l'on sait il en allait autrement de son père, dont il nous a parlé assez rarement. Lui, au contraire, souhaitait vivement un fils, probablement pour lui transmettre ses biens qui étaient importants. Il doit y avoir eu conflit dans ce ménage entre ces deux conceptions antinomiques du mariage et peut-être a-t-il fallu l'intervention des moines pour amener la jeune femme à moins de rigidité dans ses principes: ils auront certainement réussi puisque Théodoret est venu au monde... On trouve une situation parallèle à celle-ci dans la *Vie de Ste Mélanie*[24] dont le mariage se situe à peu près au moment de la naissance de Théodoret. Mélanie la Jeune, influencée par sa grand-mère Mélanie l'Ancienne, souhaitait se vouer entièrement à Dieu, mais ses parents fort riches et n'ayant que cette seule héritière, désiraient voir se continuer leur race: ils la marièrent donc, contre son gré, alors qu'elle était dans sa quatorzième année, au consulaire Pinien, âgé de dix-sept ans. Mais, nous dit le récit de sa vie, «ayant fait l'expérience du mariage et fini par prendre le monde en haine, elle exhortait son mari de façon pathétique lui adressant ces paroles: «Si tu veux, mon Seigneur, pratiquer avec moi la chasteté et cohabiter avec moi sous la loi de la continence, je te reconnais comme seigneur et maître de ma propre vie; mais si cela te semble trop lourd, si tu ne peux supporter l'ardeur de la jeunesse, voici tous mes biens à tes pieds, pour en user désormais à ton gré. Affranchis seulement mon corps pour que, avec mon âme,

[18] GREGOIRE DE NYSSE, *Traité de la Virginité*. Introduction, texte critique, traduction, commentaire et index de M. AUBINEAU (Sources chrétiennes n° 119) Paris 1966.

[19] GREGOIRE DE NYSSE, *Traité de la Virginité*, XIV, 3.

[20] *Ibid.*, III.

[21] *Ibid.*, III, 5.

[22] *Ibid.*, III, 6.

[23] *Ibid.*, III, 10.

[24] *Vie de Ste Mélanie*. Texte grec, introduction, traduction et notes par D. GORCE (Sources Chrétiennes n° 90), Paris 1962.

je le présente sans tache au Christ au Jour Redoutable. Car c'est ainsi que j'accomplirai mon désir qui est selon Dieu»[25]. Le jeune mari n'accepta pas d'emblée cette proposition; il désirait d'abord avoir deux enfants pour qu'ils leur succèdent dans leurs biens. Il leur naîtra d'abord une fille qu'ils consacrent à Dieu, puis un garçon, mais tous deux mourront en bas âge et Mélanie et Pinien finiront par embrasser la vie «angélique» âgés respectivement de vingt et de vingt-quatre ans et ils vendront tous leurs biens.

Leur fille, morte toute petite, était consacrée à Dieu et à la virginité[26]. D'autres cas analogues se lisent fréquemment dans la littérature hagiographique : des garçons et des filles sont, avant ou au moment de leur naissance, voués au service de Dieu : ainsi en fut-il de Paule, fille spirituelle de S. Jérôme et cousine de Mélanie[27]. Théodoret lui-même raconte aussi l'histoire de parents qui avaient eu plusieurs enfants morts en bas âge. Lorsqu'il leur en naquit un nouveau, le père alla trouver l'ascète Jacques de Cyrrhestique «en demandant qu'une longue vie lui soit accordée, avec promesse de le consacrer à Dieu s'il vivait»[28]. D'autres enfants sont offerts à Dieu plus âgés : Héliodore est entré au monastère à trois ans et ne connaissait rien du monde, n'ayant jamais vu ni cochon ni coq, ni autre animal[29]. Daniel le Stylite fut offert à l'higoumène d'un monastère à l'âge de cinq ans[30], Pierre le Galate a commencé sa vie ascétique à sept ans[31]. A cet âge les intéressés n'étaient évidemment pas capables de décider eux-mêmes de leur avenir!

Mais revenons-en à Théodoret; en ce qui le concerne, on ne peut qu'admirer l'habileté avec laquelle il a été conditionné dès son âge le plus tendre. Les récits qui lui ont été faits avec tant de complaisance, quand il était tout petit, enveloppent la conversion de sa mère et sa propre naissance d'une atmosphère de miracle. L'exemple de sa mère et les visites aux moines qui lui répètent souvent qu'il n'est pas libre de choisir sa destinée, toute son éducation l'ont préparé à accepter le choix qu'on avait fait pour lui. Il est remarquable cependant que, du vivant de ses parents, il ne se soit pas engagé dans la vie

[25] *Vie de Ste Mélanie*, I, pp. 131-132.

[26] *Ibid.*, p. 133.

[27] *Ibid.*, p. 205.

[28] THEODORET DE CYR, *op. cit.*, XXI, 14.

[29] *Ibid.*, XXVI, 4.

[30] *S. Danielis Stylitae vita antiquior* § 3, l. 1 dans H. DELEHAYE, *les Saints Stylites*, Bruxelles-Paris 1923.

[31] THEODORET DE CYR, *op. cit.*, IX, 1.

monastique. Aurait-il hésité à sacrifier ses affections terrestres? Quoi qu'il en soit, la préparation psychologique à laquelle sa mère l'a soumis a porté ses fruits. Ses écrits trahissent une intelligence, une modération, un équilibre assez exceptionnels. Ses goûts personnels adroitement et inlassablements dirigés, l'ont poussé vers la vie monastique, et, dans sa retraite de Nikertai, il paraît avoir trouvé l'harmonie qu'il souhaitait entre vie spirituelle et vie intellectuelle. On ne trouve trace dans ses écrits d'aucune hésitation à suivre la voie qui lui était tracée. Théodoret semblait heureux dans son monastère quand, en 423, il en fut extrait pour être nommé évêque de Cyr; il dut alors renoncer à sa tranquillité, se mêler d'affaires temporelles pour lesquelles il n'avait aucun goût; il fut aussi entraîné dans des discussions doctrinales et il ne retrouva que quelque temps, en 449, lors d'une déposition passagère, le calme de son couvent. Du moins, toute sa vie, à partir de la mort de ses parents, fut-elle, selon le voeu de sa mère, consacrée au service de Dieu, mais souvent fort éloignée de la sérénité dont il avait rêvé.

L'ENFANT MUSULMAN

par PHILIPPE MARÇAIS

Mon propos est de vous parler de l'enfant. De l'enfant musulman. Quand je dis l'enfant musulman, j'entends par là l'enfant arabe ou l'enfant berbère, ou l'enfant arabo-berbère, celui que m'ont permis de connaître les circonstances de ma carrière qui s'est déroulée pour la plus grande part dans l'Afrique du Nord. Quelle que soit l'origine ethnique de cet enfant, il a des traits spécifiques. Il les tient de sa nature propre. Il les tient aussi de la religion musulmane qui imprègne son milieu social. Cette imprégnation n'est pas uniforme. Mais qu'elle soit forte ou faible, il demeure que c'est de l'Islam que se réclament tous les éléments autochtones de cette société d'origines composites. Et, nous le verrons, l'Islam est une religion qui ne se contente pas de fixer un but à la vie, de lui donner une signification, d'énoncer tout un ensemble de règles cultuelles et rituelles. Elle pénètre très profondément et très diversement tous les gestes journaliers, et modèle intimement la conduite de tout un chacun.

Voilà une première constatation. Il en est une autre qui s'impose à nous : c'est la brièveté du temps de l'enfance dans ce type de société.

La petite bonne femme, pas plus haute qu'une botte, qui non seulement aide sa mère, mais parfois la supplée dans ses tâches, que ce soit sous la tente ou dans une chaumière paysanne, broyant, roulant, pilant, criblant, barattant, cuisinant, tissant, allant à la corvée d'eau, à la corvée de bois, est-elle vraiment une enfant? C'est déjà une adulte. Et le petit berger? Croyez-vous qu'il soit un enfant quand il part pour la journée, quelquefois davantage, pasteur d'un troupeau dont il a la garde, le menant d'un pâturage à l'autre, connaisseur avisé de la végétation qui convient, habile à protéger ses bêtes, à les soigner, à aider la brebis ou la chèvre à mettre bas? Il n'emporte pour toute nourriture que quelques dattes, quelques figues et un morceau de galette; et c'est sur lui-même, sur son ingéniosité et sur son adresse, qu'il doit avant tout compter pour se procurer de quoi manger, cueillant des herbes comestibles, attrapant des oiseaux qu'il plume et fait rôtir, ou capturant un hérisson qu'il roule dans une boule de glaise et qu'il fait cuire dans la braise. Il a très tôt une activité et une conscience d'adulte. Et il n'y a pas que la vie pastorale et la vie rurale qui nous offrent le spectacle de ces «enfants» agissant en adultes, encore que les petits citadins soient plus longtemps enfants que les petits campagnards. Les gamins qui courent les rues nous paraissent insouciants quand ils s'envolent comme une volée de moineaux. Mais ils ressentent, tout comme les adultes, l'aiguillon du besoin et le poids des responsabilités, et nombreux sont ceux qui jouent un rôle non négligeable dans la vie économique de la famille, cireurs de souliers, coursiers, porteurs de paniers de marché; encore que ce rôle nous apparaisse épisodique et décousu, les menues tâches rémunératrices qu'ils assument se mêlant à des jeux enfantins.

La brièveté de l'enfance musulmane nous saute aux yeux. Au reste, les filles sont tôt nubiles et les garçons précocement adolescents. Si nous voulions élever le débat, ne devrions-nous pas dire que ce sont nos sociétés occidentales, évoluées dit-on, et éprises d'idées systématiques et de théories psychologiques, qui ont, à une époque relativement récente, découvert l'enfant, inventé la mentalité enfantine, qui ont fait de l'enfant un être à part, qui le figent dans cet état, qui prolongent indéfiniment l'âge de l'enfance et ... qui lui créent plus de droits que de devoirs. Au reste, il n'en était pas ainsi dans le courant des siècles précédents, où l'on mariait les jeunes souverains dès 14 ans, où Angélique Arnaud réformait son abbaye de Port-Royal à 17 ans, et où la plupart des enfants apprenaient un métier et gagnaient leur vie, à peine adolescents.

Mais revenons à notre enfant musulman. Il est, dans sa dimension physique réduite, membre de la communauté qui l'enserre, au même titre que les autres individus, de tout âge et de tout sexe. Cette communauté exerce une force singulièrement contraignante, en ce sens que le groupe y est tout et l'individu peu de chose. Le père, les oncles, les frères aînés détiennent l'autorité. Les femmes, épouses, filles et sœurs, et les enfants, la subissent. Au-dessus de la famille, qui forme un noyau compact et homogène, règne le groupe social qui l'englobe, et qui exerce une contrainte d'une puissance que les Occidentaux ont beaucoup de peine à concevoir.

L'enfant peut bien évidemment posséder sa nature foncière et des réactions qui lui sont propres, mais c'est des traits dominants qui marquent la société dont il émane qu'il tient des caractères particuliers. Ils font, me semble-t-il, de lui un individu quelque peu différent des autres enfants. Sa personnalité est en quelque sorte pétrie dans un moule proprement spécifique.

Envisageons certains aspects de sa conscience morale. Elle établit certainement une distinction entre des notions qui s'apparentent au bien et au mal. Mais ces notions, semble-t-il, ne recouvrent pas exactement celles que nous envisageons.

Comment la faute, par exemple, est-elle ressentie par lui? Pas nécessairement comme une défaillance de sa volonté, ou comme un écart qu'il eût pu maîtriser. Plutôt comme une manifestation incontrôlée d'une tendance interne qui ressemble à une disposition foncière de l'être, disons le mot à une maladie. La croyance populaire établit volontiers une corrélation entre la conduite morale de l'individu et son tempérament physique. Obéissant à un ressort intime qui fait partie de l'automatisme du naturel, la faute apparaît donc souvent comme incontrôlable. Elle ne saurait être mise au compte des actes responsables. Tout ce que peut faire l'éducation c'est tenter d'extirper cette tendance au mal comme on chasse la fièvre ou comme on procède à l'ablation d'un organe malade. C'est la sanction qui exerce cette action thérapeutique ou chirurgicale.

De même que la maladie atteint un organe, de même la faute admet une localisation matérielle. C'est la langue qui est coupable chez le menteur, les yeux chez celui qui jette des regards envieux, la main chez le voleur. Et, suivant la croyance très répandue selon laquelle on est puni par où l'on a péché, le châtiment atteindra le coupable en frappant l'organe fautif. Il est des châtiments surnaturels, d'après la rumeur populaire, qui frappent le menteur en le rendant muet, et le voleur en lui desséchant la main. N'oublions pas que la loi musulmane prévoit la section de la main droite de celui qui vole; et qu'il ne manque pas de mères pour frotter le bout de la langue du petit enfant menteur avec du piment.

En sorte que la sanction, faisant paire indissociable avec la faute, en même temps qu'elle revêt la valeur d'une punition, joue le rôle sacré d'une véritable purification. Il s'agit de chasser le Satan qui pollue le coupable. «Chasse le Satan (akhzī ch-chīṭān)», c'est ce que l'on crie à celui qui se met en colère. Les parents et les maîtres musulmans ne craignent pas de châtier les enfants. Ne dit-on pas communément «C'est du Paradis qu'est sorti le bâton (men-el-jenna kharjet el-ɛṣâ)». Un père, conduisant pour la première fois son petit garçon au Kouttāb, à l'École coranique, à Tunis, dit au maître, au cheikh qui devra lui enseigner le Livre Saint: «Ne me rends compte que de sa peau (aḥsebni b-ej-jeld)», ce qui veut dire «Bats-le, écorche-le si tu veux: je ne te réclamerai que la peau!». Telle est la vertu de la râclée salutaire et purificatoire. Car expulser le mal, c'est du même coup purifier le corps des atteintes du mal et réaliser un assainissement physique et moral. Rappelons au passage que le Grand-Frédéric, dans sa toute petite enfance, recevait au lever, avant toute chose, une bonne râclée journalière destinée à le mettre dans de bonnes dispositions pour toute la journée. Son précepteur aurait pu être un éducateur musulman!

Lorsqu'on tente de sonder la conscience morale de notre petit enfant, on croit apercevoir que c'est l'idée de sanction qui domine toute la conduite à tenir, et que le remords consiste avant tout à évoquer mentalement les suites fâcheuses de l'action réputée mauvaise. Mal agir, c'est en somme avoir à s'en repentir. En d'autres termes, faire le bien, c'est ne pas faire le mal, c'est éviter de contrevenir aux interdictions.

De quel ordre sont-elles, ces interdictions? Il est extrêmement malaisé de discerner, dans la conception du jeune musulman, celles qui relèvent de la règle religieuse, de celles qui se situent sur le plan des normes sociales. Les premières sont classées dans la catégorie de ce qui est *ḥarām*, c'est-à-dire les actes ou paroles que la religion proscrit. Les deuxièmes sont rangées sous la rubrique du *ɛār*, fautes morales et sociales tout à la fois, ou de la *ḥachoûma* : en bref, les actes ou paroles qui feraient monter le rouge au front du contrevenant, et qui violeraient les usages de la civilité puérile et honnête. Je vais vous en donner quelques exemples que je tire d'une remarquable étude faite par un vieux maître de l'enseignement, aujourd'hui décédé, Monsieur Paul Bourgeois, sur «l'Écolier musulman». Il s'agit d'appréciations d'enfants musulmans de 9 à 12 ans sur la classification des mauvaises actions :

— en matière d'alimentation :

à considérer comme *ḥarām* (faute religieuse) : boire du vin, du sang, manger du porc, manger de la viande d'une bête qui n'a pas été égorgée rituellement, marcher sur du pain, gaspiller des aliments;

à considérer comme *ɛār* (faute sociale) : casser un verre de thé, souffler sur les aliments, ne pas ramasser les miettes, manger gloutonnement, manger avec des mains sales;

— en matière de tenue et propreté corporelles :

à considérer comme *ḥarām* : pour une femme, se farder, sortir non voilée, se mettre en maillot de bain;

à considérer comme *ɛār* : laisser traîner des rognures d'ongles ou des démêlures; pour un vieillard se faire couper la barbe lorsqu'il la porte;

— dans les rapports familiaux :
à considérer comme *ḥarām* : pour un enfant, battre ses parents; pour une femme mariée, s'enfuir avec un amant, user de sortilèges pour réduire le mari à sa merci; pour un homme, abandonner ses enfants, ne pas venger une offense faite à la famille;
à considérer comme *ɛār* : manquer de respect à ses parents; pour un garçon, monter à la terrasse, se trouver auprès de son père quand deux animaux s'accouplent, battre sa sœur, fumer devant son père ou devant son frère aîné;
— à l'école :
à considérer comme *ḥarām* : frapper un camarade innocent, insulter le maître, jouer avec des enfants d'un autre sexe, s'enfuir de l'école coranique;
à considérer comme *ɛār* : répondre insolemment au maître, renverser de l'encre sur la jellāba du cheikh, dénoncer un camarade.
— en ce qui concerne la politesse, la liste des exemples pourrait être indéfiniment allongée. Notons simplement :
à considérer comme *ḥarām* : insulter un vieillard, dire des vilains mots dans la rue, dire à une femme qu'elle est stérile;
à considérer comme *ɛār* : regarder les gens dans les yeux, manger dans la rue, faire de grands gestes, chanter ou siffler dans la rue, entendre des jurons ou des malédictions, parler à quelqu'un de sa femme, demander à quelqu'un le nom de sa sœur si elle a plus de dix ans.

L'examen de ces quelques exemples conduit à constater qu'il y a confusion, dans les jugements de caractère moral entre interdictions religieuses d'une part, et d'autre part ruptures du «covenant social». Cette confusion n'existe pas seulement dans l'esprit de l'enfant. Elle persiste à l'âge de l'adolescent et même à l'âge de l'adulte. Ne trouve-t-on pas dans les règlements coutumiers des sociétés berbères, dans les *Kānoūns* kabyles par exemple, la nomenclature des pénalités, généralement pécuniaires, qui sanctionnent les infractions les plus diverses : comme les manquements aux devoirs religieux, les insultes, les blasphèmes, l'homicide, le vol, le préjudice matériel; mais aussi l'inconduite, l'atteinte à l'ḥonneur, ou simplement les violations du code de la correction sociale ou de la politesse, comme

— pour un homme, le fait de se trouver intentionnellement sur le chemin que fréquentent les femmes pour aller puiser l'eau; ou de ne pas être assidu aux séances de l'assemblée villageoise;

— pour un jeune, le fait de couper la parole à un vieillard, ou de lui parler effrontément en le regardant dans les yeux.

L'un des meilleurs connaisseurs de l'Islam marocain, François Bonjean, a donné, dans un excellent petit livre «L'âme marocaine vue à travers les croyances et la politesse», une excellente définition de cette confusion permanente qui règne entre le code des prescriptions et recommandations religieuses et le code de la civilité honnête. Voici ce qu'il dit, entre autres choses excellentes : «La *ḥachoûma* est un terme qui signifie à la fois pudeur, honte, timidité, réserve. Un jeune homme bien élevé est honteux. Il ne parle que si on lui adresse la parole. Il baisse les yeux. Il disparaît si on vient à parler de lui. Il ne doit pas parler fort, ni se mettre en colère ou paraître excité. Il doit se garder de dire à quelqu'un ses vérités en présence de témoins. A plus forte raison pour la jeune fille. Le jour où son père lui propose un mari qui lui plaît, elle doit se garder de dire oui et même d'abaisser la tête en signe d'assentiment. Son silence est déjà une acceptation presque indiscrète. L'honneur, la tradition lui enjoignent de refuser, de pleurer, de déclarer qu'elle ne veut pas quitter ses parents; car, dit le proverbe, si la mariée ne pleure pas le jour de ses noces, Dieu refusera la pluie aux sillons».

«La *ḥachoûma*, poursuit François Bonjean, interdit les querelles, ne permet pas de refuser catégoriquement de rendre un service, oblige dans certains cas à prendre des gens sous sa protection, fait qu'on utilise des intermédiaires pour les démarches délicates. Elle contraint, dans les rapports sociaux à une apparente insincérité, en ce sens que les refus doivent être déguisés sous des compliments, des réticences, des silences».

Ces judicieuses remarques de François Bonjean rejoignent tout à fait les propos qu'un grand théologien musulman du XIe siècle, Al-Ghazālī, tient au sujet de l'enfant et de l'éducation qu'on doit lui donner. Tout doit y être subordonné au code des valeurs sociales. Voici ce qu'il dit, par exemple : «Dès que le père distingue [chez le tout petit] des semblants de discernement, il redouble de vigilance. Ce discernement se manifeste d'abord dans les sentiments de pudeur : l'enfant commence à ressentir de la honte et à se détourner de telles actions. Cela ne signifie encore que l'éveil à la lumière de la raison. Distinguant certaines choses mauvaises et contraires à d'autres, il a honte des unes et non des autres. C'est là une faveur divine et un heureux présage d'équilibre moral et de pureté du cœur, prémices d'une parfaite maturité de la raison, au moment de la puberté. L'enfant naturellement enclin à la pudeur ne doit pas être laissé à lui-même et à son discernement». Puis Al-Ghazālī entre dans les détails, et vous allez voir que les recommandations qu'il prodigue traitent moins des rapports de l'enfant avec sa conscience morale, que de sa bonne conduite en société, où il doit avant tout se bien faire juger : «Que l'enfant ne se mouche ni ne baille en réunion. Qu'il ne tourne le dos à personne, qu'il évite de croiser les jambes, de se tenir le menton avec la main, d'appuyer la tête sur les bras : ce sont là autant de manifestations de paresse. On lui apprendra comment il doit s'asseoir, on veillera à ce qu'il ne parle pas avec trop de volubilité, lui expliquant que c'est là une marque d'effronterie, et qu'en agissant ainsi il s'expose à être blâmé. Il ne devra pas faire de serment lui-même, afin de ne pas prendre l'habitude de jurer dès son jeune âge. On l'empêchera de prendre la parole le premier et il ne devra parler que pour répondre à une question qui lui sera posée et dans la mesure de celle-ci. Il devra prêter une oreille attentive à un interlocuteur plus âgé que lui, se lever devant un supérieur, lui laissant la place et s'accroupissant devant lui. On l'empêchera de prononcer des paroles futiles et blâmables, de même qu'on ne le laissera pas maudire ni injurier personne et qu'on lui interdira de fréquenter ceux qui ont l'habitude de le faire».

En somme, Al-Ghazālī décrit le jeune musulman qui doit, très tôt, acquérir cette admirable qualité qui caractérise l'adulte, et dont le prophète Mohammed fournissait un remarquable exemple : *al-ḥilm*, mot qui veut dire tout à la fois «jugement rassis, bon sens, douceur, souci de l'autre, maîtrise de soi». C'est, nous devons en convenir, un bel idéal. Sans que la charité y soit expressément décrite, elle nous paraît en être implicitement un des éléments constitutifs.

Reste à parler de la notion de vérité. La valeur en est relative. Des observateurs de ce monde enfantin qu'est l'école (comme l'était cet instituteur dont j'ai parlé, ou comme l'étaient aussi Georges Hardy et Louis Brunot, qui lui ont consacré jadis un joli livre) sont unanimes à observer que le mensonge entre enfants, pendant le jeu, n'est pas considéré comme une faute. Parfois la règle du jeu s'exprime dans un formulaire solennel où l'emploi d'adjurations, d'obsécrations au caractère quasi sacré, retient parfois le joueur de tricher. Mais le jeu s'apparente, vous le savez bien, à la guerre. Et à la guerre, tous les moyens sont bons pour triompher de l'ennemi. C'est un domaine, en somme, où «la fin justifie les moyens».

La vérité varie selon les circonstances. D'une enquête faite parmi des enfants musulmans de 8 à 12 ans, il ressort que mentir à son père, à une personne âgée et respectable du foyer, c'est très grave. Comme aussi à un voisin, à l'égard duquel on est responsable du bon renom familial : passer à ses yeux pour un menteur, c'est entacher l'honneur des siens. Mentir à sa sœur est considéré comme un manquement minime, mentir à sa mère, ce n'est pas indifférent, mais c'est moins grave que de mentir à son père. D'une façon générale, beaucoup d'enfants affirment qu'il n'y a lieu d'avouer une faute que si l'on a été pris en flagrant délit.

Dans les rapports avec l'extérieur, la sincérité paraît, suivant les cas et les personnes intéressées, différemment de mise. Ne rien dire, affirmer qu'on n'a rien vu, rien entendu, ne constitue pas nécessairement un mensonge, mais une attitude de prudence élémentaire. Le silence évitera souvent d'attirer sur soi la vengeance, ou simplement des ennuis. Il est considéré simplement comme une attitude qui sauvegarde la bonne réputation. Ne pas se mêler des affaires d'autrui, telle est généralement la ligne de conduite à suivre. Au contraire, témoigner en faveur de quelqu'un que l'on connaît, pour lui rendre service, est un acte de bien. C'est un geste de solidarité presque obligatoire. Ce qui compte, en l'occurrence, ce n'est pas le culte de la vérité, mais celui des rapports personnels. Quand on voit dans la difficulté quelqu'un de connaissance, à plus forte raison un parent ou un ami, l'intérêt qu'on lui porte fait que ce que l'on a vu et entendu penche, par définition, de son côté, et tend, par conséquent, à figurer en sa faveur. Quand il s'agit d'un étranger, il en va tout autrement. Et mieux vaut se taire.

Dans ces conditions, l'énoncé de la vérité est inspiré le plus souvent par des jugements subjectifs. Formuler sa pensée, c'est en quelque sorte amorcer l'accomplissement réel de ce que l'on a dans l'esprit, de ce que l'on désire qui soit. C'est déclencher l'événement souhaité et en précipiter l'échéance. Ce qui peut s'exprimer encore d'une autre façon : dire la vérité, c'est dire ce qu'on voudrait que soit la vérité. D'où la distance, qui parfois peut être considérable, entre la vérité et la réalité. Une telle attitude ressortit en somme à la conception de la magie verbale qui se propose de commander aux événements. Elle implique d'une part que l'on évite d'évoquer formellement ce dont on redoute l'incidence : c'est l'aspect négatif. Elle porte d'autre part à appeler, en la formulant, la réalisation de ce que l'on souhaite : c'est l'aspect positif.

Ce visage de la vérité, d'une vérité variable, flottante, éclate tout particulièrement dans les contacts avec l'étranger. De quoi s'agit-il avant tout ? De lui faire plaisir et de se faire bien juger. Lui affirmer, avec assurance, ce qu'il semble vouloir ou attendre. Lui promettre même ce qu'il semble tant désirer. C'est là ce qui ne peut que le contenter. C'est si peu de chose, et cela fait tant de plaisir. Un plaisir qu'on ne saurait raisonnablement refuser.

Nous arrivons au terme de notre entretien. Comment conclure? Le sujet que nous avons abordé est complexe et délicat. Il faut se garder des formules laconiques et définitives en une telle matière. Elles auraient de grandes chances d'être marquées au coin de l'inexactitude et, mettons, de l'injustice. L'enfant musulman dont nous avons esquissé la silhouette est souvent un enfant distinct des nôtres, en ce qu'il n'a généralement pas leur puérilité. Nous aurions tort de taxer d'insincérité une attitude sociale dictée par un code de la politesse assez différent de nos usages de civilité honnête. A nombre d'égards, ce code de la politesse procède d'un sens de la solidarité familiale, et au-delà de la famille, d'un souci de l'entraide communautaire, infiniment plus vifs dans la société arabo-berbère d'Afrique du Nord, et dans les sociétés musulmanes en général, que dans nos sociétés européennes. Dans les milieux où l'éducation religieuse est profonde, le respect du prochain et le sentiment de fraternité se transfigurent et s'inspirent de nobles modèles. Enfin l'esprit de Dieu soufflant où il veut, à travers tous les humains, il se trouve, dans ce monde des enfants musulmans, sans doute autant de cœurs purs et loyaux et de consciences limpides que dans toutes les sociétés enfantines du monde.

L'ÉDUCATION DE L'ENFANT CHEZ LES LATINS D'ORIENT À SMYRNE AU XIXe SIÈCLE

par Livio MISSIR de LUSIGNAN

Rappel des données actuelles

D'après les statistiques d'*Oriente Cattolico* (Cité du Vatican, 1974)[1], il existe actuellement à Smyrne (en turc «Izmir», en flamand «Smyrna»), environ 3.000 catholiques romains dits «Latins» ou, plus précisément, «Latins d'Orient»[2].

Aux yeux du droit canon de l'Église catholique romaine ces Latins font partie de l'archidiocèse de Smyrne (Archidioecesis Smyrnensis) et, aux yeux du droit international public, ces Latins se répartissent en citoyens *turcs* (env. 30%), citoyens *italiens* (env. 30%), citoyens *français* (env. 10%) et en citoyens de diverses autres nationalités dont, notamment, l'anglaise, la néerlandaise, la grecque, l'autrichienne, la belge, etc. (soit 30% restants)[3].

[1] Cf. mon compte rendu de cet ouvrage in *Rome et les Églises d'Orient vues par un Latin d'Orient* (p. 151-154), que j'ai publié en 1976 à Paris auprès de La Pensée Universelle.

[2] Sur l'expression «Latins d'Orient» (ou «Levantins stricto sensu») cf., outre mon livre cité à la note 1, ma communication au Premier Congrès International d'études sur la Turquie préottomane et ottomane, publiée dans les Actes de ce Congrès (*Studi preottomani e ottomani*, Istituto Orientale, Naples, 1976), et intitulée *Una fonte ignorata della storia ottomana: la genealogia delle famiglie levantine e in particolare dragomannali.*

[3] Il n'existe presque pas de source officielle (turque ou étrangère) permettant de chiffrer, avec exactitude, le nombre des Latins d'Orient résidant à Smyrne en 1978. Même le chiffre global mentionné par *Oriente Cattolico* en 1974 (2.850, cf. p. 460) pose des problèmes. En effet ce chiffre se réfère-t-il uniquement aux «catholiques» *établis* à Smyrne (donc aux Latins d'Orient proprement dits), ou bien comprend-il aussi les catholiques romains «de passage» à Smyrne, tels que, par exemple, les familles des catholiques américains de la Sixth Allied Tactical Airforce (NATO), stationnée à Smyrne? Sur le témoignage de l'ancien archevêque latin de Smyrne, Mgr. Descuffi, je puis affirmer, en tout cas, que le nombre des Latins d'Orient de Smyrne s'est stabilisé, depuis la fin de la seconde guerre mondiale, autour des 2000 unités.

Les sources nationales étrangères (statistiques consulaires notamment) ne sont pas toujours accessibles. Les rapports annuels que le Consulat d'Italie adresse à son ministère des affaires étrangères (cf., entre autres, ma communication au Convegno internazionale di studi sulla vocazione europea della Turchia, Venise 1973, en cours

Ces Latins constituent respectivement ce qu'on appelle aujourd'hui les «collectivités nationales» italienne, française, anglaise, néerlandaise, grecque, autrichienne, belge, etc. de la ville de Smyrne, ce qu'on appelait, il y a quelques années, les «colonies étrangères» de la ville de Smyrne et ce qu'on appela, sous l'Empire Ottoman, d'une part la «nation latine ottomane»[4] de Smyrne et/ou de l'Empire (vulgairement les «catholiques latins *rayas*» ou «Latin rayasĭ») et, d'autre part, les «nations étrangères» de Smyrne et/ou de l'Empire.

Plutôt en harmonie avec le droit canon unificateur de l'Église catholique romaine qu'avec le droit ségrégateur international public, les Latins de Smyrne ont un dénominateur commun non seulement religieux, mais aussi racial (une généalogie souvent commune), culturel (appartenance simultanée à plusieurs cultures qui leur sont communes, polyglossie et cosmopolitisme) et surtout historique, leurs familles ayant joué, au cours des siècles, ainsi que l'a relevé Toynbee, dans sa *Study of History*, un rôle analogue à celui des Phanariotes de Constantinople[5].

de publication auprès de la Fondazione Cini) permettent d'affirmer que le nombre d'Italiens inscrits aux registres «des nationaux» du Consulat (donc, en grande partie, des Latins d'Orient de nationalité italienne) oscille, depuis quelques années, entre 700 et 1000 unités. Quant aux nationaux français, des déclarations récentes du Consul général de France à la presse turque de Smyrne (Yeni Asĭr, 4.3.1978) faisaient état de 200 unités. J'ignore, enfin, les statistiques des Consulats généraux de Grèce et de la République Fédérale d'Allemagne, du Consulat de Belgique, des Consulats (honoraires) d'Autriche, de Grande Bretagne et des Pays-Bas, de même que les statistiques (éventuelles) du Consulat général des États-Unis d'Amérique.

Quant aux sources turques, d'après la publication n° 508 de l'Office Statistique de Turquie, intitulée *Population Census of Turkey: 24 October 1965, 1% Sample Results*, Ankara 1966, p. 77, il y avait à Smyrne, en 1965, 4.782 «catholiques» (dont les nationalités ne sont toutefois pas indiquées).

[4] Il n'existe pas d'étude d'ensemble sur les «nations étrangères» établies sur le territoire ottoman. Il faut se référer, pour l'instant, aux Capitulations (ou aux études concernant les Capitulations) respectives.

Il n'existe pas, non plus, d'étude d'ensemble sur la «nation latine ottomane» dont certains semblent contester l'existence en tant que telle en affirmant qu'il n'y a pas eu une seule nation latine ottomane, mais plusieurs (par ex. la nation latine ottomane de Scio, celle de Galata, etc.) en fonction des Capitulations (ou autres actes constitutifs) respectifs. Sans doute il y a eu pluralité d'actes constitutifs en fonction de la date de soumission de ces nations à l'autorité ottomane (par ex. 1453 pour Galata, 1566 pour Scio, etc.), mais les principes de droit islamique et/ou ottoman qui inspirèrent tous ces actes (au contenu plus ou moins similaire) permettent de parler d'une seule nation latine ottomane relevant du Pape de Rome (d'où son statut composite sinon hybride aux yeux de la législation ottomane), de la même façon qu'on parle de la «nation roum» (grecque ou plutôt orthodoxe en général) et de la «nation arménienne» (comprenant tous les chrétiens non-catholiques-romains et non-orthodoxes) ottomanes.

[5] Cf. A.J. Toynbee (trad. it.), *Le civiltà nella storia*, Ed. Einaudi, Turin 1950, p. 180 à 191.

Pour ce qui est de leur éducation primaire (cinq années outre le jardin d'enfants), les Latins de Smyrne, s'ils bénéficient d'une nationalité étrangère, n'ont le choix qu'entre la seule école étrangère disponible sur place, dite «Scuola Mista Elementare Italiana» (tenue par les Sœurs de l'Immaculée Conception d'Ivrée[6], mais financée notamment par l'*Associazione Nazionale Missionari Italiani*, Rome)[7], et l'école primaire de l'Etat turc, dite «Ilk Okul». En effet, si la législation de la République de Turquie n'apporte pas d'entraves à la fréquentation des écoles primaires turques par des étrangers (quelle que soit leur appartenance religieuse), elle subordonne le droit l'accès aux écoles primaires *étrangères* à la possession pacifique d'une citoyenneté étrangère, quelle qu'elle soit[8].

Pour ce qui est de leur éducation secondaire, les enfants des Latins de Smyrne, quelle que soit leur citoyenneté (étrangère ou turque) ont la faculté de choisir entre l'école moyenne turque («Orta Okul»), correspondant aux trois premières années d'humanités belges, la seule école moyenne française (pour garçons) disponible sur place (le «Collège français Saint-Joseph» dirigé par l'Institut des Frères des Écoles Chrétiennes) (trois ans)[9] et le lycée américain (pour filles) (six ans)[10]. En effet, la législation turque, une fois assurée l'éducation nationale primaire turque des enfants de nationalité turque, laisse libre les familles (turques ou étrangères) d'inscrire leurs enfants aux écoles secondaires (moyennes et lycées, «lise» en turc) et universitaires de leur choix.

Pour leurs études dépassant le stade des trois premières années d'humanités, les Latins de Smyrne peuvent soit opter pour le lycée

[6] Cf. P. Francesco DA SCANDIANO, *Le RR Suore dell'Immacolata Concezione d'Ivrea a Smirne (1887-1937)*, Parma, Ed. Fr. Francesco 1937.

[7] A.N.M.I. (Associazione Nazionale per Soccorrere i Missionari Italiani), Numero unico, Luglio 1955, Roma, Via Cavour 256.

[8] Cf., entre autres, la loi sur les écoles privées (Özel Öğretim Kurumlarĭ Kanunu) du 18 juin 1965 (J.O. turc n° 12.026), l'étude du prof. G.A. ÖKÇÜN sur *La liberté d'enseignement des étrangers en Turquie* in *Revue de la Faculté des Sciences Politiques*, T. XV, n° 2, Ankara 1959 ainsi que N. POLVAN, *Türkiyede Yabancĭ Öğretim* (L'enseignement étranger en Turquie), Istanbul 1952.

[9] Sur la fondation de cet Institut, cf. G. RIGAULT, *Histoire générale de l'Institut des Frères des Écoles Chrétiennes*, Tome VI, Paris, Plon 1948.

[10] Le nom exact de cette école est «American Collegiate Institute, Izmir». Cf., e.a., *The Near East Mission, Its Institutions*, publié par The United Church Board for World Ministeries, 475 Riverside Drive, New York 27, N.Y. (s.d.) ainsi que *A Brief History of American Board Schools in Turkey*, due à la plume de Ethel W. PUTNEY et publié par Amerikan Board Neşriyat Dairesi, P.K. 142, Istanbul en 1964, donnant un aperçu très général mais apparemment complet des institutions missionnaires américaines en Turquie.

turc, à Smyrne même, soit envoyer leurs enfants auprès d'un des nombreux lycées étrangers existant encore à Istanbul, tels que les différents collèges français des Frères des Écoles Chrétiennes ou des Pères Lazaristes et des Filles de la Charité de Saint Vincent de Paul, le lycée italien et les écoles moyennes tenus par les Sœurs d'Ivrée, les lycées autrichiens pour filles et garçons tenus respectivement par les Lazaristes et les Filles de la Charité de Graz, la Deutsche Hochschule, les High Schools anglaises et l'American College for Girls[11].

Il n'existe pas d'université étrangère en Turquie, la seule institution de niveau universitaire ayant existé depuis la création de la République de Turquie (1923) — le Robert College américain d'Istanbul — ayant été nationalisée au début de la présente décennie et transformée en «Université du Bosphore» (Bogaziçi Üniversitesi)[12]. Ainsi les enfants des Latins de Smyrne peuvent soit s'inscrire (sans limitation aucune du fait de leur nationalité) à l'université de Smyrne, appelée «Université de l'Égée» (Ege Üniversitesi)[13], soit auprès de l'une ou l'autre des diverses universités d'Istanbul[14], d'Ankara[15] et de Turquie en général, lesquelles n'ont pas encore été affectées, heureusement, par le phénomène français dit de la «sectorisation».

C'est ainsi que votre serviteur, après avoir fréquenté la Scuola Elementare Italiana de Smyrne, a suivi les cours des *Istituti Medi Italiani* d'Istanbul et a, ensuite, fait son droit à l'université turque d'Ankara dont le titre, celà soit dit en passant, a été homologué par l'université de Rome[16].

[11] Sur l'histoire des écoles catholiques de Constantinople cf., outre l'ouvrage de POLVAN, déjà cité à la note 8, la célèbre *Histoire de la Latinité de Constantinople* publiée par Belin à Paris en 1894 (2e éd. parue chez Alphonse Picard et Fils).

[12] Cf., e.a. divers actes parus dans le Journal Officiel turc. Sur l'histoire de l'activité missionnaire américaine en Turquie cf. P. KAWERAU, *Amerika und die Orientalischen Kirchen*, Berlin, de Gruyter 1958. Au moins jusqu'à l'été 1969 il existait un *Robert College Alumni Magazine*, publié à Bebek (Istanbul), P.K. 8, dont j'ai précisément la *Summer Issue, 1969* comportant, e.a., de très intéressantes «Alumni Notes» depuis 1913.

[13] Cette université est très récente (fondée dans les années 50) et ne comportait, à ses débuts, qu'une seule faculté, celle d'agronomie. Elle a déjà donné au moins un licencié latin d'Orient, l'ingénieur-agronome Copri («Kopri»), descendant d'une ancienne famille catholique persane de Smyrne, bien connue.

[14] Je voudrais mentionner ici le cas de M. Piero Pettovich, latin d'Orient, actuellement fonctionnaire à la Banque Européenne d'Investissement, Luxembourg, licencié en droit de l'université d'Istanbul. D'autres, comme M. Radeglia, ont eu leur diplôme d'ingénieur en étudiant à l'université technique de cette même ville.

[15] Mon cas personnel. C'est en 1959, en effet, que j'ai obtenu ma licence en droit à l'université d'Ankara.

[16] L'homologation a eu lieu par décret ad hoc du Sénat académique de l'université de Rome qui m'a imposé quatre examens complémentaires (droit romain, pénal,

Dois-je tirer des conclusions de ce qui précède? S'agissant d'un simple exposé de faits, je ne le crois pas, quels que puissent être, aux yeux scrutateurs de ceux qui aiment prévoir l'avenir, les aspects nationalisateurs ou, suivant les optiques, dénationalisateurs, des formules scolaires actuelles.

Le XIXe siècle

L'énumération des institutions scolaires étrangères de Turquie auprès desquelles les Latins de Smyrne, d'Istanbul et des autres villes turques peuvent, encore de nos jours, faire leurs études primaires ou secondaires, nous introduit d'emblée dans la problématique de l'éducation de l'enfant chez ces Latins au XIXe siècle car la plupart de ces institutions datent de ce siècle.

En effet, si l'on excepte les écoles des Lazaristes français qui, dans l'Empire Ottoman, ont pris la succession des Jésuites dès 1783, suite à la suppression de la Compagnie de Jésus, les écoles des Filles de la Charité de St. Vincent de Paul et des Frères des Écoles chrétiennes datent de la première moitié du siècle dernier. Les écoles laïques italiennes et celles des sœurs d'Ivrée datent de sa seconde moitié. A des dates différentes du XIXe siècle remontent les écoles anglaises, allemandes, autrichiennes et américaines.

Il n'était pas question, par contre, au siècle dernier, pour les Latins de Smyrne, notamment, de fréquenter des écoles ottomanes musulmanes qui, par définition, étaient basées sur l'enseignement coranique et, par conséquent, réservées aux enfants musulmans. Ni, en règle général, et sauf peut-être quelques exceptions, les Latins de Smyrne se permettaient de fréquenter les écoles, pourtant florissantes, des communautés grecque-orthodoxe et arménienne, réservées, par définition, aux enfants de la nation roméique[17], c'est-à-dire grecque de nationalité ottomane, et de la nation arménienne de nationalité également ottomane. A fortiori, les Latins de Smyrne ne fréquentaient pas les écoles de la nation juive ottomane qui, soit dit en passant, se sont maintenues

ecclésiastique et administratif) ainsi que la soutenance d'une thèse (*Le statut des biens d'Église étrangers en Turquie*), sous les auspices de M. A.C. Jemolo. Ceci m'a permis d'obtenir ma «laurea» en droit, avec 110 points «cum summa laude», en 1961.

[17] Un livre très important sur l'histoire des écoles grecques de Smyrne est celui du regretté C.S. SOLOMONIDÈS, intitulé Ἡ παιδεία στὴ Σμύρνη (*L'éducation scolaire à Smyrne*), Athènes 1961. On y trouvera des indications sur les autres écoles chrétiennes.

jusqu'à nos jours à Smyrne et en d'autres villes de la République de Turquie[18].

Par contre, dans les quatre volumes du Palmarès du Collège français des Lazaristes de Smyrne[19] couvrant la période 1846-1910, il est possible de rencontrer quelques noms, bien que rares, d'élèves grecs, arméniens et juifs. Je ne crois pas y avoir trouvé d'élève musulman.

Le tableau que je viens de brosser a déjà permis, à certains historiens, de parler non seulement de la lutte que les Puissances européennes se livrèrent entre elles, sur le territoire ottoman, afin d'assurer la primauté des influences culturelles et, par là, politiques, respectives[20], mais aussi — le mot ou l'anti-mot sont toujours à la mode — d'une «colonisation» culturelle de l'Empire Ottoman[21].

Si lutte il y a effectivement eu, peut-on vraiment parler, sans discrimination ou précision aucune, de «colonisation» culturelle? Si colonisation il y a eu, celle-ci s'est adressée principalement et presque exclusivement, pour des raisons inhérentes aux structures théocratiques de l'Empire, à ses composantes démographiques non-musulmanes et en particulier latines, dans l'acception la plus large comprenant à la fois catholiques romains ou protestants de l'Empire, issus de familles européennes d'origine catholique romaine ou protestante ou de familles orientales romanisées ou protestantisées. C'est pourquoi, le sens du mot «colonisation» a, dans ce contexte, plutôt le sens d'une «nationalisation» entendue comme l'attribution à des portions démographiques ottomanes ou étrangères chrétiennes, d'une culture souvent différente de la culture originaire de chacune de ces portions.

Ainsi par exemple des Latins d'Orient de renommée internationale,

[18] Cf. les nombreux ouvrages de l'historien juif séphardite Avram Galante Bodrumlu (e.a. *Histoire des Juifs d'Anatolie — Les Juifs d'Izmir (Smyrne)*, Istanbul, Babok 1937) et M. Franco, *Essai sur l'histoire des Israélites de l'Empire Ottoman depuis les origines jusqu'à nos jours*, Paris, Libr. A. Durlacher, 1897.

[19] A ma connaissance il n'existe qu'une seule collection complète de ce Palmarès qui paraissait chaque année sous le titre *Distribution des Prix du Collège de la Propagande à Smyrne, dirigé par MM. les Lazaristes*, et était imprimé à Smyrne même. Cette collection se trouve au Consulat Général de France.

[20] Cf., e.a., les livres du P. Joseph Hajjar dont *Les chrétiens uniates du Proche-Orient* (Paris, Seuil 1962), *L'Europe et les destinées du Proche-Orient (1815-1848)*, Paris, Bloud & Gay 1970, etc. Sur le premier de ces livres, cf. mes remarques in *Rome et les Églises d'Orient* (note 1 ci-dessus), p. 56-59.

[21] Cette idée de colonisation culturelle de l'Empire ottoman est latente, sinon ouvertement dénoncée, dans plusieurs publications turques récentes, dont E. Kirşehirlioğlu, *Türkiye' de Misyoner Faaliyetleri* (Les activités missionnaires en Turquie), Istanbul, Bedir Yayinevi P.K. 1060, 1963; Sâmiha Ayverdi, *Misyonerlik karşisinda Türkiye*, (La Turquie face aux Missions), Istanbul, Turan Neşr. Şti. Çağaloglu, 1969, etc.

de lointaine ascendance génoise, de langue maternelle grecque mais de culture inter- et plurinationale, tels que les Giustiniani[22] de Scio et de Smyrne ou les Testa[23] de Constantinople, se sont trouvés partagés, au sein d'une seule et même famille, entre la France, l'Italie, l'Autriche, l'Angleterre ou les Etats-Unis d'Amérique suivant qu'ils avaient opté pour l'école française, italienne, autrichienne ou américaine. Ce qui explique, en partie, qu'il existe aujourd'hui outre les Testa italiens, au moins un Testa ambassadeur de France[24], sans compter ceux qui sont passés au service diplomatique des Pays-Bas et qui figurent aujourd'hui parmi les familles du Nederlands' Patriciaat[25]. Ce qui explique surtout, vu la prépondérance des écoles françaises, que la principale langue véhiculaire, parlée et écrite, de plusieurs Latins d'Orient d'origine non-française, soit encore — et ce depuis le XIXe siècle — la langue française.

Quelques cas typiques de «colonisation» par «nationalisation culturelle» sont à relever même chez des communautés aussi structurées que les communautés grecque orthodoxe et arménienne, les cas des Xenopoulo[26] et des Varipati[27], familles marchandes grecques de Smyrne, devenues catholiques (française la première et italienne la seconde), et des princes arméniens «orthodoxes» Dedeyan, actuellement professeurs arméniens catholiques à la Sorbonne, étant notoires[28].

A ceux-ci peut-être pourrait-on ajouter deux cas personnels ex-

[22] Cf. C. HOPF, *Les Giustiniani dynastes de Chios*, Paris, E. Leroux 1888 et *Chroniques gréco-romanes*, Paris 1873 (Réimpr. chez J. Adam, Bruxelles 1966); RODOCANACHI, «Οἱ 'Ιουστινιάναι», Hermoupolis (Syra, Grèce), 1900.

[23] Le nom des Testa a été immortalisé notamment par le baron Ignace de Testa, co-auteur du *Recueil des traités de la Porte Ottomane avec les Puissances Étrangères*, onze tomes, Paris, Amyot éditeur des Archives Diplomatiques, 1864-1911, avec ses fils Alfred et Léopold de Testa, avocats à la Cour d'Appel de Nancy. Ignace de Testa était, entre autres, chambellan du Grand-Duc de Toscane.

[24] Il s'agit de M. François de Testa (né en 1917), ambassadeur au Népal depuis le 1er juillet 1977 (cf. *Le Monde* de même date).

[25] Cf. Tome... (postérieur à 1910), p. 422-426, et Année 64e, 1971-1972.

[26] Cf. *Indicateur des professions commerciales & industrielles de Smyrne, de l'Anatolie, etc.*, publiée par Jacob DE ANDRIA et G. TIMONI, Smyrne, Imprimerie commerciale, 1894, p. 5 et 22 des Annonces. Les Xénopoulo se sont alliés aux Belhomme, vieille famille provençale de Smyrne.

[27] Les Varipati, fondateurs d'une fortune considérable au XIXe siècle (leur propriété de Bournabat était une des plus belles résidences du Levant), se sont alliés, entre autres, aux Reggio et aux Issaverdens.

[28] Sur les Dedeyan on consultera, entre autres, *Les Dedeyan, leurs titres, leurs alliances* par le prince Christian DEDEYAN, Venise, Imprimerie des Pères Mékhitaristes, Saint-Lazare, 1972.

ceptionnels[29] de nationalisation culturelle dans le domaine anglo-saxon, au profit respectivement de la Grande Bretagne et des Etats-Unis, intervenus entre la fin du siècle dernier et le début de ce siècle : celui de la femme-écrivain anglo-turque Halide Edib Adĭvar[30] qui, malgré tout, a fini par lier son nom à l'épopée kémaliste, et celui du fils du grand poète turc Tevfik Fikret[31], qui a fini par abandonner l'Islam ottoman au profit d'une des formes du Christianisme américain. Sans oublier, enfin, encore une autre forme de nationalisation culturelle, au profit de la France, due à l'Alliance israëlite internationale qui, par ses écoles de langue française, entreprit pratiquement un travail, bien que lent, de déshispanisation des juifs séphardis ottomans, sur lequel se sont abattus les événements destructeurs de la première et de la deuxième moitié du XXe siècle[32 33].

[29] Il s'agit de cas «exceptionnels» car, comme je l'ai dit plus haut, la «colonisation culturelle» étrangère de l'Empire ottoman s'est adressée principalement et presque exclusivement à ses composantes démographiques non-musulmanes.

[30] On reproche à cette grande femme écrivain et patriote (auteur, entre autres, d'un célèbre ouvrage intitulé *Sinekli bakkal*, c.-à-d. *L'épicier aux mouches*, dont il existe aussi une traduction française) d'avoir un style et surtout une langue turque très influencée par la langue et la syntaxe anglaises. Mais Halide Edip ADIVAR a-t-elle été chrétienne? Le livre de voyage de Rose MACAULAY, *The Towers of Trebizond*, Londres, The Reprint Society 1956, qui évoque Halide Edib en des termes qui font penser à Bergson, le laisse supposer. Qu'on en juge :

> «She had married her Moslem man after all, and had reverted to Islam, and not only because of her marriage, for, 'I have come to see, she wrote, the emancipated Turkish women, if we are to lead our poor countrywomen into freedom, we must do this from within. What is the use that I speak to them in villages and tell them I belong to the Church of England? What is that to them, when they belong to the Church of Turkey?'» (p. 242).

En quelques lignes la descendante du grand historien anglais, allant même au delà du problème de la colonisation culturelle de l'Empire ottoman, a résumé le drame des relations turco-chrétiennes.

[31] Le curriculum vitae de Halûk Fikret, «devenu prêtre chrétien» en Amérique, figure dans *Varlĭk Yĭllĭğĭ 1967*, Varlĭk Yayĭnevi, Ankara Caddesi, Istanbul, p. 301-303. L'Islâm Ansiklopedisi, tome 12/I, Istanbul 1974, p. 206-212, consacrées à Tevfik Fikret, semble tout ignorer d'un fils (prodigue?) qui pourtant joua un certain rôle dans la carrière poétique du père.

[32] Cf. H.V. SEPHIHA, *L'agonie des Judéo-espagnols*, Paris, Ed. Entente, 12 rue Honoré-Chevalier, 1977.

[33] Un autre cas, non dépourvu d'analogies avec ce que j'ai dit dans ce chapitre, est celui des interchanges religieux entre Latins d'Orient étrangers de Smyrne au cours du XIXe siècle. Ainsi, par exemple, les Dutilh — famille protestante du Patriciat néerlandais établie à Smyrne depuis le XVIIIe — sont passés au catholicisme romain qu'ils pratiquent encore à Smyrne où ils continuent de résider, alors que les Giraud — catholiques français également établis à Smyrne depuis le XVIIIe — sont passés à l'Église anglicane. Évidemment, dans ces cas non seulement le rôle des écoles, mais aussi celui du milieu et des mariages, a été prépondérant.

Le XIXe siècle dans le contexte général de l'histoire de l'instruction chez les Latins d'Orient depuis 1453

Si Chassiotis [34] a déjà écrit, au cours du siècle dernier, une remarquable histoire de l'instruction publique chez les Grecs depuis la chute de Constantinople, les Latins d'Orient attendent encore que l'on écrive l'histoire de l'instruction publique chez eux depuis cette date fatidique.

C'est que, partagés entre la Chrétienté et l'Islam, attachés par l'esprit et par le corps à l'Europe chrétienne — une et indivise dans sa foi, malgré la pluralité de ses Huit Langues [35], suivant la terminologie des chevaliers de Malte —, mais *indissolublement* liés par l'histoire à la Terre d'Islam depuis les Croisades, ils ont paru indignes de tout intérêt scientifique, s'agissant, pour reprendre l'expression d'un écrivain français actuel, Robert Mantran, d'une «masse hybride» [36] dont les ascendances croisées ne seraient que «illusoires», suivant l'expression d'un autre écrivain actuel, cette fois espagnol, M. Emilio G. Gómez, ancien ambassadeur à Ankara [37]. Et cela même si cette «masse hybride» a donné naissance, au XVIIIe siècle, à André Chénier [38] et a produit, au XXe, les deux esprits peut-être le plus représentatifs de notre époque, Antonin Artaud [39] et Georges de Chirico [40]. Comme si, par ailleurs, les entités dont font partie les Mantran eux-mêmes, les Debré, les Lipkowski, Palewski et Bokanowski, en passant par les Aznavour, les Veil et les Filipacchi, étaient bien différentes.

Cependant les Latins d'Orient des deux communautés principales (Scio et Galata) d'abord, de Smyrne, ensuite, ont bien eu leur instruction dont l'histoire mérite d'être relatée un jour.

[34] Paris, Ernest Leroux, 1881.

[35] A savoir : anglais, trois langues de France, deux langues ibériques, allemand et italien.

[36] Cf. *Turquie* in Albums des Guides Bleus, Paris, Hachette 1955, p. 12, 15e ligne.

[37] Cf. Emilio GARRIGUES, *Segundo viaje de Turquia*, Madrid, Ed. de la Revista de Occidente, General Mola 11, 1976. Voici les propres mots d'E. G. GÓMEZ : «Las demàs (gentes) se han aglomerado en el magma «levantino», mirado casi siempre peyorativamente por los turcos, aunque algunos de estos grupos lancen desesperados e ilusorios ganchos genealógicos que puedan enlazarlos a los Cruzados». (p. VIII et IX du «Prólogo» dû précisément à l'ambassadeur E. Garcia GÓMEZ).

[38] Cf. mon étude *Le dernier mot sur les origines levantines d'André Chénier : sa grand-mère, née Mamaky de Lusignan*, in *Zeitsch der D. Morg. Ges.*, suppl. III, 1, Wiesbaden, 1977.

[39] On sait que la mère du poète et dramaturge A. Artaud (1896-1948) était une smyrniote de vieille souche, Euphrasie Nalpas.

[40] La famille de Chirico (ou «de Kiriko»!), d'origine napolitaine, est installée à Constantinople et dans le Levant depuis le XVIIIe siècle. Le peintre Giorgio de Chirico, et son frère Alberto Savinio, à la fois peintre, écrivain et musicien, y sont nés et descendent, par les femmes, d'anciennes familles latines d'Orient.

C'est *en premier lieu* l'histoire «missionnaire» des ordres religieux catholiques — franciscain et dominicain depuis leur fondation au XIIIe siècle, jésuite depuis 1583, et capucin depuis environ 1630 — qui, par les moyens les plus variés, — depuis l'adaptation latine de la messe arménienne[41] jusqu'à la publication d'innombrables catéchismes et livres de prières en langue grecque moderne, écrite cependant non pas en caractères grecs, donc orthodoxes, mais en caractères latins[42] —, ont instruit les enfants latins d'Orient dont ils ont maintenu vivante la foi. En outre, que de grammaires, que de dictionnaires multilingues publiés par ces religieux soucieux d'instaurer, à partir de la toile de fond de la foi, un dialogue constant avec leurs Latins à la fois italophones, francophones, grécophones, turcophones et souvent même arménophones ...[43].

C'est *ensuite* l'histoire de la libre circulation des étudiants et des savants latins d'Orient entre l'Orient et les universités européennes, les collèges romains[44] ou ce qu'on appellerait aujourd'hui des écoles spécialisées, telles que celles dites «des jeunes de langue» de Paris, de Vienne ou de Venise ...

Les Collèges de Rome, de Propaganda Fide ou le Collège Grec, ne comportent pas nécessairement l'accès à la prêtrise et plusieurs enfants latins, qui se sont distingués plus tard même dans le commerce, y ont fait des études[45]. Les écoles de Paris, de Vienne ou de Venise ont formé des familles entières de drogmans. C'est à Padoue et à Oxford qu'a étudié Emmanuel Timoni[46], le médecin latin connu pour avoir

[41] Sur le rite arméno-latin et sur la latinisation des Arméniens de Perse depuis le XIVe siècle, cf. les études des pères dominicains van den Oudenrijn et Eszer publiées, entre autres, in Archivum Ordinis Praedicatorum, Istituto storico domenicano, Piazza Sta Sabina, Roma.

[42] Cf., e.a., E. DALLEGGIO D'ALESSIO, *Bibliographie des ouvrages grecs écrits avec des caractères latins*, in *Mikrasiatikà Chronikà*, T. Thita, Athènes, (rue Karytsi 3), 1961.

[43] Il suffit de citer, à titre d'exemple, l'activité littéraire des Pères Capucins telle qu'elle résulte de l'ouvrage monumental du Père Clemente da Terzorio, *Le Missioni dei Minori Cappuccini*, notamment Tomes II et III, Rome, resp. 1914 et 1917.

[44] Cf. à ce sujet les études consacrées par le P. HOFMANN aux différents évêchés de l'Archipel de l'Egée (Rome, Pontificio Istituto Orientale), pleines de noms d'ecclésiastiques et de savants latins d'Orient circulant entre l'Empire ottoman, les universités européennes et les Collèges romains.

[45] Cf., e.a., Zacharia N. TSIRPANLI, «Οἱ Μακέδονες σπουδαστὲς τοῦ ἑλληνικοῦ κολλεγίου Ῥώμης καὶ ἡ δράση τους στὴν Ἑλλάδα καὶ στὴν Ἰταλία» («Les étudiants macédoniens du Collège grec de Rome et leur action en Grèce et en Italie»), Salonique, Sté d'Etudes macédoniennes (4, Reine Sophie), 1971.

[46] Cf. Ph. ARGENTI, «ΕΜΜΑΝΟΥΗΛ ΤΙΜΟΝΗΣ», in Revue (grecque) du Syllogue de Chios, T. 2, No. 1-2, Athènes, Pyrsou, 1940, p. 140-170.

fait connaître, le premier, — ainsi qu'en témoignent Lady Montague et Voltaire —, des méthodes efficaces d'inoculation contre la vérole. C'est à Montpellier [47] qu'étudient d'autres médecins latins d'Orient et au Theresianum de Vienne que se forment des diplomates issus de familles latines d'Orient.

Tous ceux qui étudient l'histoire des relations entre l'Empire Ottoman et les États chrétiens d'Europe d'une part, et les relations entre l'Islam — turc depuis environ 1000 ans — et la Chrétienté ou entre Rome et Constantinople, d'autre part, connaissent non seulement les noms, déjà cités, des Giustiniani — Latins d'Orient depuis 1346 jusqu'à nos jours, tour à tour banquiers génois [48], souverains de Scio [49], à la fois défenseurs de Byzance [50] et négociateurs de traités avec Mahomet II [51], négociants ottomans, ambassadeurs de François II à la Porte ottomane [52] ou de la République italienne auprès de la Reine Juliana [53],

[47] Cf. *Les relations entre le monde hellénique (sic!) et la faculté de médecine de Montpellier au XIXe et au XXe siècle*, par Jean TURHINI et Louis DULIEU, in *XVIIe Congrès International d'Histoire de la Médecine*, T. I, Communications, Athènes 1960.

[48] Au début de leur histoire les Giustiniani constituèrent une «mahone», c.-à-d. ce que le Larousse du XXe siècle appelle «une association de capitalistes, qu'on trouve dans plusieurs États italiens, au moyen âge». C'est leur mahone qui en 1346 (toujours d'après le Larousse) «équipa la flotte qui reprit Chio et les deux Phocées, et reçut l'exploitation de la conquête. La Mahone de Chio dura jusqu'à la conquête ottomane (1566)».

[49] Cf. D. PROMIS, *La zecca di Scio durante il dominio dei Genovesi*, Torino, Stamperia Reale, 1865. La faculté de frapper monnaie, attribut de souveraineté, a été reconnue aux Giustiniani depuis le 26 février 1347 (p. 14) et plusieurs monnaies portent les initiales L.I., V.I., B.I., F.I., N.I., c.-à-d. Laurentius, Vincentius, Bartholomeus, Franciscus, Nicolaus etc. Iustinianus.

[50] Il s'agit de Giovanni Guglielmo Longo Giustiniani qui défendit Byzance en 1453 auprès du dernier Basileus Constantin Dragazis (cf., e.a., HOPF, *Chroniques gréco-romanes*, p. 517).

[51] Alors que Giovanni Longo Giustiniani se battait avec le dernier empereur de Byzance contre Mehmet II, ses cousins de Galata entamaient *-ultima ratio vitae* —, avec ce dernier, des négociations qui conduisirent à la célèbre *Capitulation de Galata* fixant les conditions auxquelles les Génois de Galata, devenus *Latins ottomans*, auraient pu continuer à vivre sur le territoire de l'Empire turc. C'était (cf. note 4 ci-dessus) l'acte constitutif de la nation latine ottomane (osmanlĭ Lâtin milleti).

[52] Il s'agit de Vincent Justiniani («Vincenzo Giustiniani») chargé d'affaires de François II en 1559 et «envoyé en mission spéciale» de Charles IX en 1563 auprès de la Porte. Cf., e.a., CHARRIÈRE, *Négociations de la France dans le Levant*, T. II, p. 736 in nota, Paris 1850.

[53] Je me réfère au marquis Raimondo Giustiniani (né à Smyrne en 1899, † à Rome en 1976), ambassadeur d'Italie à La Haye entre 1958 et 1962. La famille de Raimondo (= Raymond) Giustiniani a résidé au Levant d'une manière ininterrompue depuis 1346 (date de l'occupation génoise de l'île de Scio) jusqu'à nos jours.

évêques de Scio avant et après la création du Royaume de Grèce, évêques de l'un ou de l'autre parmi les nombreux évêchés de Corse [54], Pères du Concile de Trente [55] ou cardinaux de la Sainte Église Romaine [56], mais toujours Latins d'Orient puisque nés à Scio, à Smyrne ou à Constantinople —, tous connaissent, disais-je non seulement les noms des Giustiniani, des Testa, et des Timoni, mais aussi celui des Lusignans passés, après Lépante, de Chypre à Scio, à Smyrne, à Rome ou à Paris où ils s'illustrent à la Cour de Louis XV et de Benoît XIV [57], des Lomaca, drogmans de la Porte, de Pologne ou de France — dont est issu André Chénier —, des Castelli, descendants des Zaccaria Castello [58], seigneurs de Phocée en Turquie dont ils exploitaient depuis le XIIe siècle les mines d'alun et dont la vocation marchande ne s'est jamais démentie au cours de leur quelque mille ans d'histoire, des Pisani [59], drogmans d'Angleterre depuis le XVIIIe siècle, des Roboly [60],

[54] Parmi les Giustiniani de Scio ayant occupé l'un ou l'autre siège épiscopal en Corse, je rappelle Jean-François, évêque d'Aleria (1612-1642); Charles-Fabrice, évêque de Mariana (1666-1682); Pierre-Maria, évêque de Sagone (1726-1741); Maxime-Augustin et Thomas évêques de Nebbio (resp. 1514-1536 et 1703-1713) et Jules, évêque d'Ajaccio (1587-1616).

[55] Le général des dominicains Vincenzo Giustiniani (Scio 1519, † en 1582) a été l'un des pères du Concile de Trente.

[56] Je pense à Orazio Giustiniani, de Scio, cardinal de la S.E.R., grand pénitencier et bibliothécaire du Vatican († à Rome en 1649), à Benedetto Giustiniani, vice-chancelier aux expéditions des Brefs Apostoliques et cardinal en 1586, ainsi qu'à Vincenzo Giustiniani lui-même, cité à la note précédente, cardinal en 1570.

[57] Cf. ma communication au 12e *Congrès international de généalogie* (Munich 1974), intitulée *Les Lusignans de Scio, de Smyrne et de Constantinople, dits «Mamaky de Lusignan*, parue à Stuttgart en 1978.

[58] La généalogie des Castelli, descendants des Zaccaria Castello, seigneurs de Phocée (en turc Foça, aujourd'hui ville bien connue à cause du Club Méditerranée qui y a établi l'un de ses villages de vacances...), a été publiée dans le *Calendario d'Oro* de l'*Istituto Araldico Italiano*, Anno IX, Rome 1897, p. 240-243. L'auteur de la présente communication descend aussi du premier Castelli mentionné par le «Calendario», Zaccaria de Castello «nobile di Genova» en 1150.

[59] Sur le rôle historique de la famille Pisani, de Constantinople, cf., e.a., Boris Mouravieff, *L'Alliance russo-turque au milieu des guerres napoléoniennes*, Neuchâtel-Bruxelles, 1954, p. 237, 238, 240, 297, 299, 316, 358 et 362.

[60] Cette famille, dont le nom s'éteindra à Smyrne avec la mort de Madame Gio Reggio, née Irène Roboly, a donné à la France Jean-François Roboly (1623-1689) *ad Portam Ottomanam pro christianiss. Galliarum Imperatore septennio Residens* (cf. pierre tombale en l'église St.-Georges de Galata, à Constantinople; cf. aussi P. Duparc, *Recueil des instructions données aux ambassadeurs et ministres de France depuis les Traités de Westphalie jusqu'à la Révolution Française*, Paris, Editions du C.N.R.S. 1969, p. XIII, 10, 23 et 437).

des Dantan[61], des Fonton[62] ou des Mouradgea d'Ohsson[63], négociants d'origine française et drogmans de France les trois premiers, drogmans de Suède et historiens de renommée internationale les derniers, mais tous Latins d'Orient.

Le XIXe siècle a-t-il freiné cette vocation internationale des Latins d'Orient et le phénomène de la «nationalisation» culturelle découlant de l'établissement, dans le Levant ottoman, d'écoles nationales françaises, italiennes, anglaises, allemandes, autrichiennes ou américaines, a-t-il cassé le sentiment extra — sinon supra-national des Latins d'Orient, qui étaient restés, consciemment ou inconsciemment, liés à la Communitas christiana européenne indivise d'avant 1648?

Je ne crois pas. Les Latins d'Orient se sont servis de ces écoles nationales — notamment françaises — comme du meilleur moyen disponible sur place pour leur éducation, indépendamment de la nationalité étrangère qu'elles représentaient, même si l'école a fini par donner à leurs enfants une culture nationale moderne spécifique à partir de laquelle a été construite, comme je disais au début, leur citoyenneté actuelle. Dans le service public, un Testa ou un Pisani peuvent être au XIXe siècle — malgré l'étonnement et les hauts cris d'un voyageur belge en Orient de l'époque[64] — drogmans de n'importe quelle légation étrangère à Constantinople, de même qu'un Lusignan peut être, à Smyrne, drogman du Grand-Duc de Toscane[65].

Dans le négoce international — auquel se vouaient généralement les principales familles latines d'Orient en vertu du principe de la

[61] Sur les Dantan et les Fonton cf. notices généalogiques in Hubsch DE GROSSTHAL, *Notes généalogiques et historiques*, Bordeaux, Impr. E. Taffard (s.d., mais avant 1963). D'après ces notices, les Dantan, originaires du pays de Vaud, ont non seulement occupé des charges diplomatiques, mais se sont fait connaître, comme beaucoup d'autres familles latines d'Orient, par leurs publications. Louis DANTAN, par exemple, publia en 1734 un *Traité de la fondation de Constantinople*.

[62] Aux FONTON drogmans il y a lieu d'ajouter les Fonton évêques (dont Jean-Baptiste, archevêque de Marcianopolis en 1799 et vicaire apostolique patriarcal de Constantinople jusqu'en 1816) et les Fonton historiens (dont Félix, auteur de *La Russie dans l'Asie Mineure ou Campagnes du Maréchal Paskévitch en 1828 et 1829 et Tableau du Caucase*, Paris, Leneveu 1839).

[63] Il s'agit des Mouradgea d'Ohsson père et fils, Arméniens latinisés, agrégés à la noblesse suédoise, mentionnés par les principales encyclopédies en tant qu'auteurs des célèbres trois volumes in-folio du *Tableau général de l'Empire Ottoman*, Paris 1787-1820.

[64] Je pense à René SPITAELS, auteur du voyage *De Bruxelles à Constantinople* (Bruxelles 1840) où figurent des considérations fort désobligeantes à l'encontre des notables latins d'Orient de Constantinople accusés de s'être partagé les postes-clé des principales ambassades de la capitale ottomane.

[65] Il s'agit de Jacques Mamaky de Lusignan (Smyrne 1805, † Salonique 1859).

division ottomane du travail *ratione nationis* («millet») —[66] une éducation scolaire française, considérée plutôt sous l'aspect de la francophonie plutôt que sous l'aspect de la francité, n'était pas moins bonne — aux yeux des familles intéressées — qu'une éducation italienne (ou italophone), germanophone ou anglophone. Toutes ces éducations étaient comparables, puisque chrétiennes, puisqu'européennes.

D'où, aussi, un nombre considérable d'évêques, donc de chefs à la fois religieux et civils, *more othomanico*, issus des Latins d'Orient au XIXe siècle, à Smyrne et dans les îles grecques ou ottomanes de la Mer Egée ou à Constantinople (par ex. le délégué apostolique en Grèce, Mgr. Alberti[67], à qui l'on doit pratiquement l'organisation de la communauté latine d'Athènes; Mgr. Missir, recteur du Collège grec de Rome[68]; les évêques Castelli[69], Timoni[70], Camilleri[71] et Mussabini[72] dont les noms sont restés liés à l'histoire de l'œcuménisme moderne, etc.), tous formés par les écoles étrangères établies en Turquie au XIXe siècle, quelle qu'ait été leur nationalité.

D'où aussi un nombre considérable d'écrivains Latins d'Orient qui s'illustrent dans une page aussi ignorée qu'importante de l'histoire du journalisme ottoman (d'expression non turque) qui a vu — depuis 1821 et jusqu'à la veille de la seconde guerre mondiale — paraître, rien qu'à Smyrne, plus d'une vingtaine — je dis *une vingtaine* — de journaux de langue française, à partir du «Spectateur oriental», du

[66] Cf. ma communication aux Journées Orientalistes Belges de 1977, intitulée *Le principe de la répartition du travail dans l'Empire Ottoman.*

[67] Fils du négociant Charles Alberti et de Clara Missir, Joseph-Marie Alberti naquit à Smyrne en 1809 et mourut en 1880. Il fut évêque de Syra et l'un des deux seuls délégués apostoliques officiellement reconnus en Grèce depuis la création de l'Etat. Il contribua, entre autres, à la fondation de la cathédrale catholique d'Athènes.

[68] Stefano Missir (1806-1863) a été archevêque tit. d'Irénopolis. Sa biographie figure in *Rome et les Églises d'Orient*, cité à la note 1 ci-dessus.

[69] Mgr. Castelli a été évêque de Tinos dans la seconde moitié du siècle dernier.

[70] André-Polycarpe Timoni (1833-1904) a été archevêque de Smyrne où il fonda de nombreuses écoles. On lui doit notamment la découverte de la Maison de la Ste.-Vierge à Ephèse et la publication d'un ouvrage en défense de la tradition d'après laquelle la Mère du Christ serait morte à Ephèse.

[71] Mgr. Camilleri a été évêque de Santorin.

[72] Antoine Mussabini est né à Smyrne en 1805 et y est mort en 1861. Issu d'une famille originaire d'Alep («Mouchabli», latinisé en Mussabini), il fut pro-délégué au Liban, vicaire apostolique à Alep, pro-vicaire apostolique à Constantinople et enfin archevêque de Smyrne. Il est souvent cité dans les œuvres du P. Hajjar (note 20 ci-dessus) et sa biographie figure in *Le Diocèse de Smyrne* par Franck de PORTU, Smyrne, Impr. Intern. 1908, p. 55-58.

«Courrier de Smyrne», de «L'Impartial» et de «L'Echo d'Orient», jusqu'à «La Réforme», «Le Levant» et «L'Echo d'Izmir» [73].

C'est là qu'écriront des Latins d'Orient, aux origines anciennes les plus variées et aux nationalités «politiques» les plus disparates — mais formés aux écoles étrangères de Smyrne —, tels que Joseph Bargigli [74], Gaston et Albert Reggio [75], Antoine Edwards [76], Frédéric Murat [77], Joseph Corsi [78], Emile Rossi [79], Charles [80] et Giovanni [81] Mirzan,

[73] Chacun de ces journaux, dont il n'existe nulle part, à ma connaissance, de collection complète, mériterait une étude à part s'agissant non seulement d'une contribution capitale des Latins d'Orient, mais aussi et surtout d'une source de première main, et souvent unique, pour l'histoire des 100 dernières années de l'Empire ottoman (1821-1923).

[74] Le négociant Joseph BARGIGLI († 1851), de noble origine florentine, mais établi à Smyrne depuis le XVIIIe siècle, fonda *L'Echo d'Orient*, journal qui parut de 1838 à 1845 et dont la seule collection connue se trouve à Paris chez le prince Christian Dedeyan que nous tenons à remercier ici d'avoir bien voulu nous permettre de la consulter. Joseph Bargigli fut en même temps consul général du Grand-Duché de Toscane à Smyrne et publia *Le Guide smyrnéen* (connu par une citation de B. SLAARS, cf. note 85, mais dont on ne connaît, depuis l'incendie de Smyrne de 1922, aucun exemplaire).

[75] Gaston REGGIO a dominé, par ses écrits, la vie littéraire de Smyrne dans la seconde moitié du XIXe siècle. Né en 1852, il collabora au *Courrier de Smyrne* (deuxième édition parue à partir de 1869 et jusqu'en 1912), dont il fut le rédacteur pendant de longues années.

Son cousin Albert REGGIO est connu non seulement à cause de ses articles, mais aussi pour ses nombreux écrits littéraires, dont *Les conclusions* de Prodome ZÉCAS, *Roman des mœurs grecques contemporaines* (Paris, Perrin 1921) et surtout *Regards sur l'Europe intellectuelle* (Paris, Perrin 1911) contenant deux chapitres remarquables sur *La sensibilité hellénique contemporaine* et sur *La Turquie nouvelle*. Signalons, au passage, qu'Albert REGGIO emploie (p. 251) l'expression «Latins d'Orient» pour désigner uniquement les catholiques de nationalité ottomane. Il ne partage pas l'avis de Louis BERTRAND d'après lequel il y aurait une «âme levantine» (p. 248).

[76] Bien que d'origine anglaise, Antoine EDWARDS a publié au moins deux recueils de poèmes en français, à savoir
— *Pensées d'Automne*, Smyrne, Imprimerie du commerce, 1838 et
— *Feuillets intimes*, Paris, G. Charpentier et Cie., 1884. Ce dernier recueil mentionne, en outre, (p. 215), un *album littéraire* publié en (ou datant de?) 1872. Il fut rédacteur de *L'Impartial*.

[77] Frédéric MURAT a été, avec M. BOUSQUET-DESCHAMPS, Alfred ARLAUD et Charles MIRZAN, un des rédacteurs du *Journal de Smyrne* qui parut entre 1876 et 1915.

[78] Joseph CORSI a été, avec A. EDWARDS, les deux Simon ROUX et M. VIRAPS, rédacteur de *L'Impartial*, le journal le plus connu de Smyrne, dont l'existence s'étala sur quelque 70 ans (1841-1912).

[79] Emile ROSSI (1836-..), fils de Pierre Rossi et de Judith Giustiniani, membre de plusieurs sociétés savantes, s'est fait remarquer pour ses publications astronomiques. Il collaborait à *La revue d'Orient*.

[80] Charles MIRZAN a été rédacteur du *Journal de Smyrne* (cf. note 77 ci-dessus).

[81] Giovanni MIRZAN a été un curieux personnage qui a laissé, entre autres, une *Trilogia Ipno-Spiritica socialista* (Turin-Rome, L. Roux e C., 1894). D'après une notice que j'ai trouvée à la Bibliothèque de l'Université de Turin, il fut lié d'amitié au prince Napoléon (1822-1891) et eut une vie assez mouvementée.

François Datodi[82], Jean Filippucci-Giustiniani[83], Joseph Nalpas[84], Bonaventure Slaars[85], Jean Maar[86], Odette Keun[87] et tant d'autres.

Ce sont là, je crois, quelques éléments d'information et de réflexion que j'ai estimé utile de présenter à ce congrès d'études orientalistes pour contribuer à la compréhension d'un très modeste aspect de l'histoire de l'humanité dans ce bassin de la Méditerranée voué désormais, en cette fin du XXe siècle, à des développements nouveaux.

Kerkhove, 7 mai 1978

[82] Le chevalier François DATODI publiait à Smyrne, dans la dernière décennie du siècle dernier, l'hebdomadaire commercial *Les Affiches Smyrnéennes*. Cf. mon étude sur *La descendance internationale d'Abraham Topuz* († 1865), in *Recueil du 11e Congrès International de Généalogie (Liège 1972)*, publié par l'Office généalogique de Belgique (Musée du Cinquantenaire).

[83] On doit au juriste international Jean FILIPPUCCI-GIUSTINIANI divers ouvrages dont *L'agonia di un Impero* (Rome, Carra 1921) (recueil d'articles publiés dans le journal *Il Tempo*, de Rome, en marge du traité de Sèvres ...) et surtout un très vivant voyage politique en Orient, intitulé *Dieci anni di viaggi politici in Oriente : 1914-1924* (Rome, Carra, s.d.).

[84] Joseph NALPAS, oncle du poète français Antonin ARTAUD (cf. note 39 ci-dessus), publia à Smyrne, entre 1892 et 1921, *L'Annuaire du Levant*.

[85] On doit à Bonaventure SLAARS, smyrniote de vieille souche hollandaise, la traduction et adaptation, du grec au français, de *L'Etude sur Smyrne* par Constantin ICONOMOS (Smyrne, Impr. B. Tatikian, 1868), seule ouvrage d'ensemble sur l'histoire de cette ville depuis ses origines jusqu'en 1868.

[86] On doit à Jean MAAR, *Le Fondement de la Philosophie* (Paris, Pierre Téqui, 1925). A une époque de remise en cause de toutes les valeurs acquises, ce livre se lit encore de nos jours avec intérêt et peut-être même avec émotion.

[87] Issue également d'une vieille famille hollandaise, mais smyrniote depuis le XVIIIe siècle, Odette KEUN, cousine de la princesse Borghèse, née Valérie Keun, a publié, entre autres, *Mesdemoiselles Daisne de Constantinople* (avant 1923), mais a été marquée surtout par son mariage avec le prince géorgien Tsérétéli, ce qui nous a valu *Au pays de la Toison d'or* (*En Géorgie menchéviste indépendante*), (Paris, Flammarion 1923) et *My adventures in Bolshevik Russia* (Londres, John Lane The Bodley Head Ltd. 1923).